MARCELA SERRANO

Dat wat in mijn hart is

Vertaald door Helena Erwich

ARENA

Oorspronkelijke titel: *Lo que está en mi corazón*
© Oorspronkelijke uitgave: Marcela Serrano, 2001
© Nederlandse uitgave: Arena Amsterdam, 2002
© Vertaling uit het Spaans: Helena Erwich
Omslagontwerp: Mariska Cock, Amsterdam
Foto voorzijde omslag: Fotostock
Foto achterzijde omslag: Joan Tomás
Typografie en zetwerk: Peter Verwey Grafische Produkties bv, Zwanenburg
ISBN 90 6974 459 7
NUR 302

Voor Alejandra Jorquera en Pancho Aleuy,
voor hun betrokkenheid

If I shouldn't be alive
When the Robins come,
Give the one in Red Cravat,
A Memorial crumb.

If I couldn't thank you,
Being fast asleep,
You will know I'm trying
With my Granite lip!

Emily Dickinson

I

Slachtoffers van de Apocalyps

Donderdag

1

Toen de eeuw twintig dagen oud was, overreed om acht uur 's avonds een witte auto zonder nummerbord, waarin drie mannen zaten, een vrouw die een donkere, met keien geplaveide straat overstak. Volgens de enige getuige van het voorval, een vrouw, was het voertuig niet gestopt en daarom had zij, toen zij iemand op de stoep zag liggen die daar door de klap was terechtgekomen, een ambulance gebeld zonder dat ze was gaan kijken of die persoon nog leefde: het vermoeden dat er bloed te zien zou zijn weerhield haar.

Ik was precies op tijd voor mijn afspraak in het Café del Museo en ik nam alvast een slokje van mijn eerste espresso, toen om kwart over acht een jongetje, vuil en blootsvoets, dat ik nog nooit had gezien, op mijn tafel af kwam en mij vertelde van het ongeluk. Toen hij zijn opdracht had vervuld, verdween hij onmiddellijk en liet mij verbaasd en vol vragen achter. Ze ligt in het Regionaal Ziekenhuis, zei hij mij. Het duurde even voordat ik reageerde, de rekening had betaald en in actie kwam. Ik wist niet of ik moest gaan lopen of naar het plein moest gaan op zoek naar een taxi, ik was niet in staat om mij voor de geest te halen hoe de straten liepen en te bedenken hoe ver hiervandaan het Regionaal Ziekenhuis lag. Ik ging het café weer binnen en overlegde met de ober die mij had geholpen: het ligt op de kruising van de Avenida Insurgentes met de Julio M. Corso, elke afstand is kort in de stad.

Ik ging er lopend naartoe, ongerust en in de war. Ik telde de blokken niet, maar het moeten er minstens zeven of acht geweest zijn.

Toen ik bij het ziekenhuis kwam, stuurden ze me door naar de eerste hulp in de erachter liggende straat. Ik kwam hollend binnen, maar afgezien van de ambulances die ik op de binnenplaats kon onderscheiden en enkele mannen die wat heen en weer liepen, zag ik alleen maar een dichte deur met ervoor een kleine, overdekte ruimte, een heel klein vierkant in de openlucht dat dienstdeed als wachtkamer. Drie vrouwen, inheemsen, zaten op de enige bank te wachten, op hun gezichten was eeuwenoud geduld te lezen, een paar kinderen speelden aan hun voeten. U moet bij de deur aanbellen, waarschuwden zij mij. Krachtig en wellicht wat ruw, omdat ik mijn bewegingen niet goed beheerste, opende ik de deur zonder ook maar één keer te bellen en liep het ziekenhuisterrein op. Alles was zo troosteloos, voor je binnenkwam was er zelfs geen wachtkamer waar je even zou kunnen wachten of gewoon zitten. De onvermijdelijke ziekenhuislucht, de geur van de armoede, viel op me.

Nee, u mag haar niet zien; ik hoef haar trouwens niet te zien, ik vraag alleen maar informatie, ze was er slecht aan toe toen ze hier kwam, dat wordt nog nader bekeken, de dokter is nog bij haar, u zult moeten wachten, waar?, buiten, bij de anderen, we zullen u wel waarschuwen.

Het was een koude januarinacht. Nadat ik een telefoon had gevonden en minstens twee gesprekken had gevoerd, leunde ik met mijn rug tegen de muur omdat je nergens kon gaan zitten, nergens stond ook maar één miserabele stoel. De inheemsen, vier vrouwen, keken me onverstoorbaar aan, in stilte wachtten wij. Alleen het gehuil van een baby, verborgen onder de sjaal van een van hen, onderbrak nu en dan de stilte wanneer de moeder, vermoeid van het geven van de borst, hem eraf haalde. Ik heb helemaal geen melk meer, merkte ze op tegen de vrouw die naast haar zat, maar hij blijft het lekker vinden. Zouden ze wachten op hun man, op een zoon, op een broer?

Toen een uur later nog steeds niemand me was komen halen, zoals ze hadden beloofd, ging ik het ziekenhuis weer in. Deze keer, bibberend van kou en angst, stond ik erop de dokter te spreken. Ik was dankbaar dat mijn huid blank genoeg was, wat het enige was wat telde als je wilde dat er naar je werd geluisterd. Ze kwam hier aan in een erbarmelijke toestand, was het commentaar van de dokter toen hij ten slotte besloot mij te ontvangen, ze heeft een enorme klap opgelopen. Een zware schedelbasisfractuur, een been en drie ribben gebroken, talloze bloeduitstortingen en wonden. Ze zouden haar in observatie houden.

Ik liep terug naar de María Adelina Flores, de straat van het Café del Museo, die ook de straat was waar zich mijn hotel bevond, en aarzelde of ik er nog iets zou gaan eten. Het was al tien uur 's avonds en de stad was geheel uitgestorven, zoals altijd op dit tijdstip. Elk blok leek mij langer dan het vorige en voor de eerste keer sinds ik was aangekomen, kwam het mij voor dat de eenzaamheid op straat gewaagd, riskant, gevaarlijk was. De wereld scheen mij vijandiger toe, mijn hulpeloosheid duidelijker; hij onttrok zich niet zomaar aan mij, hij vervaagde en werd chaotisch, het beeld dat het beste paste – het meest nabij, het vertrouwdst – bij dit nieuwe universum waarin ik terecht was gekomen.

Een lichaam is een lichaam, is een lichaam, is een lichaam, zou de literatuur zeggen. Maar in mij was het zielige lichaam van een vrouw aangevallen, nog warm, identificeerbaar, echt bestaand. Het was het lichaam van Reina Barcelona.

2

Weer op temperatuur gekomen in de warmte van mijn kamer, rustig gezeten aan mijn werktafel met een troostrijk glas tequila voor me, open ik mijn laptop en zoek in *Archief* de naam op van Reina Barcelona. De eerste informatie staat tussen haakjes: (Kennis van Dolores). Ik herinner mij heel precies het moment dat ik naar mijn moeder in Chili schreef vanuit Washington D.C., zoals altijd via e-mail, waaraan wij beiden verslaafd zijn, waaraan ik moet toevoegen dat het haar aanvankelijk aanzienlijk meer moeite kostte dan mij om te leren ermee om te gaan, en haar vertelde over de nieuwe klus die ik zou gaan doen. Per kerende post ontving ik haar dwingende opdracht: je moet beslist Reina Barcelona opzoeken! Daaraan voegde zij een paar gegevens toe, zoals het telefoonnummer van haar huis en het adres van haar kleine boekhandel, die ik onmiddellijk in mijn dossier stopte, en ik bedacht dat de ontmoetingen die mijn moeder voor mij organiseerde, bijna nooit nutteloos bleken te zijn.

Als ik op het punt sta de overige informatie te bekijken, word ik onderbroken door het geluid van de telefoon, dat mij geheel uit mijn moeizaam veroverde rustige gemoedsgesteldheid haalt waarin ik langzamerhand was geraakt door het zachte licht, de diepe stilte en de vertrouwdheid van mijn persoonlijke bezittingen in de kamer. Vol verwachting loop ik naar het nachtkastje waarop het ivoorkleurige toestel staat dat uitbundig rinkelt. Dat zal Jean Jacques zijn, eindelijk reageert hij op de wanhopige boodschap die ik voor hem achterliet in La Normandie, of een van de vrienden van Reina, die kortgeleden het nieuws heeft gehoord. (Misschien Luciano, die engel, die meer dan wie ook van haar leek te houden, wiens telefoon maar bleef overgaan toen ik probeerde hem vanuit het ziekenhuis te bereiken).

'Er is iemand voor u aan de lijn,' zegt de nachtportier, die ik goed ken, het is altijd dezelfde.

'Verbind hem maar door,' zeg ik hem.

Maar niemand beantwoordt mijn groet, de lijn is volledig stilgevallen. Omdat het geen zin heeft langer te wachten, verbreek ik de verbinding en toets het nummer van de receptie in.

'Wie heeft mij gebeld?' vraag ik, terwijl ik uitreken dat het in Washington al middernacht is, een uur waarop Gustavo verzonken is in zijn eerste diepe slaap, en dat op die breedtegraad elf uur al laat is. Het zou alleen maar een noodlotstelefoontje kunnen zijn, zo een dat door de nacht snerpt als er iets ergs is gebeurd.

Het was een mannenstem, meldt de portier mij, te oordelen naar zijn accent leek het iemand van hier.

Ik leg de hoorn weer neer, niet helemaal op mijn gemak; het heeft geen zin te denken dat het telefoontje een vergissing was, want om door de filter van de portiersloge heen te komen moest je eerst mijn naam vermelden. Ik ga op de rand van mijn bed zitten en kijk afwezig naar mijn nagels totdat al het kwellende verdriet waar ik mee zit, weer in mij opwelt.

Gedurende het anderhalve uur in het ziekenhuis had ik in mijzelf bepaalde emoties opnieuw beleefd, emoties die ik moest loslaten, die ik definitief moest zien te vergeten. Want alles welbeschouwd, daarvoor was ik toch hier gekomen? En daar kwam nog de spanning bij door wat er zojuist was gebeurd, wat mij perplex en hevig geschrokken achterliet. Die middag voelde ik mij vederlicht toen ik naar het Café del Museo liep, zeker als ik ervan was dat ik daar Reina zou ontmoeten, zeker ook dat het gesprek zou uitlopen, onder het genot van een cappuccino of espresso. Zonder nog maar de geringste energie te hebben om mij uit te kleden, ging ik op het enorme bed liggen totdat, van verre, de stem van Reina in mij opkwam zoals ik die had gehoord op de dag dat ik voor het eerst haar boek-

15

handel in het centrum van de stad was binnengelopen.

'Nee maar, wat ben jij mooi!' zei ze, terwijl ze me onverholen stond op te nemen. 'Je haar bevalt me... en je uiterlijk, dat zal wel van je vaders kant komen, nietwaar? Zo zou ik er ook wel hebben willen uitzien...'

Onbevangen, vertrouwd alsof ze mij al jaren kende. (De kleur van je haar maakt je mooier, maar leidt de aandacht niet af, zou ze me later zeggen, terwijl ze het streelde alsof het iets heel bijzonders was.)

'Ja, ik ben geboren in Uruguay. Maar dat gedoe over nationaliteit is puur flauwekul. Je hoort daar thuis waar je je thuis voelt... waar je kiest om thuis te zijn. En dan, daarbij komt, de mensen uit Uruguay... Zodra we de beschikking kregen over onze verstandelijke vermogens, gingen we bedenken hoe we uit dat landje konden wegkomen.'

Haar toon zat tussen vrolijkheid en ironie in, was nooit gewichtig, zoals ik vreesde, en voortdurend kwam haar lach ertussendoor als een middel dat zij bij de hand hield en heel tijdig zou gebruiken om haar verklaringen (en dat waren er, om de waarheid te zeggen, vele), te ontdoen van elke plechtigheid. Als zij haar stem verhief, klonk die tegelijk zacht en hees.

'En jij, wat heb jij geërfd van Dolores?'

'Dat is niet aan mij om te zeggen...'

'Haar hartstocht, bijvoorbeeld?'

'Nee, die was helemaal van haar.'

We keken elkaar geamuseerd aan, met iets van medeplichtigheid.

'Misschien dan haar moed?'

'Ook niet.'

'Kom nou!' voegde ze er lachend aan toe, 'geen enkele van haar eersteklas kwaliteiten?'

'Alleen haar tweedeklas kwaliteiten, lijkt het...'

Reina keek mij belangstellend en een beetje spottend aan, bewoog haar hoofd op en neer alsof zij mij van top tot teen opnam en terwijl ze mij bij de arm pakte, trok zij mij mee de boekhandel uit, op weg naar een café in de buurt.

Ze was helemaal in het zwart gekleed en later constateerde ik dat dit niet toevallig was, maar dat dit zich bij elke ontmoeting herhaalde. Ze maakte gebruik van haar welgevormde figuur en liet geen gelegenheid voorbijgaan om het goed uit te doen komen door haar jurk strak om haar lichaam te snoeren. Maar wat het meest mijn aandacht trok, dat was toch haar zwarte haar, wat schitterend stond het haar! Glanzend, oplichtend. Voortdurend speelde het een spel met haar, doordat het steile, loshangende haar zich samenvlocht of in elkaar draaide. Omdat je geen spoor van make-up zag, leek het of haar ijdelheid alleen maar zichtbaar werd in een paar zilveren oorbellen die ze droeg, kleine ronde hangers, met daaraan fraaie ruitjes. Eén bepaald gebaar van haar viel me op en bleek uiteindelijk heel karakteristiek te zijn: bij het praten hief ze een van haar handen op en liet de witte palm zien alsof ze daarmee haar woorden wilde onderstrepen.

'Heeft Dolores je verteld hoe wij elkaar hebben leren kennen?'

'In de cel, toch?'

'Precies. Ze ging met mij om alsof ik haar dochter was... Wat een mooie vrouw! We hebben een onverbrekelijke band.'

'Maar jij...' ik keek naar haar terwijl ze het jarenlange spoor terug probeerde te vinden, 'jij moet toen verschrikkelijk jong zijn geweest...'

'Ik was vroegrijp. Ik verliet Uruguay toen ik zeventien was. Mijn vader was gestorven en mijn oudste broer wilde in Chili gaan studeren. Ik ben hem toen achternagegaan. Niet alleen omdat ik niet in Montevideo wilde blijven, maar ook omdat in jouw land de Unidad Popular (Volkspartij) aan de macht was gekomen en dat wilde ik niet missen.'

'Maar hoe kun je op die leeftijd al politiek bewustzijn hebben?'

'Je kunt het bewustzijn hebben dat je bereid bent om te dragen.'

'O!'

'Het was jammer, het is me niet meer gelukt om mee te genieten van het feest, omdat Pinochet toen de coup pleegde...'

'Toen zat je nog op de middelbare school.'

'Ja. Maar toch, op de een of andere manier waren al mijn klasgenoten erbij betrokken. Ik studeerde aan het Liceo Manuel de Salas, dat onderdeel is van de Universiteit van Chili, weet je, ik denk dat het daarom niet zo vreemd was.'

'En waarom heb je het land niet verlaten na dat alles?'

'Waarom zou ik? Ik vond het net zo belangrijk als de anderen om de dictatuur omver te werpen. In plaats van weg te gaan ben ik lid van de MIR* geworden.'

'Dolores moest nooit iets van de MIR hebben,' voegde ik eraan toe, alsof dat er iets toe deed.

'Maar ze was ook niet echt iemand voor een actiegroep. Als ik er goed over nadenk: wat was het eigenlijk voor jou een voorrecht om door een dergelijke vrouw opgevoed te worden! Dat had ik ook wel gewild...'

'Een voorrecht en een ramp, geloof me... maar goed, laten we het daar niet over hebben.'

Ze keek me een beetje verbaasd aan, maar drong niet verder aan. Ze veranderde van onderwerp.

'Wel, brengt jou hier wat ik denk?'

'Inderdaad. Maar eerst moet je me toch iets vertellen, hoe is het je gelukt om je accent kwijt te raken? Je spreekt accentloos Spaans...'

Het was uitzonderlijk om iemand tegen te komen die uit Rio de la Plata kwam en die niet de laatste lettergreep van de werkwoorden benadrukte.

'Een Latijns-Amerikaans Spaans dat daarom nog niet neutraal hoeft te zijn. Zoals ikzelf.'

De stem van Reina binnen in mij werd plotseling onderbroken, weer ging de telefoon. Verdomme, wie belt er nou op dit tijdstip? De toon van de portier was net zo verveeld en slaperig als de mijne, totdat het in een flits, zonder enige overgang, weer in mij opkwam wie ik was, waar ik was en wat er was gebeurd. Grote god, zou Reina gestorven zijn? Ik had mijn nummer in het ziekenhuis achtergelaten, voor als er iets zou gebeuren.

* MIR: Movimiento Internacional Revolutionario – Internationale Revolutionaire Beweging

'Verbindt u mij alstublieft door,' zei ik.

Maar tot mijn verbazing herhaalde zich de situatie van daarvoor: het bleef stil aan de andere kant van de lijn, er was een stem die geen geluid maakte, een stem die wel de koppigste, de botste, de meest meedogenloze van alle stemmen was, niet bereid om enig woord uit te brengen.

Ik geef het anonieme telefoontje en niet mijzelf de schuld dat het mijn herinneringen zo heeft afgebroken. In de gegeven omstandigheden wil ik mij alleen maar die dag in herinnering brengen waarop ik haar leerde kennen. Ik stel paal en perk aan mijn herinnering, want vannacht verdraag ik het niet latere beelden of, om precies te zijn, een bepaald beeld op te roepen: dat van haar lichaam op mijn bed, een doodsbang lichaam dat sliep in de foetushouding en dat hevig huilde terwijl het sliep. En doordat ik dat beeld weiger op te roepen, breek ik het spel van de spiegels, onderdruk ik de enorme vraag die heel mijn wezen zichzelf schreeuwend stelt: wat doe ik hier? en stel ik haar angst en de mijne een paar ogenblikken buiten werking.

3

Moge Neruda mij vergeven, maar soms heb ik er genoeg van om vrouw te zijn. En toen ik beviel van mijn enige zoon, was ik de hemel dankbaar voor zijn sekse: wat bespaarde hij zich veel problemen alleen al door als man geboren te worden! Dat is het – vrouw zijn – wat mij stortte in de ergste nederlaag, die je alleen maar kan overkomen wanneer een wezen wordt geboren uit iemands lichaam, uit jouw eigen lichaam. Ik ben niet iemand die ertoe doet en mijn verhaal heeft niets buitengewoons, het is alleen maar dat van een jonge moeder die dat met één klap niet meer was. En dat feit, hoewel ook de vader door het grootste verdriet is gegaan dat je je maar kunt voorstellen, sluit je op in de allergrootste eenzaamheid, aangezien je nooit, wat er ook gebeurt, zo'n belevenis kunt delen. Het vaderschap kan een bijna intellectueel feit zijn: jij bent mijn zoon want ze zeiden mij dat je dat was, nooit bewoog je in mijn buik, nooit voelde ik je hartje kloppen, en ook al bevinden mijn genen zich in jou, je werd niet geboren als vlees van mijn vlees. Hoewel de mannen van de hele wereld mij haten omdat ik dat denk, het te gronde gaan van een bijna intellectueel feit is iets waar je overheen kunt komen, maar niet het te gronde gaan van een feit dat zo vreselijk lichamelijk is als een bevalling.

Twee jaar geleden werd mijn zoon geboren. Eindelijk was de tijd van groot geluk gekomen, maar voor mij duurde die nauwelijks twaalf maanden, zijn hartje kondigde het al heel vroeg aan. De overvloedige watermassa van alle rivieren kliefde zich een weg tussen hem en mij en liet ons elk op de andere oever achter. De mijne kleurde zich met een angstaanjagende hulpeloosheid.

De zwerftocht door de witte zalen van de ziekenhuizen met de afstandelijke toon van de dokters duurde even lang als zijn leven, en midden op deze lijdensweg lieten zich de stemmen horen van de deskundigen, die nee zeiden, die zeiden dat het riskant was om het opnieuw te proberen, dat het een erfelijke kwestie was, nietwaar, dat elk hart dat voortkwam uit het mijne deze kruisweg zou kunnen herhalen. Gustavo bleef er stoïcijns onder, sterk en dapper, vanuit zijn lichaam dat niets wist van verscheurdheid. Het is over, zei hij mij een jaar geleden. En hij sloeg de bladzij om. Om mij te beschermen. (Maar ik begreep hem niet. Ik dacht dat hij niet van mij hield, noch van mij, noch van onze zoon. En ik dacht dat ik ook niet meer van Gustavo hield. Als hij wilde vergeten, dan zou ik mijn eigen herinnering zijn aan het kind dat was heengegaan.)

Degene die ik wilde zijn, had haar kracht verloren. Het beeld dat wij van onszelf hadden als paar, verloor zijn scherpte, onze contouren vervaagden, nooit meer vormden we samen één enkele schaduw, één lange schaduw. We kregen er genoeg van om iemand te zijn naast iemand anders. Dat kwam doordat, toen het kind geboren was, Gustavo veranderde in een echte vader, in een enorme totale vader, en ik in zijn kindvrouwtje. Er gebeurde iets heel sterks tijdens de bevalling: het was alsof ik mijzelf had gebaard. Het kind, en mijn eigen ik. Nu, zonder hem, schrok ik hevig. Gustavo vervaagde, vader van niemand, een dolende figuur.

Te midden van al dat wit, dat van het ziekenhuis, van mijn afdeling, van de sneeuw, bleef ik daar naakt achter. Naakt, koud, en verschrikkelijk alleen.

De datum die met veel tamtam het einde van de eeuw en van het millennium aankondigde, viel samen met de eerste verjaardag van mijn rouw, wat dreigde mij nog verder te demoraliseren. Het sneeuwde in Washington toen Gustavo vond dat de rouwperiode voorbij moest zijn, dat een jaar lang genoeg moest zijn om zijn vrouw in zichzelf opgesloten te zien, opgerold als een dier, in bed met een boek open in haar handen, een boek dat zij bijna niet las. Ik denk wel dat mijn grote slonzigheid en de verwaarlozing van mijn uiterlijk zijn geduld uitputten. Toen hij mij leerde kennen – in Santiago de Chile, toen hij de tweede democratische verkiezingen moest verslaan – was wat hem het meest in mij beviel mijn rode haar. Mijn roodkopje, noemde hij mij, terwijl hij met zijn zachte vingers door mijn vlammende, krullerige, warrige lokken streek. Op de dag dat ik het vliegtuig noordwaarts nam, naar hem die mij definitief aan zijn zijde meevoerde, liet hij mij nog op het vliegveld beloven dat ik nooit mijn haar zou afknippen, dat ik de vrouw met het vele, langharige, rode haar zou zijn, zijn vrouw. Maar het eerste wat diezelfde langharige vrouw verloor was de glans van haar haar, toen ik de ziekenhuizen inruilde voor mijn eigen bed, ik waste het alleen nog maar als Gustavo mij erom smeekte. De nagel van mijn linker grote teen werd mijn perspectief, de uiteindelijke plek waarop elke blik terechtkwam. Geen enkel ogenblik voelde ik zelfs maar de neiging om zelfmoord te plegen, wat mij op zijn minst groter zou hebben gemaakt. Ik kleedde mij niet meer aan. Ik trok een oude, lange blouse aan die Dolores mij eens had gegeven of ik trok mijn peignoir aan over mijn pyjama, meer niet. Soms keek ik naar de potjes crème en de smeerseltjes die nog steeds op een plank van de badkamer stonden en dan vroeg ik mij af waartoe ze ook alweer dienden. Ik was het vergeten.

Ik wil graag heel duidelijk zijn over het lange, rode haar. Er bestaat een mythe dat een vrouw met zulk haar bepaalde karakteristieken vertoont, dat zij een leeuwin, jaagster, een mannenverslindster zou zijn, een femme fatale. Maar ik ben niets van dat alles. Ik werd met deze kleur geboren – in mijn jeugd had ik de onvermijdelijke sproeten, die met de tijd verdwenen – en afgezien van de grapjes die hierover in mijn jeugd werden gemaakt en het objectieve feit dat het soms de aandacht trok, had ik verder niets oorspronkelijks of uitzonderlijks. Dolores zei vaak tegen me, toen ik de volwassen leeftijd had bereikt, dat het mijn houding was en niet mijn kleur haar die mij speciaal maakte. Voor een gemiddelde Chileense vrouw ben ik lang. Maar als ik door de straten van Washington loop, verdwijnt deze kwaliteit. Dan blijft alleen mijn haar over. Dus ben ik dan weer het roodkopje van Gustavo.

Ik herinner mij dat ik Dolores voor haar vijftigste verjaardag iets gaf wat zij onbewust dringend nodig had: een vergrootspiegel. Ik koos de beste, de duurste, de helderste. Ik gaf hem een plaats op haar toilettafel en zei tegen haar: zo, trek nu eens een lijntje om je ogen, dan zul je zien hoe goed dat je staat. Dolores ging dankbaar zitten voor haar eeuwige toilettafel op haar slaapkamer, pakte haar wenkbrauwpotlood en bekeek zichzelf in de spiegel. Het duurde niet langer dan een paar ogenblikken voor zij een allerverdrietigst geluid liet horen, een klacht die diep vanuit haar binnenste kwam. Grote god, ben ik dat? Ik keek haar geschrokken en met vragende blik aan. Haar antwoord was, nu zie ik wat ik niet wilde zien!

Het afgelopen jaar dat ik op bed doorbracht, werkte als een vergrootspiegel. Misschien ook wel voor Gustavo, hoewel hij me dat niet zei. Ik moest twee dingen over mezelf, die ik niet wist, onder ogen zien: ten eerste mijn hoedanigheid als dochter, ten tweede mijn houding tegenover het leven. Tot nu toe was het niet tot mij doorgedrongen dat ik een conventionele vrouw was. Wij vrouwen hebben allemaal de stille illusie, en waarom zouden we dat ontkennen, dat wij *anders* zijn. Dat wat ons beweegt niet alleen het resultaat is van de lucht die wij hebben ingeademd, van wat wij met de moedermelk hebben meegekregen, van wat anderen voor ons hebben bepaald, maar ook dat wij het originele product zijn van onze eigen geest en wil. Wij vrouwen hebben ons allemaal duizend-en-een keer afgevraagd wat de zin van ons bestaan in deze wereld is en in *welke* wereld wij willen leven, omdat een basiswijsheid ons leert dat als wat ons omringt niet naar onze zin is, wij dat opnieuw kunnen uitdenken, wij daarom onszelf opnieuw kunnen uitdenken. En dit opnieuw uitdenken van jezelf – hoewel je daar een zekere prijs voor moet betalen – geeft je je plaats in de wereld en tegenover de wereld, en hiervan hangt je vrijheid af. Als dochter van die vrouw kan ik zeggen dat alle mogelijkheden om mij te vormen naar modellen die rijker waren dan gemiddeld binnen mijn bereik lagen, maar dat ik het niet deed. Vervolgens vraag ik mij af wat het resultaat geweest zou zijn als ik tot de andere sekse zou hebben behoord. Want sommige vrouwen hebben er last van – mijn moeder zeker niet – dat het hun enorm veel moeite kost om hun nek uit te steken.

Waarom zijn we zo bang voor wat niet zeker is? Waarom willen we alleen maar varen op spiegelglad, rustig water? Wat hebben ze toch met ons gedaan in de nacht der tijden, dat wij zoveel angst hebben opgedaan? Ik heb het gevoel dat het altijd al mijn grote angst is geweest dat mijn emoties met mij aan de haal zouden gaan. Voor geen goud wilde ik worden als Dolores, want haar emoties sleepten haar mee en daarom heeft zij geleden en is ze nagewezen door de anderen. Vandaar dat ik ze, met het oog op de conventies, zodanig vormde, mijn emoties bedoel ik, dat ik ze wel moest beheersen, inperken, wat gelijkstaat aan bekennen dat ik ze onderdrukte. Waarschijnlijk ben ik onderweg vele dingen verloren door mijn angst voor risico's en mogelijk toekomstig verdriet, zeker is dat af en toe het angstaanjagende heden mij uit handen is geglipt en ik mij heb laten leiden door het gezonde verstand, het slechtste van alle inzichten, dat meestal leidt tot middelmatigheid. Ik omringde mij met de dagelijkse kleine lafheid, die zich niet laat zien, die dagelijks zonder drukte wordt geleefd om het lusteloze alsmaar rechtuit gaan langs de rails van wat moet te verzekeren en daarbij vele stappen achter me te laten die gewoonlijk *ongepast* worden genoemd. Zo hield ik mij aan één enkele regel: zekerheid. En zo bracht ik elke dag opnieuw door, totdat een gemene klap, zo laag, zo intens laag, mijn hele manier van leven omverwierp. Alsof ik, na een schilderij van Mondriaan te zijn geweest, gedwongen was mijzelf te veranderen in een Pollock.

Twee jaar geleden voelde ik dat eindelijk mijn hoedanigheid van dochter ophield te bestaan omdat ik zelf moeder werd, eindelijk kon ik Dolores haar enorme macht afpakken omdat ik erin was geslaagd de rol met haar te delen. Mijn moeder is een superieure vrouw en ik ben doodgewoon. Dit roept ambivalente gevoelens in mij op; tussen mijn bewondering voor haar en haar afwijzing van mij komen een grote hoeveelheid kleine gevoelens te liggen, vol nuances, en niet allemaal even aanbevelenswaardig. Mij beroemend op mijn huis-, tuin- en keukenpsychologie, kan ik zeggen dat ik, toen ik al van heel jongs af aan dat onmiskenbare aureool opmerkte dat schitterde rondom Dolores, besloot dat het het beste was om erin weg te vluchten, mij erin te verstoppen, aangezien het onwaarschijnlijk was dat ik het zou evenaren. Vervloekt zijn de dochters van grote moeders hier op deze aarde! Nooit, werkelijk nooit, lukt het om te voldoen aan alle verwachtingen die zij en al die anderen van ons hebben.

Toen het ernaar uitzag dat ik mijn sombere, lange dagen zou beëindigen in de witte ziekenhuizen, wilde ik Dolores bellen, haar vragen bij me te blijven, mij te steunen in mijn laatste ogenblikken. Gustavo, minder sentimenteel dan ik, waarschuwde mij. Ze gaat je een complex bezorgen met haar niet kapot te krijgen kracht, een kracht die je er alleen maar aan zal herinneren dat jij niet bent zoals zij, en ze zal je zwakheid tegen je gebruiken, als zijnde ongepast, misschien wel helemaal verkeerd. In haar ijver om je uit bed te krijgen zal Dolores je niet ontzien, ze zal je ervan overtuigen dat je verdriet zinloos is, dat het moederschap iets is wat noch nu, noch vroeger onmisbaar was, dat het cultureel bepaald is, ze zal je zeggen dat de wereld wijd is en vol uitdagingen op je wacht opdat je er een rol in gaat spelen. Wat is dan je antwoord? Ik merkte dat er een grote angst over mij kwam en belde haar niet op. Dolores wilde komen, ook zonder dat ik haar uitnodigde. Mijn dochter lijdt, dat was voor haar een opdracht waar niets tegen in te brengen was. Ze had geen geld om de vlucht te kunnen betalen, ik antwoordde haar dat ik dat ook niet had, dat zij zich niet ongerust moest maken, dat het met mij wel goed zou komen. Terugkijkend denk ik dat dit mijn lafste daad was: dat ik mij haar troost heb ontzegd omdat ik niet in staat was haar erbij te hebben op een zo cruciaal moment in mijn leven.

De politiek was een sterke drijfveer in het leven van mijn moeder, maar niet in het mijne. Het was alsof haar betrokkenheid bij de kansarmen van de hele wereld haar tot haar laatste snik bezighield, maar bij mij was dat niet het geval. En dus overviel de opdracht me die ze me zojuist hebben gegeven. Toen ik een jaar had gerouwd, kwam Gustavo aan mijn bed staan en zijn manier van zeggen dat het zo genoeg was, was door me te vertellen dat hij dit project voor me had weten te bemachtigen, een project dat velen graag zouden uitvoeren: Chiapas. Als veteraan in de Noord-Amerikaanse journalistiek had hij geen gebrek aan goede contacten en solidaire vrienden, hoewel hij dit nooit tegen me had gezegd, en ik hier ook nooit naar had gevraagd, alsof ik een dergelijke opdracht wel verdiende.

Onmiddellijk duizelde het mij.

Ik kwam mijn bed uit als een kapotte pop, met enorm veel moeite om al mijn lichaamsdelen bij elkaar te rapen. Mexico: een land van duivels, met al die verschrikkingen daar, vlakbij, treurig en ontwricht. Ik dacht niet aan het andere Mexico, magisch en stralend, het land van de voorouderverering, van de eerste revolutie in de twintigste eeuw, van keizerlijke macht, voelbaar tot in elk van zijn uitdrukkingen. Ik dacht ook niet aan de raadselachtige oorsprong van die rellen in het zuidoosten van het land, die van de Zapatista's. Ik voelde dat de aantrekkingskracht van het beeld van onderbevelhebber Marcos alleen maar gecreëerd was door de media, absoluut onbetrouwbaar was, en dat, voor welke zaak hij ook mocht staan, zijn persoonlijkheid en ijdelheid deze vertroebelden.

Hoewel ik er zodanig aan toe was dat mijn geest werkte maar mijn gevoel niet, begreep ik toch dat ik moest gaan, dat het ogenblik was aangebroken om weer iemand te zijn, en het leek mij raadzaam om daaraan buiten mijn eigen omgeving te beginnen, ver van Washington, van Gustavo, van mijn witte afdeling, van mijn lethargische bed, van alles wat mij zou herinneren aan dat ondraaglijke jaar.

Maar eens temeer moest ik onder ogen zien dat een dergelijk voorrecht meer iets voor Dolores was dan voor mij, dat, om de opdracht te vervullen, zij de eigenschappen had die ik miste, dat elke snaar in haar zich trillend gespannen zou hebben bij zo'n uitzonderlijke gebeurtenis. En dan heb ik dit nog niet vermeld: de Zapatista van de familie, dat was zij en niet ik.

4

Hoewel het begrip tijd hier anders wordt beleefd, als iets wat zich verdubbelt en verruimt in voortdurende golven en daarbij de atmosfeer kleurt met een zeldzame gloed van eeuwigheid, kwam ik pas veertien lange, langzame dagen geleden aan in San Cristóbal de las Casas, in de staat Chiapas. Elk van deze dagen bracht mij weer dichter bij mijn levenslust en vertelde me dat het niet te laat was voor zoiets als mijn redding, alsof er voor mij, op die enorme, bizarre, wanordelijke voedselmarkt van deze stad, uit de vele kramen met kruiden bestemd om eindeloze, veelsoortige pijn te verlichten, één kruid was gekozen dat speciaal tegen verdriet was; elke slok van dit drankje haalde me er een beetje uit, maakte me vrij, probeerde me weer kleur te geven.

Ik moest een nacht in Mexico-stad overblijven, omdat de enige manier die ik kon ontdekken om er vanuit de hoofdstad per vliegtuig te komen 's ochtends heel vroeg was, met Aeromar, een maatschappij die ik nog niet kende. We gingen met maar vijfendertig passagiers aan boord van een klein propellervliegtuig, dat een regelmatig terugkerend oorverdovend lawaai maakte, een signaal dat, naar ik veronderstel, aangaf wanneer we te langzaam vlogen. Loom en dromerig deed het toestel er twee uur over om iets meer dan duizend kilometer af te leggen. In het toestel waren niet meer dan elf paar stoelen, aan beide zijden van een nauw gangpad, en één enkele stewardess, maar de reis kostte wel vierhonderd dollar.

Ik keek naar de passagiers. Het kon niet anders of er zaten een paar *revolutionaire toeristen* tussen, hun onopvallende, maar tegelijk duidelijke aanwezigheid was voorspelbaar. Ik concludeerde dat de leden van het vrolijke groepje dat de stoelen vóór mij bezette – drie mannen en een vrouw – een openbare functie bekleedden; degene die naast mij was gaan zitten stond vast in dienst van de katholieke kerk. Zijn netjes gekamde, donkere haar, zijn gelaatstrekken die door hun regelmatigheid bijna niet opvielen, zijn kleding, alles verraadde hem, vanaf het onvermijdelijke donkerblauwe jasje met de kasjmieren grijze broek tot en met de eenvoudige zwarte schoenen, midden bovenop dichtgemaakt en met dikke rubberen zolen; het aanzien van zijn koffertje, oud, antiek, vermoeid door het vele gebruik, bevestigde dit beeld. Hij zag eruit als een goed mens. Ik vroeg me af of hij een van de assistenten van de Tatik zou zijn, zoals ze bisschop Samuel Ruiz, de ziel van het historische en koloniale San Cristóbal, noemen. Achter mij zaten twee Noord-Amerikaanse vrouwen, wier paspoorten bevestigden dat ze gringo's waren, hoewel hun gelaatstrekken het bekende halfbloeduiterlijk van deze streek vertoonden. Ze hadden uitpuilende tassen bij zich, waarvan ik, toen een medewerker van de maatschappij ze controleerde vanwege het buitensporige volume ervan, te weten kwam dat ze *hulpgoederen* bevatten. Later hoorde ik dat het een gangbare gewoonte is om humanitaire hulpgoederen mee te nemen naar Chiapas, iets wat niets verbazingwekkends heeft als je ziet hoeveel gebrek er heerst. Ik hoopte maar dat de verspreiding ervan zou worden uitgevoerd door de kerk, om mij een goede bestemming voor te kunnen stellen. Ik bespeurde kleren en medicijnen.

Van het begin af aan was het mij duidelijk dat het ging om een marginale vlucht: ik kreeg geen gate-nummer noch was er een vertrekhal; vanuit het gebouw van de Aeromar werden we door een gewone stem, zonder luidsprekers, opgeroepen om in een busje te stappen. We reden over lange, vreemde pistes die eruitzagen als vergeten landingsbanen, tot we ten slotte op een afgelegen gedeelte van de luchthaven kwamen dat de indruk wekte dat er speelgoedvliegtuigen stonden te wachten, alsof alles wat alleen al te maken had met de naam van die stad waar ik naartoe ging, controversieel of verdacht was. Als je naar Tuxtla Gutiérrez, de hoofdstad van de staat, reisde, leek het of er andere regels golden, dan waren er normale, grote lijnvluchten die wat vaker gingen dan één enkel vliegtuig per dag, met minder hoge tarieven, met een bepaalde gate en vertrekhal.

Maar dit alles vergat ik toen we waren geland en ik mijn longen vol kon zuigen met frisse, krachtige lucht, koud voor de Mexicanen – niet voor mij, die de echte koude achter zich had gelaten – een lucht zo zuiver dat hij deed denken aan volmaaktheid. De luchthaven, heel klein en fraai gebouwd, donkergeel geschilderd, smetteloos schoon, die ons trots ontving, herinnerde mij eraan dat ik in de provincie was aangekomen en dat die zich altijd onderscheidt van de grote stad door haar vriendelijkheid, waar dan ook. Klaarblijkelijk was de rest van de passagiers sneller dan ik, want toen ik om een taxi vroeg, deelde men mij mee dat er geen meer was. Ik nam het enige andere transportmiddel dat er was, een kleine autobus die ons liet wachten totdat het vliegtuig aan zijn retourvlucht was begonnen, voor het geval dat een passagier het vliegtuig miste of zich bedacht. Ik deelde de bus met een jonge Spaanse met een enorme rugzak op haar rug en met de groep openbare functionarissen die ik al eerder had gezien op de stoelen voor mij.

We hadden nog geen kilometer gereden op een weg die door helgroene bosjes slingerde, toen de bus plotseling bleef staan voor een militaire post. Hoewel ik wist dat ik een zwaar gemilitariseerde zone binnentrok, veerde ik geschrokken overeind toen ik vier kleine versperringen zag, twee aan elke kant van de weg, gemaakt van vele zakken en enorme banden, waar, afgezien van de soldaten die mijn bus aanhielden, gewapende, geüniformeerde mannen achter stonden. De wapens waren op ons gericht. Getuige te zijn van een dergelijke scène, na nog maar zo kort op deze grond te hebben rondgereden, leek wel onwerkelijk. Mijn instinct, dat zich kenmerkte door een genetisch, Chileens geheugen, dicteerde mij een schrikreactie. Het is een nederzetting van militairen, deelde de vrouw naast me mee, alsof ze de elektrische golven in mijn hoofd had gelezen.

Gedurende de twaalf kilometer die volgden, hield ik mij bezig met uit het raampje kijken en luisteren naar het gesprek van de functionarissen. Ze praatten onder elkaar met die typische gemoedelijkheid die in de dagelijkse omgang op kantoren ontstaat, en die ik waarschijnlijk nooit zal meemaken, en ze lachten toen ze het hadden over een feest waar ze allemaal waren geweest, over wie met wie danste, hoeveel tequila's iedereen had gedronken, twee maar, verdedigde zich de enige vrouw uit de groep, die met het bruine, levendige gezicht, een bekend, vertrouwd gezicht dat je in elk van de landen van dit bijzondere continent tegenkomt. Ze leken vrolijk naar hun werk te gaan. Vrolijker en zelfverzekerder dan ik. San Cristóbal de las Casas deed me denken aan een bosje pruimenbomen, stampvol rode, gele en blauwe vruchten.

Ik merkte een paar dingen op toen ik de stad binnenreed: de openbare toiletten waar je voor een peso gebruik van kon maken, een groot bord waarop stond: WEINIG KINDEREN OM BETER TE LEVEN, de stenen banken op het trottoir en verschillende toeristen die door de straten liepen, gekleed als mensen uit Chiapas, terwijl die mensen zich juist gewoon kleedden.

Ik vergis me, dat was niet alles, ik merkte ook haar schoonheid op, aangezien je daaraan onmogelijk voorbij kon gaan. Wat er aan de hand was, was dat de gemoedsgesteldheid die mij al vanaf Washington op de huid kleefde, niet de meest aangewezen was om te kunnen genieten; ik had het gevoel dat het allemaal één grote vergissing was, dat ik in die stad – die oneindig levenslustiger was dan ik – mijn verstijving moest zien te overwinnen als ik een nieuw, onbekend bestaan wilde opbouwen: klein, beperkt, maar toch, een bestaan. Terwijl ik dit drukkende gevoel nog had, werd er gezegd dat we dit pronkjuweel van een stad, in de Jovelvallei, midden tussen de bergen van het hooggebergte van Chiapas, binnenreden en dit juweel, vijfhonderd jaar geleden gesticht door de Spanjaarden, (hoe zijn ze hier gekomen, hoe zijn ze erin geslaagd te bouwen op zo'n ontoegankelijke plek) was erin geslaagd zijn koloniale structuur te behouden, en, trots, zich verre te houden van de echo's van het moderne leven die oproepen tot vernietiging. De Spanjaarden waren heel goed in staat steden te bouwen, ging er door mij heen, en dat is geen geringe kwaliteit. Het was zo buitengewoon om in

San Cristóbal de la Casas te zijn, te midden van deze prachtige natuur, dat sommigen terecht beweren dat, met haar twee eeuwigdurende kanten die zich niet vermengen noch op elkaar aansluiten – de Spaanse en de inheemse – dit *een wonder van een stad* is.

Ik was de laatste die haar plaats van bestemming bereikte, hoewel ik mij maar op vier of vijf huizenblokken van het *parque* bevond, (zo noemt men hier het centrale plein, dat in elke andere stad van Mexico *zócalo* wordt genoemd). Gustavo had voor mij een kamer gereserveerd in het Casa Vieja, een hotel waar hij zelf enkele jaren geleden had gelogeerd, en hij had mij verteld over de architectuur en de sfeer ervan: een groot, oud herenhuis, okerkleurig, met stenen versieringen en houtsnijwerk, gebouwd halverwege de achttiende eeuw; de hoofdgang werd begrensd door grote houten bogen en zuilen van hetzelfde materiaal, zoals ik kon bevestigen. Hij koos voor mij kamer 49, de *master suite*, omdat die het ruimst en het meest geïsoleerd was, en daarom het meest geschikt om in te werken. Ik ging naar boven via een buitentrap, die ook van oud hardhout was, totdat ik op de overloop van de derde verdieping kwam: inderdaad, mijn kamer was op deze verdieping de enige, hiervandaan had ik zicht op de brede gangpaden van de eerste en de tweede verdieping, kon ik de kamermeisjes zien die de kamers schoonmaakten, de gasten die hun kamers in- en uitliepen, en ook de patio daarbeneden, erg Andalusisch, met een fontein in het midden en de brede muren bedekt met dichte klimop. Dit is het hotel van de *weldenkenden*, zou Reina Barcelona me later zeggen, met een zweempje spot, hier logeren de *progressieven*, van Nobelprijswinnaars tot grote onderzoekers, de anderen gaan naar een pretentieus hotel vlak bij het plein, nooit hiernaartoe. Er was geen twijfel mogelijk: ik zou genieten van mooie droombeelden.

In mijn nieuwe kamer voelde ik mij onmiddellijk op mijn gemak. Eindelijk een plek voor mijn computer, dacht ik, terwijl ik hem van mijn schouder, die al aardig pijn deed, af haalde toen ik een robuuste houten tafel tussen twee grote vensters in zag staan. Door de ramen heen verwelkomde de stad mij met dakpannen en nog eens dakpannen, met stenen en specie. De balken zagen er vettig en naakt uit. Het *kingsize*-bed leek mij zinloos, met één enkel lichaam erin. De grote jacuzzi die in de badkamer stond vond ik grappig, maar toen wist ik nog niet dat op het enige moment om ervan te genieten – 's nachts – het warme water schaars zou zijn.

Ik veroorzaakte grote opschudding in het hotel, meer dan mij lief was, toen ik om een verlengsnoer met extra aansluiting vroeg om tegelijk een lamp en mijn laptop op de tafel te kunnen installeren. We moeten wachten op de ingenieur om dat op te lossen, lieten ze me weten. Een ingenieur voor een extra aansluiting? Deze eerste ochtend verliet ik de kamer, overtuigd dat ze de zaak vast niet zouden oplossen, maar toen ik die avond thuiskwam, vond ik tot mijn verbazing de lamp en de laptop aangesloten, met verlengsnoer en al.

Het kostte me niet meer dan tien minuten om uit te pakken. Omdat ik goed geluisterd had naar de raad om weinig bagage mee te nemen, bleef er ruimte over in de kast toen ik er mijn kleren inlegde. Ik keek onzeker naar de kleine lege ijskast, die achteraan tegen de zijmuur stond, tussen het houten meubilair dat een *living* suggereerde. Misschien kon ik wat fruit kopen, een paar mandarijnen of mango's, als het daarvoor het goede jaargetijde was. Toen ik goed en wel was geïnstalleerd, keek ik om mij heen en kon een zucht van voldoening, die werd versterkt door de lichte, warme zonnestralen die de kamer binnenvielen, niet onderdrukken. Washington leek me op dit ogenblik tot een andere melkweg te behoren. Bestaat er voor een vrouw een opwindender (en tegelijk schrikaanjagender, ik erken het) gevoel dan dat zij zich buiten het bereik van de anderen voelt, van de mensen dicht om haar heen, die van haar houden maar die haar tegelijkertijd zachtjes verstikken?

5

Wat zal dat een lange nacht worden! Ervan overtuigd dat wat er was gebeurd een verpletterende klap van te dichtbij gaf, deed ik, omdat ik niet kon slapen, in gedachten de oefening om mij Reina Barcelona voor te stellen in haar dagelijkse leven, als ze wandelde door deze stad die haar zo na stond en die zij zich eigen had weten te maken, en hoewel ik mij ertegen verzette, haalde ik mij ten slotte als vanzelf onze tweede ontmoeting voor de geest, alsof ik, door dit te doen, haar opriep om daarmee mijn eigen evenwicht te herstellen. Ik had toen nog geen idee van wat enkele slechte goden van plan waren.

Het was mijn derde dag in San Cristóbal. We spraken af in het Museo Na Bolom, dat naast haar huis stond. Die ochtend had ik geen enkele werkafspraak, en daarom gunde ik mijzelf de luxe om in alle rust door dat prachtig geconstrueerde gebouw met lange gangen en koele kamers te wandelen, dat in zijn midden de beste en meest gedocumenteerde geschiedenis bewaarde van een raadselachtig, eenzaam volk: de Lacandón, heel oud, en afkomstig uit het oerwoud dat die naam draagt. Nadat ik aandachtig de vele foto's had bekeken en op mijn gemak door de tuinen en de enorme eetzaal was gewandeld, installeerde ik mij in de bibliotheek, zonder twijfel de beste plek van het museum. De degelijkheid ervan contrasteerde nogal met mijn eigen antwoorden, die altijd onder voorbehoud waren. Ik was van plan wat te lezen, misschien iets erbij te leren en Gustavo versteld te doen staan van mijn kennis van het thema, maar de plek boeide mij meer dan welk boek ook en ik liet mij meedrijven op het vreemde genoegen te ervaren dat ik, stap voor stap, zonder geweld, het leven had terugveroverd. Ook door de sfeer ervan, de versleten bekleding van de grote stoelen, het sombere uiterlijk van zoveel oude boeken, het robuuste hout van de tafels, de dakpannen die je door het venster kon zien, en, ten slotte, vanwege een zekere verfijning. Ik betrapte mij erop dat ik ernaar verlangde om de eigenares te zijn van een dergelijke bibliotheek, hoewel ik er niet op de juiste manier gebruik van zou maken, ik zou er alleen maar naar kijken en dan zeggen: dit is van mij. (In zoveel mooie huizen wordt hiervoor een kamer bestemd en dan gebeurt er vervolgens niets mee… de boeken liggen er als lijken in een lijkenhuis!)

Om half twee ontmoetten Reina en ik elkaar in de poort van het museum; laat mij niet naar binnen hoeven gaan, waarschuwde zij mij door de telefoon, want ik ben niet van plan entree te betalen. Ik stond een paar minuten op haar te wachten en toen ik haar zag komen, keek ik naar de manier waarop zij haar lichaam bewoog, het straalde een duidelijke vitaliteit uit; ik kon natuurlijk niet nalaten in mezelf te herhalen dat vrouwen die niet hebben gebaard, altijd een jeugdig figuur behouden. Ze was weer in het zwart gekleed, mijn blik bleef precies op haar geprononceerde decolleté en haar zilveren oorhangers steken.

'Ik dacht gisteravond dat je erg alleen zou zijn op die uren dat normale mensen bij elkaar gaan zitten, daarom belde ik je. Wat dat betreft helpen de kerk en de NGO* niet erg, nietwaar?'

'Dat is waar', stemde ik in.

'Ik zal je introduceren in de niet-kerkelijke wereld van de stad, daar zijn ze wat onderhoudender…'

We liepen naar de wijk van de Mexicanen, van de wevers en de steenbakkers, waar de dood en de bekroning van Maria worden vereerd; het is een van de drieëndertig wijken die de oorspronkelijke stad vormden, gegroepeerd rondom diverse beroepen, zoals de wijk van de zangers, de leerlooiers, de smeden, de handwerkslieden of de bouwers. Naarmate wij verder kwamen, vertelde Reina mij over de tradities in San Cristóbal, over het rijke leven in de

* NGO – niet-gouvernementele organisatie

34

stadswijken, die, doordat men dezelfde baas had en hetzelfde product maakte, een activiteit waarin een groot deel van de bewoners zich had gespecialiseerd, tot één geheel waren geworden. De wijken verstevigen de oude wortels van San Cristóbal, zei ze mij, zij verbinden heiligen en missen, feesten en gewoonten, ze proberen hun betekenis uit de voorgaande eeuwen te behouden.

'Weet je, Camila, wat er met je gaat gebeuren? Je zult verliefd worden op deze stad. Dit is niet zomaar een plek op de uitgestrekte geografische kaart van ons continent. Het is een plek van conflicten, van tradities, van gewoonten. Het lijkt bijna wel of deze plek geroepen is om aan die eenvormige, wereldwijde mode van het postmoderne leven het hoofd te bieden.'

Terwijl ik naar haar luisterde, bedacht ik dat zij overdreef en twijfelde ik aan haar woorden. Ik begreep dat ik een fantastische gids aan haar had, maar ik geloofde niet dat San Cristóbal de las Casas de macht had die zij eraan toekende, en al helemaal niet dat die stad mij zou kunnen verleiden, aangezien, diep in mij, die verbitterde zekerheid bleef bestaan dat niets mijn gevoelens weer zou kunnen opwekken.

'Waar gaan we naartoe?' vroeg ik haar na een tijdje.

'Naar het huis van Dun, een vriendin.'

'Wie is Dun?'

'Dat is een Nederlandse die al heel lang in San Cristóbal woont. Al van voor de tijd dat rebellie mode werd, je weet wel. Ze verdient haar brood met het verzorgen van honden en woont in een mooi huis, samen met haar partner Leslie. Het is heel klein maar wel bijzonder, je zult het leuk vinden.'

'Is Leslie een man of een vrouw?'

'Een vrouw,' antwoordde Reina lachend. 'Het zijn lesbiennes,' preciseerde zij, alsof ik een beetje dom was. 'Zij is Australische en houdt zich bezig met grafiek, om precies te zijn met litho's. Morgen vertrekt zij om na drie jaar een bezoek te brengen aan haar geboorteland, en daarom organiseert Dun deze lunch voor haar, als afscheid.'

'Maar ik ben niet uitgenodigd...'

'Ja, dat ben je wel, ik heb al met hen gesproken. En ik zal van de gelegenheid gebruikmaken om je voor te stellen aan mijn twee beste vrienden, Jean Jacques en Luciano. Pas op voor Jean Jacques, dat is een don Juan!' zei ze, terwijl ze mij van opzij plagerig aankeek.

'Ik ben een getrouwde vrouw, weet je nog,' antwoordde ik, terwijl ik probeerde mij met een air van luchtigheid te verdedigen, alsof in die situatie iemand dat ook maar relevant zou vinden. Over dit antwoord dat ik Reina gaf, was ikzelf heel verbaasd, alsof mijn eigen definitie mij niet paste. Mijn trouwdag viel samen met die van de opstand van de Zapatista's: zes jaar geleden. Het was iets zonder pauze, alsof het ging om een project, of een liefde. Niemand kon beter dan ik getuigen van de ups en downs van al die jaren, van het eindeloze voor- en achteruitgaan waarin zo'n tijd je kan meeslepen, van de triomfen die maar niet komen en de nederlagen die op de loer liggen en die worden gevreesd. Je vraagt je als vrouw af of ze van voorbijgaande aard zullen zijn; zes jaar zijn genoeg om jezelf vele vragen te stellen en als je niet dom bent, het antwoord te vinden op die vragen waarop er een is. De vragen zonder antwoord moet je eenvoudigweg wissen van je harde schijf. Wat belangrijk is, is ze te kunnen onderscheiden.

Het huis van Dun was inderdaad heel erg mooi, alles was hemelsblauw en purperkleurig geschilderd, en hoewel je goed zag dat het een klein gebouw was, was het terrein eromheen enorm, en was er daarachter volop ruimte voor de honden. Beide vrouwen kwamen naar de deur om ons te ontvangen en hun tegenstelling verbaasde me: Dun was een dikke vrouw van middelbare leeftijd, met meer witte dan grijze haren en een grote onderkin die onder aan haar welgevulde gezicht hing, terwijl Leslie jonger was, slank, heel klein en een beetje plagerig. Ik kon niet nalaten mij voor te stellen hoe ze de liefde zouden bedrijven, me afvragend of Dun Leslie letterlijk zou kunnen verstikken, verpletteren. Ik vond een dosis symmetrie iets noodzakelijks.

Voordat Reina op eigen gelegenheid vertrok en vergat dat ik met haar meegekomen was, voerde ze mij naar het andere eind van de kamer (Dun had de muren laten doorbreken, zodat eetkamer, keuken en woonkamer een en dezelfde ruimte waren geworden) en wij mengden ons in een gesprek dat ongeordend verliep en op luide toon werd gevoerd, maar dat toch een gesprek was.

'Nee, man, Saint-Just stierf heel jong, hij was niet ouder dan zevenentwintig toen zij hem onder de guillotine legden, samen met Robespierre...'

'En hoe lukte het hem in zo korte tijd beroemd te worden?'

'Omdat hij mooi en integer was. Wist je dat ze hem "de Aartsengel van de Revolutie" noemden?'

'Dat is Jean Jacques, diegene die praat over Saint-Just,' fluisterde Reina me in het oor.

Als hij inderdaad een versierder is, dan heeft hij dat wat ervoor nodig is, dacht ik, terwijl ik naar hem keek. Op dat ogenblik kwam er een andere man bij staan, nonchalant en knap op een aardige manier, hij legde zijn arm om de schouder van Reina en begroette haar vrolijk, zorgeloos, als iemand die zichzelf niet serieus neemt. Ze zeiden enkele dingen tegen elkaar, terwijl ik mijn ogen niet van de Fransman kon afhouden. (Ik dacht aan Gustavo. Wat ik erg moeilijk vind is dat een van zijn karakteristieke eigenschappen is dat hij zichzelf erg serieus neemt. Nu ik mij dit heb gerealiseerd en het heb verwoord, blijft mij niets anders over dan er het beste van te maken; ik ga mijzelf niet te gronde richten door erover te blijven zeuren, aangezien er per slot van rekening mannen zijn met ergere ondeugden dan deze.)

'Camila, dit is Luciano, onze schilder. Dit is Camila, een soort Chileense zus; wat zou ik graag de dochter van haar moeder zijn geweest!'

Ik hoorde een vriendelijk: Hallo, Camila. Iemand trok Reina mee naar een leunstoel, ik verloor haar uit het oog en op dat moment stelde ik bij mijzelf vast dat het zichzelf serieus nemen in de eerste plaats een mannelijke ondeugd was en ik kon zo gauw geen voorbeeld bedenken van een vrouw, om het te weerleggen.

'Wat zijn de deugden van je moeder?' vroeg de man mij die ik net had leren kennen.

Ik schatte dat hij min of meer van mijn leeftijd was en dat hij, vanwege zijn accent, alleen maar een Italiaan kon zijn. Het viel me op dat zijn kin in het midden een kuiltje had, net zoals bij Kirk Douglas in de films uit mijn prilste jeugd, en hoewel het moeilijk was om er nog beter uit te zien dan de Fransman, was het duidelijk dat op de dag dat hij werd geboren Fysieke Harmonie zijn huis had bezocht. Wat mij het meest opviel was zijn bouw, aangezien ik een echte afkeer koester van kleine, tengere of magere mannen. Hij slaagde erin me enigszins in opstand te doen komen tegen het feit dat in onze cultuur de maatstaven voor schoonheid zijn opgelegd door Europa, alsof het ons hier geen moeite zou kosten eraan te voldoen!

'Dat ze revolutionaire is, veronderstel ik,' antwoordde ik.

'En jij, ben jij dat ook?'

Toen gebeurde er iets wat mij in verwarring bracht: door zijn toon leek het alsof hij niet alleen maar een retorische vraag formuleerde, zoals je doet als je iets hoffelijks wilt zeggen of als je de vraag laat volgen door een niet-geïnteresseerde stilte. In het *jij* dat hij uitsprak herkende ik mijzelf, alsof mijn *ik* werd bevestigd. Toen zocht ik zijn blik om te zien hoe hij naar mij keek, een handeling die voor mijn doen zo ongebruikelijk was dat het me niet kon ontgaan. Wat ik zag was een glimlach vol medeleven voor de dingen die gebeurden, alsof vele vogels op zijn handen neerstreken.

'Ik heb zojuist kennisgemaakt met onze Chileense vriendin,' onderbrak Jean Jacques ons, die twee glazen rode wijn in zijn handen droeg; toen hij mij er een aanreikte voegde hij eraan toe: 'het spijt mij dat ik je niet heb begroet toen je binnenkwam, maar ik amuseerde mij met een van mijn favoriete thema's.'

De lunch duurde zolang als iedere andere lunch in Mexico: tot zes uur 's middags, iets waar een Noord-Amerikaan gek van zou worden. Reina verliet het huis van Dun samen met mij en terwijl wij langzaam over de zwarte straatkeien liepen, dacht ik aan Luciano. Ik vermoedde intuïtief dat in hem het menselijke slavenbestaan gepaard ging met een zekere lichtheid, wat hem tot een minder groot slachtoffer maakte dan de meeste stervelingen.

'Ik heb een vergadering in het centrum, over een uur... het is niet de moeite om naar huis terug te gaan,' zei Reina, toen we in de Adelina Floresstraat kwamen.

'Wil je niet even uitrusten in het hotel? Mijn kamer is groot…'

'Dat is een goed idee, ik heb nogal slaap.'

Ze ging liggen op het enorme bed van kamer 49, ik gaf haar een deken, ook al was de kou, die elke middag precies op dezelfde tijd terugkeerde, nog niet neergedaald en terwijl ik mij installeerde aan de tafel aan de zijmuur, tussen de grote ramen in, sloot zij haar ogen. Ik weet niet hoeveel tijd er verliep, maar ik schrok op toen ik gekreun hoorde. Dat kwam, veronderstelde ik, uit de richting van het bed. Ik stond op om te constateren dat het inderdaad van Reina kwam en ik liep op haar af. De deken was van het bed af gegleden en ik zag haar lichaam: ze lag er niet bij zoals iemand die een kleine siësta houdt, nee. Ze lag helemaal in elkaar gerold, een arm, broos hoopje botten en vlees, in de meest kwetsbare van alle houdingen, de foetushouding. Na de jammerklacht die mij alarmeerde, volgde een kleine snik, Reina huilde in haar dromen en greep haar lichaam alsof ze probeerde het vast te houden, het niet te laten gaan. Ik dacht aan mijn kind. Het tafereel was treurig en groots. Ik kon de vrouw die zichzelf helemaal in de hand had, die zelfverzekerd en nogal vrolijk was, niet rijmen met dit wezen dat zich het water van haar oorsprong probeerde te herinneren, en daarmee leek aan te geven dat geen verdriet zo groot is als het hier uit worden verdreven. Ik vroeg mij af wat haar er uit had weggerukt. Welke belofte, haar als kind gedaan, niet was vervuld.

'Reina! Je hebt een nachtmerrie…' Ik maakte haar wakker door haar schouder aan te raken.

Ze opende de ogen. In haar uitdrukking herkende ik iets waarvan ik tot nu toe had gedacht dat het alleen bij mij hoorde: angst. Ze ging rechtop in bed zitten en bedekte haar gezicht met beide handen. Na een ogenblik keek ze op haar horloge en zei met grote eenvoud dat het voor haar laat was geworden. Ze ging een paar minuten de badkamer in en vertrok toen snel, zonder iets te zeggen over wat er was gebeurd. Ik bedacht dat als zij een eenvoudige nachtmerrie had gehad, ze mij dat zou hebben verteld. Ik keek hoe ze de trap afliep vanaf mijn kamer op de derde verdieping en het enige wat in mij opkwam was een regel uit Porgy en Bess: *Sometimes I feel like a motherless child.*

6

Ik kan maar niet in slaap komen.
Het beeld van de dode haan laat mij niet los. Vanochtend wist ik
dat er iets slechts zou gaan gebeuren toen ik een beetje terneerge-
slagen terugkwam van mijn bezoek aan San Juan Chamula: ieder
zijn eigen bijgeloof. Ik begreep, toen ik de San Juan Batistakerk
binnenliep, dat er iets op mij wachtte. Lichtjes, lichtjes, overal
lichtjes van altaarkaarsen, er waren er honderden die mij in ver-
rukking brachten. Wierook en kaarsen, het symbolische voedsel
voor de goden. De middenbeuk was leeg, aan de zijkanten waren
vele afbeeldingen te zien: links de heiligen, rechts de heilige maagden. In plaats van banken bedekte groen gras de hele bodem van de
middenbeuk en daarop lagen kinderen languit, lagen mannen op
hun knieën, huilden vrouwen. Ze hingen spiegeltjes op aan de
maagden en drie lange linten, bij het plafond samengebonden,
hingen aan de zijkanten naar beneden als bij een zeer grote viering.
Maar nee, de atmosfeer deed helemaal niet feestelijk aan, er kleefde
lijden aan de duisternis, die alleen maar werd onderbroken door de
ijver van de altaarkaarsen die probeerden met hun licht de strijd te
winnen. Een vrouw maakte onophoudelijk eenzelfde geluid, eindeloos, onvermoeibaar was haar gemurmel van de een of andere
tzotzil-smeekbede. Een oude man snikte. Een opeens gleed mijn
blik naar een altaar – een eenvoudige tafel met kaarsen en bloemen
– waartegenover een vrouw, een oudere man en een kind zaten te
bidden. Hun offerandes lagen op de grond, verfrissingen en alcohol – de *posh*, de klassieke brandewijn uit die streek. De man hield
een grote haan met grijze en witte veren in zijn handen, die met

zijn vleugels sloeg om zich te bevrijden en hij droeg hem om het lichaam van de vrouw heen, en toen nog vaker om dat van het kind heen, alsof hij diens bezetenheid wilde wegnemen. En toen, tegenover het altaar, en terwijl ik toekeek, draaide hij hem met zijn grote handen de nek om. Het geluid, met een licht trillen van de veren, kon ik duidelijk horen, ik kreeg pijn in mijn nek. Later hoorde ik dat die man de medicijnman was en dat de ceremonie van het benaderen van het menselijk lichaam met de haan bedoeld was om ziekten te genezen. Ze doden het beest in de kerk en ze eten het later thuis op.

Misschien werd het kind genezen, een geluk dat het mijne niet ten deel was gevallen.

Dat was de offerande van de inheemsen in San Juan Chamula. Maar de korte, droge knak, toen de nek van de haan brak, dat ogenblik dat zijn dood aankondigde, liet mij niet los. Ik zei het tegen Luciano: er gaat iets slechts gebeuren. Als je dat voelt, beledig je de goden, antwoordde hij mij. (Ik zou mij niet goed hebben gevoeld als ik daar alleen midden in de kerk was geweest, iets in de atmosfeer boezemde mij angst in. Daarom was ik dankbaar voor het gezelschap van Luciano; van alle vrienden van Reina beviel hij mij het meest, niet alleen vanwege zijn onmiskenbare aantrekkingskracht, maar ook vanwege de diepgaande kennis die hij zich van deze vreemde landen had verworven. Ik moet bekennen, hoewel mij dat moeilijk valt, dat het feit dat het Reina was die hem gisteren, tijdens de lunch, de suggestie deed met mij mee te gaan naar dit dorp en dat dit idee niet van hemzelf kwam, mij wat terneer drukt). Ik pakte een notitieboekje uit mijn tas om het op te schrijven, om de fascinatie die de haan op mij uitoefende te doorbreken, maar een paar kleine kinderen die op de vloer van de kerk naast mij kwamen zitten, beletten het mij. 'Waarom?' vroeg ik ze verbaasd, ervan overtuigd dat het schrijven geen enkel ceremonieel zou verstoren. 'Omdat dan de heiligen boos worden,' was het antwoord. Ik keek naar hen, toen naar die afbeeldingen verspreid over de linkermuur, San Marco, San Ignacio, San Santiago, San Santiago el Menor, en lette niet op hen. 'Je overschrijdt alle regels,' zei Luciano zachtjes tegen me. Tegen de benauwde, duistere en ongrijpbare sfeer van de kerk, het raadselachtige, zonderlinge tafereel, de rauwe intensiteit van de jammerklachten, de smeekbeden en stemmen, de plechtige manier van lopen van alle autochtonen over die heilige vloer en het beeld van de dode haan in de handen van de medicijnman was mijn rationaliteit niet opgewassen en ik moest wegvluchten.

'De katholieke kerk heeft, per slot van rekening, de schuld van alles,' zei Luciano bij de uitgang, terwijl ik de fantastische schildering op de voorgevel van de kerk bekeek, helemaal wit, met groene en blauwe ornamenten in de omlijsting.

'De priesters zorgden voor de geestelijke verovering van de op dat gebied al verslagen volkeren, begrijp je? Ze brachten hun het begrip "individu" bij, het enige wat drager kan zijn van schuld, wat de basis is van de betrekking van de westerse mens met de godheid.'

Ik dacht aan het begrip schuld.

Hij vertelde mij dat de protestanten het evangelie vertaalden en dat de indianen het konden lezen in een taal die ze niet schreven.

'Hoe kun je een evangelie dat over het leven gaat, verkondigen aan mensen die bezig zijn te sterven?' vroeg ik hem.

'Dat is de grote vraag van de progressieve katholieken.'

Toen vertelde hij mij over de bisschop van San Cristóbal, Samuel Ruiz, en ik luisterde maar half, eraan denkend dat ik moest opletten, dat de religieuze conflicten de kern zijn geweest van de drama's van deze aarde, maar mijn geest vertroebelde en dwaalde af in een andere richting en een licht, nauwelijks waarneembaar voorteken verscheurde de lucht. Het is waarschijnlijk dat de kleur oranje de aarde zal verteren. Luciano zweeg. Ik zweeg. Op de een of andere kronkelige manier maakte de dode haan dat ik openstond voor een bezoek van onderaardse geesten, van geesten die vastbesloten waren om ons de onderwereld van het onrecht binnen te voeren. Zonder het te beseffen stelde ik mij, door de nek van die haan, open voor die geesten die mijn gezond verstand aantastten.

Het leek mij vanzelfsprekend dat, na ons avontuur in San Juan Chamula, Luciano mij uit zou nodigen om samen te lunchen.

Daarom verbaasde het mij dat, toen wij om twee uur 's middags terug waren in San Cristóbal, hij afscheid van mij nam bij de deur van het hotel. Ik ging naar boven, naar mijn kamer, terwijl ik mijn teleurstelling verwerkte en probeerde mijn afspraken op een rijtje te zetten: om vijf uur had ik een afspraak in de Diocese met Christina, de non uit Puerto Rico, en om acht uur zou ik Reina ontmoeten in het Café del Museo. Aangezien ik nu veroordeeld was om alleen te eten, zou ik dat snel doen en profiteren van het uur van de siësta om wat aantekeningen te ordenen. Toen ik de eerste traptreden van de derde verdieping opliep, hoorde ik van daaruit de telefoon in mijn kamer overgaan en ik haastte mij om hem op te nemen. Zoals altijd, verloor ik tijd bij het zoeken naar de sleutel in de typisch vrouwelijke rommel in mijn tas en de bel van de telefoon leek ongeduldig. Toen ik ten slotte de deur kon openen en mij had laten doorverbinden, klonk de stem van Gustavo niet erg vriendelijk.

'Waar was je? Waarom liet de receptioniste me zo lang wachten?'

'Dat komt omdat ik de trap opliep…'

'Waar kom je vandaan?'

'Van San Juan Chamula.'

'Ben je nu bezig als toerist?'

'Nee, niet precies.'

'Werk en toerisme zijn niet hetzelfde, of vergis ik mij?'

'Het een is een onderdeel van het ander, denk ik. Maar vertel iets over jezelf. Hoe gaat het? Wat voor nieuws heb je?'

'Geen. Geen, behalve dat het koud is.'

'Sneeuwt het?'

'Ja. Daardoor heb je geen zin om uit te gaan. Ik zou liever in Mexico zijn, zoals jij. Je bent bijna klaar om terug te komen, niet?'

'Ja, bijna, maar… ik wil mij niet haasten.'

'Je bent daar al twee weken, dat is toch wel genoeg?'

'Ja, maar ik heb het gevoel dat ik nog wat tijd nodig heb.'

'Voor je artikel?'

'Voor alles…'

'Ach, Camila, begin daar nu niet weer mee, heb medelijden met mij.'

'Heb jij dat ook met mij, Gustavo. Ik ben nog maar net opgekrabbeld.'

'Goed dan, je weet het beter dan ik... Je verdoet je tijd daar niet, veronderstel ik.'

'Maak je geen zorgen, ik gebruik mijn tijd goed.'

...

'Gustavo, ben je er nog?'

'Ja.'

'Gustavo?'

'Zeg het maar.'

'Nee... niets.'

'Oké. Ik bel je morgen, of overmorgen.'

De telefoon zag er somber uit en hield mijn blik gevangen. Eromheen was niets. Waar waren de felle kleuren van Gustavo gebleven? Met mijn blik probeerde ik ze nog op te vangen, maar ik zag ze niet.

Ik herinnerde mij wel dat híj de journalist was en niet ik en dat het feit dat ik hier getuige mocht zijn van deze werkelijkheid – die nog niet angstaanjagend was geworden, waarin het nog een paar uur zou duren voor er een aanslag gepleegd zou worden op het leven van Reina – dat ik dat te danken had aan zijn vriend Peter Graham, uitgever van een belangrijk Noord-Amerikaans tijdschrift.

Ik weet niet hoeveel informatie Peter had over mijn privé-leven, maar het ligt voor de hand te veronderstellen dat Gustavo met het idee was gekomen. Dikwijls hielp ik hem met zijn reportages, alleen maar om deel te hebben aan zijn werk en omdat ik niets anders te doen had, iets onbestemds heeft mij dus ervan weerhouden om op zoek te gaan naar een echt werkzaam leven in de Verenigde Staten. Misschien veroorzaakte het idee dat ik met hem zou moeten concurreren zo'n grote angst dat ik er de voorkeur aan gaf om thuis te blijven, om elke ambitie de kop in te drukken; het resultaat was dat ik nu eens agressief was, dan weer een kasplantje, soms rustig als een plant die zich wat op de achtergrond houdt omdat hij al genoeg zonnestralen heeft gehad. En zo, toen de tijd voortschreed en toen die pijnlijke verjaardag onherroepelijk dichterbij kwam zonder dat ik ook maar enig teken van herstel vertoonde, verscheen Peter Graham met een ander soort verjaardag verscholen in zijn mouw: het was zes jaar geleden dat het Zapatista-leger van Nationale Bevrijding in Mexico, in de staat Chiapas, in opstand was gekomen.

'Zou je zin hebben om daar een verslag van te maken, Camila? Het tijdschrift wil geen specialist, daarvan hebben we er genoeg, het idee is om een frisse, andere kijk op de gebeurtenissen te krijgen, te zien hoe de zaken daar ervoor staan.'

'Maar als er al duizenden artikelen en essays over zijn geschreven, wat kan ik er dan nog toe bijdragen?'

'Dat is het nou juist, er is al te veel over het thema geschreven en altijd vanuit een politiek standpunt. Ik breng je nu al dit materiaal opdat je het leest en vervolgens vergeet, dat zeg ik met klem, wij zijn niet in iets gespecialiseerds geïnteresseerd, dat is niet de reden waarom we het Gustavo vragen. Je moet niet weten hoe je ertegenaan kijkt totdat je er bent. Je moet je kijk op de zaak in alle vrijheid kiezen.'

Als hij bij mij niet zo krachtig had aangedrongen op verandering, en ik op die manier Gustavo niet had kunnen verlossen van mijn lethargische aanwezigheid, en zelf alleen mijn eigen verdriet en essentiële vragen had kunnen ontcijferen, zou ik het nooit hebben aanvaard. Bovendien, door mijn moederschap en de gevolgen ervan, bracht ik thuis al minstens twee jaar geen geld in het laatje, wat mij in niet geringe mate zorgen baarde. Bij de opdracht maakte ik mij niet bezorgd over het schrijven, in mijn beroep had ik daar voortdurend mee te maken en dat motiveerde mij; het was het *wat zal ik zeggen* dat mij beangstigde. Gustavo, ruimdenkend, moedigde mij aan, we praatten uitvoerig over het thema Chiapas en hij bracht ons weer terug bij onze vaardigheid met elkaar te praten, die wij hadden verloren. Zelfs nodigde hij thuis de Mexico-specialist Luis Vicente Lopez uit die een tijd werkte aan de Universiteit van Georgetown. Zijn oneerbiedige, ironische woorden, verborgen achter zijn ontegenzeggelijke intelligentie, zouden mij vaak in herinnering komen en mij dwingen tot een voortdurende oefening in contrast en evenwicht. (*Niemand bevrijdt iemand in Chiapas, Camila. Het is een opstand met revolutionaire pretenties die omgezet is in een opstand die de vorm heeft van een petitie. Het doet me denken aan Coatlicue, de Azteekse godin, met al haar ledematen die in stukjes zijn verdeeld en verspreid... duizenden stukjes, duizenden betekenissen, raadsels alom, de grote verwarring.*) Totdat ik mij weer weerbaar voelde. Ik kon weer tegen het akelige gevoel van het einde van het jaar en de bijbehorende feesten, waar nog de met veel tamtam omgeven eeuwwisseling bij kwam, dankzij de zekerheid dat ik kort daarop zou vertrekken. Het tijdschrift van Peter was van mening dat vijftien dagen hard werken voldoende zouden zijn en overhandigde mij het daarvoor benodigde reisgeld, dat vrij genereus was.

Ik kwam aan in San Cristóbal en had twee al door Gustavo geregelde afspraken, die essentieel bleken te zijn, en die voor een goed uitgangspunt zorgden: een priester van de Diocese van San Cristóbal, een assistent van don Samuel Ruiz, en een Mexicaanse advocaat die lid was van een NGO. Zij openden voor mij de weg naar anderen en daarna weer anderen, en op die manier ging ik het netwerk binnen, waarbij elk van hen de volgende verzekerde van mijn betrouwbaarheid. Zonder Dolores zou er geen reden zijn geweest om Reina Barcelona op mijn lijst met contacten te zetten en zou ik aan het eind van deze donderdag niet het onherroepelijke gevoel hebben gekregen dat het feest was afgelopen. Zeker, ik zou ook niet deze stad hebben leren kennen, noch zijn inwoners die voor mij zo'n bepalende rol hebben gespeeld, noch de zo belangeloze warmte waarmee Reina mij beschermde en dwong in te zien dat ik niet een voortdurende buitenstaander was. Als ik Reina niet in San Cristóbal de las Casas had ontmoet, zou ook het beeld van mijn moeder niet zo'n prachtige, belangrijke rol hebben gespeeld, wat het, met of zonder mijn instemming, triomfantelijk heeft gedaan. Kortom, als het niet om haar was, zou ik mij op dit ogenblik gereedmaken om af te reizen naar Washington en daar mijn dagelijks leven weer op te pakken, met als bagage een enorme hoeveelheid informatie over Chiapas en de oorlog daar, hoewel zonder de frisse, nieuwe visie die Peter Graham wilde hebben.

Vrijdag

1

Die ochtend, de ochtend na het ongeluk, werd ik onrustig en vermoeid wakker, alsof de lange nacht mij geen enkele rust had gebracht. In mijn slaap werd ik door een Olmeekse draak overmeesterd en ik werd gillend wakker toen hij op het punt stond mij volgens een sinister ritueel te onthoofden, met mijn lichaam midden in een enorme steen. Niemand hoorde mij, dat was zeker, ik was helemaal alleen op die derde verdieping, maar ik vermoed dat ik te veel over Midden-Amerikaanse culturen had gelezen. Die dag voelde ik verschillende keren aan mijn nek, alsof het ritueel doorging.

Ik liep naar het Regionaal Ziekenhuis. In gedachten verzonken liep ik door enkele achterafstraatjes die bestraat waren met keien en waaraan mooie huizen stonden met koloniale gevels in verschillende kleuren, maar door de nevelachtige staat van mijn geest kon ik onmogelijk ook maar ergens van genieten, wat mij in andere omstandigheden nooit zou zijn gebeurd. Toen ik aankwam, kon ik goed de straat aan de achterzijde zien waar de eerstehulppost, de Dokter Mora, was; het wit en hemelsblauw van de Templo de Santa Lucía lagen achter mij en de muren glansden treurig in de bleke ochtendzon. In het hotel was ik al nagegaan of dit het Staatsziekenhuis was en niet dat van de Sociale Verzekering, waar, denk ik, de allerarmsten en zij die hierbij zijn verzekerd, naartoe worden gebracht. Reina is buitenlandse, ze heeft vast geen verzekering. Hier bepaalt de maatschappelijk werkster hoe en hoeveel je moet betalen, afhankelijk van je inkomen. (Beschikt Reina over geld?)

Het verbaasde mij absoluut niet dat ik Jean Jacques ontmoette in de *wachtkamer*, of hoe ze die absurde meters in de openlucht met een dak erboven ook mochten noemen. Andere inheemse vrouwen dan die van de avond ervoor zaten op de enige bank en de Fransman, tegen de muur geleund, rookte rustig zijn zware tabak. De zon bereikte die plek niet, zelfs niet om ons ook maar even een plezier te doen. Bij het volle ochtendlicht scheen de plek mij nog miserabeler toe dan de avond ervoor en ik vroeg mij af of het wel zo verstandig was dat Reina hier verbleef, of ze wel de noodzakelijke middelen hadden om haar te verzorgen, een minimum aan comfort.

'Je telefoontje was uiterst belangrijk, Camila. Het duurde even voor ze mij konden bereiken en toen ik hier kwam zeiden ze me dat je al vertrokken was... Ik was gisteravond pas heel laat klaar met mijn werk, daarom nam ik geen contact meer met je op.'

Jean Jacques gaf mij een kus op beide wangen, alsof we ons hele leven al bevriend waren, wat wij op de een of andere manier, die alleen in deze stad begrepen zou worden, ook zijn. Zijn donkere haar was achterovergekamd, hij droeg zijn eeuwige, gebleekte jeans en zijn grote, heldere ogen zagen er net zo moe uit als de mijne. (Hoe ver waren wij van het tafereel waarin wij in de gedachten van Reina de hoofdrol speelden, op de dag dat zij ons aan elkaar voorstelde, argeloos, en verlangend om iedereen met iedereen in contact te brengen.) Terwijl wij deden of de sirenes van de ambulances die af en aan reden ons niet stoorden, wandelden wij over de grote binnenplaats aan de achterzijde van het ziekenhuis en liet ik mij op de hoogte brengen van de situatie: Reina was niet bij bewustzijn gekomen, wat de dokters zorgen baarde en hen waakzaam deed zijn; zij hadden de vele wonden verzorgd en het gebroken been in het gips gezet, en behalve haar hersenletsel – een schedelbasisfractuur – dwongen haar ribben haar om absoluut stil te liggen. Jean Jacques slaagde erin het intensive care-blok binnen te dringen, kon haar toen zien en vaststellen dat haar pols sloeg en dat de medische communiqués klopten, iets wat gisteravond niet in mij was opgekomen. Mijn te groot vertrouwen verraadt met luide stem dat ik een vreemde ben in deze stad.

'Die klootzakken probeerden haar te vermoorden,' zei Jean Jacques, zonder de ernst en de woede in zijn stem te verbergen, 'en we weten nog niet of ze erin zullen slagen. Ze kunnen elk ogenblik terugkomen om haar opnieuw te doden.'

'Weet je wie het waren?'

'Dat is allemaal heel vreemd... De paramilitairen zijn voor alles mensen van het platteland, ze voeren actie op het platteland, tegen de inheemsen, niet in de stad tegen de buitenlanders. De veiligheidstroepen in de stad staan in nauw contact met hen, kunnen een opdracht die zij geven uitvoeren, het is de blanke, plaatselijke politie, de *cacique* die hier de macht in handen heeft... maar het zal ze niet lukken. Wij zijn bezig ons te organiseren: Horacio zoekt al contact met enkele ambassades en heeft vanmiddag een vergadering met de vrienden van de NGO, Jesús houdt de wacht naast haar bed, vierentwintig uur per dag, ze wilden dat niet toestaan, daarom heeft hij de mensen van het ziekenhuis bedreigd, hij smeet hun zijn Spaanse paspoort in het gezicht, veegde ze eens flink de mantel uit, en klaar. Ik wacht op een journalist, ik heb hier met hem afgesproken. Later komen we allemaal bij elkaar om te zien wat voor actie we het beste kunnen ondernemen.

(*'En de paramilitairen, Reina?'*

'Dat is de oprichting van een parallel Mexicaans leger om te vechten tegen de EZLN *en dat dient als het ideale alibi voor het leger om de politieke kosten voor het direct voeren van de vuile oorlog niet te hoeven betalen.'*

'Wat is hun eindresultaat?'

'Vijandigheid. Angst en verdriet. Corruptie. Vijftienduizend mensen verjaagd uit hun woongemeenschappen. Meer dan tweehonderd doden.')

Toen vertelde Jean Jacques mij wat hem enorm ongerust maakte: de vrouw die getuige was, de enige, heeft haar eerdere verklaring herroepen. Nu beweert zij dat zij niets heeft gezien, geen witte auto zonder nummerbord, ze kwam pas haar huis uit toen ze de klap had gehoord en om die reden belde ze de ambulance. De politie is geneigd het als een toevallig ongeluk te zien.

'Eens temeer straffeloosheid,' klaagde Jean Jacques in zijn perfecte Spaans, zonder een zweem van berusting.

Ik vroeg hem wat de achtergrond van de vrouw was en waar het precies was gebeurd. Er was verder niet veel meer te doen in het ziekenhuis, je kon alleen maar hopen dat Reina bij zou komen. We spraken af dat we elkaar later in zijn restaurant zouden ontmoeten. 'Is Luciano al op de hoogte?' vroeg ik toen ik wegliep, als terloops.

'Ja, hij was hier gisteravond en ook vanochtend vroeg.'

'Als hij hier zo vroeg al is geweest, moet zijn bezorgdheid extreem zijn, bedacht ik, maar ik zei hier niets over; Luciano was niet gewend zijn gezicht te laten zien bij zonlicht, en dwong zo de inwoners van San Cristóbal genoegen te nemen met zijn beeld in de schemering. Wat zou zijn prachtige gezicht er anders hebben uitgezien bij het vernemen van deze nieuwe, pijnlijke boodschap! Ik vond het jammer dat ik hem niet had ontmoet; als getuige van de slechte voortekenen van gisteren bij de dood van de haan, hadden wij samen de diepte van wat er om ons heen sneuvelde kunnen peilen.

Onderweg herhaalde ik heel vaak bij mijzelf: ze probeerden Reina te vermoorden, ze probeerden haar te vermoorden, alsof die woorden pas bij het uitspreken ervan hun ware omvang kregen. Ik ontdekte dat het mij was gelukt mijn denken te bevrijden van een duister en gecompliceerd mechanisme – ter verdediging? – dat de waarheid van de gebeurtenissen ontkende, dat mij innerlijk verscheurde, in die zin dat een deel van mijzelf precies wilde weten op wat voor terrein ik liep, terwijl het andere zich terugtrok in onwetendheid. En in het centrum van mijzelf blijft een vraag mij achtervolgen: wat doe ik hier? De angst om werkelijk angst te voelen loert op mij.

Ja. Ze probeerden Reina Barcelona te vermoorden in de Francisco Leónstraat, lang, smal en met keien geplaveid, zoals de meeste straten in deze prachtige stad, halverwege het blok tussen Insurgentes en Benito Juárez. Achter haar was een kleine heuvel met veel bomen met honderden traptreden die naar de top voeren, naar de

Templo del Cerrito San Cristóbal, een heilige die gisteravond vergat haar te beschermen. (Waar was je, San Cristóbal? Waar was je mee bezig dat je niet op tijd in de gaten had wat er gebeurde? De waarheid moet worden gezegd, je blindheid verdient geen kerk.) Reina nam vast deze vervloekte straat om zo via een kortere weg op de Adelina Flores te komen, waar ze mij zou ontmoeten in het Café del Museo, om het plein te vermijden en sneller te kunnen lopen. Op een dwaze manier voel ik mij schuldig, ik bedenk dat als ze die afspraak niet had gehad, dat haar zou hebben gered. Een loze gedachte, dat was duidelijk.

Ik liep naar een mooi geel huis dat diende als oriëntatiepunt en stak de straat over; dat was de plek die door Jean Jacques was aangegeven; ik aarzelde even voordat ik op de bel drukte en toen ik het ten slotte deed, begreep ik algauw de zinloosheid van mijn gebaar: een meisje deelde mij mee dat mevrouw niet in San Cristóbal was, dat zij een uur geleden was vertrokken naar Querétaro en dat zij niet wist wanneer mevrouw terug zou komen. Ja, ja, Querétaro of niet, de getuige heeft besloten te verdwijnen. En verder was er niemand bij geweest, niemand kan getuigen van de laagheid van een witte auto die het lichaam van een vrouw in de lege nacht kapot rijdt, een auto zonder nummerbord met drie individuen erin die het lichaam van de vrouw achtervolgen om het te vernietigen, een witte auto die niet stopt wanneer hij het lichaam op de stoep achterlaat. Zelfs niet om na te gaan of hij zijn doel heeft bereikt.

Ik stak de straat over naar de stoep aan de overkant van het gele huis, waar zij, naar ik veronderstel, tegen Reina opbotsten. Een paar meter verderop vertelde een spoor van droog bloed mij wat de precieze plaats was. Ik schrok toen ik het zag. Tegen de muur van het huis ernaast schitterde iets. Ik kwam dichterbij en zag een zilveren oorhanger; aan het rondje dat door de oorlel gaat hing een fijn ruitje. Ik herkende hem onmiddellijk, het bloed en de hanger als de enige stille getuigen van de misdaad. Ik klemde hem in mijn hand terwijl ik mij de zin herinnerde van Saramago die hij schreef toen hij deze streek bezocht: *"Er is bloed dat, tot het koud wordt, blijft branden."*

(*'Wat willen de Zapatista's, Reina? Wat vragen ze?'*

*'Dat er recht wordt gedaan, dat de paramilitaire groepen verdwij-
nen, dat het Federale Leger zich terugtrekt uit hun gemeenschappen,
dat de Akkoorden van San Andrés worden uitgevoerd – die waarover
zo fel met de regering na de opstand is onderhandeld – dat zowel in de
Mexicaanse Grondwet als in de wetten het bestaan wordt erkend van
een inheemse bevolking, van haar waardigheid en haar autonomie,
dat zij mag genieten van haar collectieve rechten, dat er vrede moge
komen in haar gebied, dat elke vorm van discriminatie in haar dorpen mag verdwijnen.'*

Ik wilde haar vragen wat er gebeurde in de Zapatista-gemeen-
schappen met hen die de zaak niet aanhingen, wat voor spanning
er ontstond bij die mensen, ook inheemsen, als je hen vergeleek
met hun broeders met hun radicale opties, maar wij werden onderbroken en de vraag bleef in de lucht hangen, alsof hij zweefde,
zoals ook een bepaalde gedachte van mij om mij heen bleef zwe-
ven, die weer in mij opkwam nu ik dichter bij Reina kwam: wat was
mijn last zwaar, wat scheen mij – in vergelijking met haar – de kilte
van mijn verstand negatief toe.)

2

Ik liep de rampzalige Francisco Leónstraat uit om naar het plein te gaan, de hele weg werd ik begeleid door de doordringende maïsgeur, een geur waaraan mijn neus zo gewend was geraakt dat ik elke ochtend als een speurhond om mij heen snuffelde om hem te vinden, een element dat mij bevestigde dat ik in deze wijk was, in deze stad, in dit land.

Ik was wat boos op mijzelf vanwege mijn argeloosheid om te denken dat ik de getuige zou hebben kunnen overhalen om te getuigen; in Chiapas schijnen de zaken ernstiger te zijn dan ik tot nog toe had beseft, alsof mijn geliefde dosis luchthartigheid mij tot hier had vergezeld, in mijn bagage was geglipt, terwijl ik dacht dat ik die thuis had gelaten. Altijd heb ik volgehouden dat luchthartigheid, in kleine doses, essentieel is; als die er niet meer is, is de neiging om iets heilig te verklaren nabij en ik ben niet bereid ook maar iets het karakter van heiligheid te geven. Daarom sleep ik mijn luchthartigheid overal met mij mee, waar ik ook naartoe ga, klaar om haar uit mijn tas te halen zodra dat nodig mocht zijn. Misschien ben ik daardoor het voorbije jaar doorgekomen zonder dat het nog ingewikkelder werd door een ongerijmde zelfmoord. Toch dacht ik dat ik haar nu had thuisgelaten, en als dat zo was geweest, wat zou mij dat een zenuwpijn hebben gekost!

De stoepen waarop ik liep herinnerden mij eraan dat als hier een indiaan liep en hij een blanke tegenkwam, hij er, tot nog maar kortgeleden, vanaf moest en op de straat moest gaan lopen. Stoepen waren voor mensen van zijn ras verboden.

Ik kocht de Spaanse krant *El País* – een kleine verslaving die ik had

in die dagen in Mexico en waarnaar ik, in Washington, zou terug-
verlangen – en ik installeerde mij op mijn gebruikelijke bank op het
plein, zoals ik dat elke ochtend deed voor het ongeluk, tot het tijd
was om naar het restaurant van Jean Jacques te gaan. (Ik stelde mij
voor hoeveel vergaderingen daar op die plek zouden worden gehouden en ik besloot ze te vermijden.) Het wereldnieuws in de
krant bedwelmde mij en veroorzaakte in mij een zekere luiheid. Na
een tijdje, toen ik bij de sportpagina was aangekomen – die mij
nooit heeft geïnteresseerd – keek ik op en liet mijn blik gaan over *el
parque*, en ik constateerde dat ik volop leefde omdat ik voortdurend
de geur rook van maïskolven, sommige geroosterd, andere gekookt,
die een vrouw naast mij verkocht. In geen enkel ander land heb ik
gezien dat men er, zoals zij deed, room of mayonaise overheen
smeerde, en er bovendien kaas en rode peper – chilipeper, zoals ze
hier zeggen – een heel rood poeder, overheen strooide, waardoor
een eenvoudige, jonge maïskolf een delicatesse werd. (Ik herinner
mij ergens te hebben gelezen dat de eerste volkeren die zich vestigden in Mexico, vierduizend jaar voor Christus, al werkten met bonen, kalebassen, avocado's en maïs. Zesduizend jaar geleden! Grote
god, in die tijd begon mijn land zelfs nog niet de culturele gegevens
vast te leggen van haar allereerste geschiedenis.) Net toen ik op het
punt stond te bezwijken voor de verleiding om een maïskolf te kopen, zag ik Luciano aankomen, zijn beeld was van verre al heel helder. Hoe zou je niet kunnen opmerken dat hij daar 's ochtends door
de straten loopt? Hoe sterk moeten zijn gevoelens voor Reina wel
niet zijn als die in staat waren een eind te maken aan zijn hardnekki-
ge, taaie gewoonte om laat naar bed te gaan. Ik kijk ongegeneerd
naar hem; dankzij mijn bril met getinte glazen kan ik mijn schaamte vergeten en, hoewel ik dit schoorvoetend toegeef, heel even
kwam hij in al zijn aantrekkelijkheid op mij af als een bundel licht,
als een schitterende witte lichtstrook, midden op het plein. Het is
geen mooie man, noch in de traditionele zin van het woord, noch in
enig andere zin, wat mij ertoe brengt mij af te vragen: waarin schuilt
zijn charme? Het ergert mij dat hij zijn haar, die kastanjebruine lokken waar kleine gele glitters verf doorheen zitten en die steeds over

zijn gezicht hangen, niet kamt. Hij draagt ook steeds dezelfde kleren; een olijfgroene broek die nogal ruim valt met een katoenen coltrui waar hij, naar gelang het uur van de dag, een heel zacht gemzenleren jack overheen aantrekt, van het soort dat in je handen lijkt op te lossen als je het aanraakt, zoals je die kunt zien, stel ik me voor, in de etalages van Florence. Het ruikt scherp naar een mengsel van terpentine en citroen, alsof er bij het schoonmaken, ondanks alle moeite, voortdurend een plooi overblijft waar het in sluipt. Ik probeer mij voor te stellen hoe het zou zijn als hij zich één keer per jaar laat zien in de kantoren van de ontwerpbureaus in Milaan, om daar het werk te verrichten dat de rest van zijn tijd in San Cristóbal zal financieren. Het lijkt wel of zijn reislustige leven hem heeft gehard. Zijn huid, die door generaties leven in de zon in zijn geboortestreek Calabrië donker is geworden, steekt af tegen de opvoeding en noordelijke mentaliteit die hij heeft gekregen in Bologna na de verhuizing van zijn ouders toen hij nog maar acht jaar oud was, een leeftijd waarop schilderen hem al voorkwam als de enig wenselijke en mogelijke weg. Van toen af aan, vertelt hij, heeft hij geleefd met verfvlekken op zijn handen, iets wat voor hem zo karakteristiek is dat als hij er eens in zou slagen om ze schoon te maken, hij zich naakt zou voelen. Hij houdt van Rothko, van Magritte en Max Ernst, van Soulages en Lichtenstein, en praat over hen alsof het zijn vrienden zijn; alleen op ogenblikken dat hij erg geïnspireerd is, heeft hij het over Durero. Hij bezit die vreemde eigenschap, die zeker heel renaissancistisch is, dat geen enkele kunstmanifestatie hem vreemd is; hij zou het verdienen om geboren te zijn aan het hof van Lorenzo el Magnifico. Literatuur, film en muziek lijken ook zo bij hem te horen dat ik soms vergeet dat hij schilder van beroep is. (Vandaag heeft hij toevallig een boek van Sciascia onder zijn arm.) Als er iets is waar ik zonder meer jaloers op ben – dat moet een beroepsmatige afwijking zijn – dan is het zijn vermogen om zo goed vreemde talen te beheersen. Ik schrijf dit toe aan zijn muzikale gehoor, getraind sinds zijn kinderjaren. Zijn Engels, dat hij op school leerde, is perfect en met Jean Jacques heb ik hem vloeiend Frans horen praten. Spaans leerde hij eerst in Spanje en hij perfectioneerde het aan deze kant van de

Atlantische Oceaan door met grote inzet de nodige lessen te nemen. Hij bezit een ruime, rijke vocabulaire, alleen zijn uitspraak verraadt hem. Omdat Italiaans en Spaans betrekkelijk veel op elkaar lijken, denken sommigen dat als iemand de ene taal spreekt, hij de andere er makkelijk bij kan leren, wat een enorme vergissing is. Het kostte hem minder moeite Engels te leren omdat de logica van die taal zo verschillend is van die van zijn eigen taal dat hij die wel moest analyseren, wat in zijn voordeel werkte, alsof de kans dat je je vergist minder groot is als je vanaf het nulpunt moet beginnen. Zo leerde hij het Spaans niet vanuit zijn gevoel, maar bestudeerde hij de taal serieus (iets wat Spaanssprekenden in Italië niet altijd doen, zij denken dat het genoeg is om de intonatie te veranderen), maakt de zinnen vanuit het Spaans en vertaalt ze niet automatisch als hij praat. Vergeleken bij hem en Jean Jacques voel ik mij een analfabeet.

Hij deelt een klein, uit leem opgetrokken huis in de wijk Santo Domingo met Jim, een Noord-Amerikaan die werkt aan een project van de Harvard University, waarbij hij inheemse culturen bestudeert om er tradities, verhalen en mythen uit te destilleren. Het is bekend dat de enige voorwaarde die hij Jim stelde toen ze gingen samenwonen, was dat hij tot laat in de vroege morgen naar muziek zou mogen luisteren. (Tot zijn verrassing protesteerde Jim niet.) Zijn vader was, als jongeling, partizaan in de tijd van Mussolini en, samen met zijn moeder, actief lid van de vroegere Italiaanse Communistische Partij; ik begrijp daarom zijn gedegen politieke vorming en zijn betrokkenheid bij het lot van de armen van deze wereld. In tegenstelling tot mij beschouwt hij dat als zijn grootste erfenis.

Nu hij dichterbij komt, begrijp ik precies waarom hij zo aantrekkelijk is: zijn gestalte en het gleufje in zijn kin. Het kuiltje in het peertje, zouden we in Chili zeggen. Ja, dat is het.

Ik houd hem niet tegen. Ik denk dat het beter is hem zijn weg te laten vervolgen. Ik denk ook dat ik hem licht zou willen aanraken, even een hand op zijn gezicht, zachtjes. Een gedachte of een wens die sterk is kan reëel zijn, maar ik durf het te verlangen omdat mijn wens zwak is.

3

Terwijl ik naar het restaurant van Jean Jacques liep, in de drukke Real de Guadalupestraat in het centrum, drongen een paar essentiële vragen door tot mijn bewustzijn. Iets onbestemds maakte zich los vanuit het diepste punt van mijn eigen kern en waarschuwde mij met luide stem, op een bijna beledigende manier, dat ik niets te maken had met deze plek of met de gebeurtenissen van de laatste uren. Maar ik haalde mijn schouders op, en ademde diep de geuren in die in elke straat van deze stad rondzweven en liet het liggen voor later, terwijl ik mij bezighield met het onderscheiden van de geur van gebakken olie, van vers fruit, van maïs.

Het restaurantje heet La Normandie en is, naar mijn mening, het beste van de stad. Aan de Franse keuken zijn met veel fantasie lokale elementen toegevoegd, waardoor een paar uiterst verfijnde schotels zijn ontstaan. De stralen van de ochtendzon en de rood-wit geblokte tafellakens zijn zo uitnodigend dat het aan te bevelen is om van tevoren te laten weten dat je van plan bent te komen eten, omdat je anders het risico loopt dat alle tafels bezet zijn. Maar drie personen werkten met Jean Jacques samen: zijn moeder Ninoska, een sublieme kokkin; haar keukenhulp Abril, een Chamula-indiaanse die bij hen woont; en Manuel, die bedient. Jean Jacques is de enige buitenlander die zijn moeder bij zich heeft, waardoor het niet anders kan dan dat Ninoska haar rol als moeder ruimschoots uitbreidt en ook vervult voor vele anderen. Als jodin geboren in Odessa, is zij een veteraan van vele oorlogen. Zij verliet haar land om naar Frankrijk te gaan tijdens een van de vele vervolgingen van haar volk, maar daar kreeg ze te maken met de onderdrukking van de Tweede Wereldoorlog, waarbij zij als door een wonder een concentratiekamp overleefde met als souvenir een in haar arm getatoeëerd nummer, dat zij vrijelijk laat zien aan iedereen die dat wil, terwijl ze erbij zegt dat ze dat doet *om nooit te vergeten.* Haar man, geboren in Normandië, was een actief lid van het Franse verzet tegen de nazi's en stierf jong aan een kogelwond die op den duur zijn longen kapotmaakte; Jean Jacques herinnert zich hem nauwelijks. Zijn stiefvader was een Spaanse balling, een republikein die hem zijn taal en zijn heimwee bijbracht. Na diens dood stelde Jean Jacques aan zijn moeder, nu weduwe, voor om nieuw land te gaan veroveren, zij liet zich dat geen twee keer zeggen en zo kwamen ze terecht in San Cristóbal de las Casas. De talrijke vrouwen die door de armen van Jean Jacques zijn gegaan kunnen rekenen op haar welwillendheid, alsof dat een onderdeel was van een overeenkomst. Ninoska is een blonde, dikke vrouw, haar royale lichaam doet twijfelen aan de esthetische voordelen van de huidige anorexiacultus. Het is een lust om naar haar te kijken rond het etensuur: doodbedaard en langzaam eet zij alles, alles op... haar lege borden stralen als volle manen. Dat is haar oorlogstrauma, legt Jean Jacques uit. Ook verslindt zij boeken en is zij een trouwe klant van de feministische boekhandel, een paar blokken hiervandaan en zij vindt het leuk om haar indrukken, opgedaan in de boeken die zij leest, te delen met anderen. (San Cristóbal heeft meer boekhandels per aantal inwoners dan Mexico-stad zelf.)

Haar woonruimte, royaal en in een koloniale bouwstijl, bevindt zich op de etage boven het restaurant, waar zij elk voor zich – moeder en zoon – hun eigen ruimte hebben gecreëerd, afzonderlijk van elkaar. Net als Jean Jacques gelooft zij onvoorwaardelijk in de zaak van de Zapatista's en dat steekt zij niet onder stoelen of banken; omdat zij in haar leven het hoofd moest bieden aan de communisten en de nazi's, verklaart zij dat de paramilitairen op haar niet veel indruk maken. Fantastisch is, dat het net is alsof zij geen angst kent. Met genoegen spreidt zij ook heel wat gevoel voor humor tentoon als het gaat om de obsessies van haar zoon, die je als volgt zou kunnen samenvatten: zijn gepassioneerde liefde voor *La France*; voor de Verenigde Staten en hun hele cultuur kent hij een diepe afkeer, hij kan uitvoerig uitweiden over het verschil tussen het begrip *individu* (vs) en *burger* (Frankrijk), hij gelooft dat de geschiedenis nooit meer een genie van het formaat van Napoleon heeft voortgebracht, zijn echte gebeden zijn teksten van Victor Hugo, en hij gelooft rotsvast dat in de Bastille de kern werd gelegd voor de toekomst van de mens.

De dag na de lunch in het huis van Dun, mijn vierde dag in de stad, leerde ik La Normandie kennen. Overdag kun je werken zoveel als je wilt, zei Reina tegen me door de telefoon, maar 's avonds zal ik ervoor zorgen dat je uitgaat en je niet alleen voelt. Ik vroeg haar wie die avond zouden komen eten. Ik heb afgesproken met Jean Jacques en met Luciano, antwoordde zij, maar gewoonlijk komen er nog andere vrienden mee. Ik wil dat je Ninoska leert kennen, voegde zij eraan toe, de bazin van het restaurant, onze universele moeder; het mooiste van alles is dat zij het goedvindt dat wij blijven drinken tot lang nadat zij het restaurant heeft gesloten, iets wat niet erg gebruikelijk is in deze stad. Ik herinner mij goed dat ik die avond, voordat ik het hotel verliet om naar Reina te gaan, twee keer iets anders aantrok, wat mij erg verbaasde: de spiegel maakte geen deel meer uit van mijn dagelijks leven en het was de eerste keer na zoveel tijd dat ik mij druk maakte over mijn uiterlijk. (Wat je ook aantrekt, het staat je altijd goed, zei Gustavo gewoonlijk tegen mij als ik mij verkleedde om met hem uit te gaan, of je nu zijde of vodden aanhebt, altijd zie je eruit als een koningin.)

'Kijk eens, daar heb je onze nieuwe Chileense vriendin,' zei Jean Jacques toen hij mij zag binnenkomen. 'Welkom, welkom.'

Ze zaten aan de tafel achter in de zaal, die, gezien de vorm van het restaurant, het meest privé was, en die verscholen stond achter bogen, mozaïeken en houten zuilen in een koloniale bouwstijl. Omgeven door roze geverfde muren zaten vier personen rondom een laag mandje met warm brood, dienblaadjes met vers afgesneden plakken paté en twee open flessen rode wijn. Ik keek uit naar de Italiaan die mij de vorige middag verbaasd had doen staan en ik merkte bij mezelf de teleurstelling op die even door mij heen ging toen ik hem niet zag.

Reina stelde mij aan iedereen voor en wij gingen zitten, ieder aan een andere kant van de tafel. Ik bleef zitten aan de kant van Jean Jacques. (Ik vermoed dat Jean Jacques je had willen verleiden, zou Reina later tegen me zeggen. Wat je niet in vuur en vlam zet komt niet bij je terug, dacht ik, alleen gevoelens die een ander doen ontvlammen worden teruggekaatst.)

'Kom, Reina, doe mee aan de quiz,' zei Horacio, een man met een bril en een grijze baard, die, aan zijn accent te horen, Mexicaan was.

'Waar gaat het over?' vroeg Reina terwijl ze een leeg glas nam en er rode wijn in schonk.

'Hoeveel namen heeft deze stad gehad?' vroeg Priscilla, een jonge, donkere vrouw, ook een Mexicaanse.

'Drie,' antwoordde Reina triomfantelijk. 'Jovel, Ciudad Real en San Cristóbal de las Casas.'

'Verkeerd, helemaal verkeerd!' riep Jesús, een lange, dikke Spanjaard die eruitzag als een vrolijke bon-vivant.

'Pas op, want wie verliest moet de wijn betalen,' voegde Jean Jacques eraan toe. 'Camila zullen we vrijstellen, omdat ze er nog maar pas is.'

'Ja maar dat is niks, dat is een ongelijke strijd…' zei Reina. 'Horacio is historicus, die wint hoe dan ook.'

'Dat hangt ervan af…' antwoordde Priscilla, 'als Luciano op tijd komt, kan híj winnen. Onder ons gezegd, zou dat een klap zijn voor Horacio's nationalistische gevoelens.'

'Wij weten dat het er tien zijn, maar we zijn nog niet alle namen tegengekomen.'

'Tien? Hoe kan dat nou?' vroeg Reina verbaasd.

Horacio nam het woord, ik luisterde aandachtig, zonder iets te zeggen.

'In maart 1528 noemde de grondlegger, Diego de Mazariegos, de stad Villa Real de Chiapa.'

'Alsjeblieft, bespaar me de details,' verzocht Jesús hem met klem.

'Haar tweede naam was Villaviciosa de Chiapa,' ging Horacio met een geduldig gezicht door.

'Die naam bevalt mij,' riep de Spanjaard.

'Twee jaar later noemde Pedro de Alvarado haar San Cristóbal de los Llanos de Chiapa.'

'En vijf jaar later,' voegde Jean Jacques eraan toe, als iemand die zijn lesje opzegt, 'werd zij herdoopt in Ciudad Real de Chiapa, maar de mensen hier geven er de voorkeur aan om haar Chiapa de los Españoles te noemen.'

'Na de onafhankelijkheid,' ging Horacio door, 'werd het San Cristóbal, zonder meer. Maar toen de Revolutie besloot alle banden van steden en dorpen met kerken en heiligen te verbreken, werd het weer Ciudad las Casas.'

'Dat zijn er nog maar zeven of acht. Wie zei dat het er tien waren?'

'Samen met de naam die de stad nu heeft, zijn het er negen.'

Het gesprek werd op dat ogenblik onderbroken door de komst van Luciano. Hij zag er gespannen maar tevreden uit, als iemand die net van zijn werk komt, met zijn haar in de war en met vuile handen vol verfvlekken. (Ik was ze voortdurend, zou hij me later zeggen.) Zijn gemzenleren jack deed zijn overige kleuren des te feller uitkomen. Ik zocht onmiddellijk het kuiltje in zijn kin, ja, inderdaad, ik had het niet verzonnen, het zat er.

'*Ciao, ciao.* Zijn jullie nog niet begonnen met eten? Ik sterf van de honger!' zei hij bij wijze van groet, terwijl hij Priscilla en Reina op de wangen kuste. Toen zag hij mij aan het eind van de tafel en met enige moeite kwam hij, achter een paar stoelen langs, op mij af.

'De vrouw met het rode haar,' begroette hij mij, terwijl hij zijn hand uitstrekte om mijn schouder aan te raken. Ik veronderstel dat hij mij niet kuste omdat ik nog niet zijn vriendin was, maar hij was ook niet van plan mij de hand te reiken, zoals hij dat had kunnen doen in een deftig restaurant in Milaan. Een hand op mijn schouder. Ik keek hem een beetje verlegen aan, wat, naar ik dacht, het plezier verhulde dat in mij opkwam toen ik hem zag. Maar hij bleef niet bij me, Reina maakte naast haar al plaats voor hem. Ik herinnerde mij de gevoelens die hij de dag ervoor bij mij had opgeroepen en ik had geen rust tot ik ze opnieuw had gevoeld. Die avond richtte hij zich verschillende keren tot mij, om mij een vraag te stellen, iets uit te leggen of om een grap te vertellen, en steeds als hij dat deed voelde ik weer zijn waardering voor mij, alsof hij mij een kwaliteit verleende die je niet kon benoemen, maar die de vrouw die ik was bevestigde.

Nooit kwam ik te weten hoeveel namen de stad San Cristóbal had, noch wie de wijn betaalde, maar ik kon mijn ogen niet afhouden van Reina en haar speciale manier van koketteren, tussen onschuldig en speels in, maar ook berekenend. Ik kwam tot de conclusie dat zij zonder enige twijfel een verleidelijk iemand was en dat zij om zich heen, zonder dat zij dat wilde, een merkwaardige geur verspreidde die deed denken aan een krolse kat. Bij deze gelegenheid droeg zij een poncho van een opvallende karmozijnrode kleur over haar altijd zwarte kleren (ik vroeg mij af waar ze die vandaan haalde, ik heb die kleur nooit gezien op de markt van Santo Domingo) en het gebaar dat ze met haar schouders maakte om hem om haar lichaam heen te slaan bevestigde wat ik net al zei. De warmte die van haar lichaam uitging was zowel intiem als agressief.

Die avond heerste in La Normandie grote vrolijkheid en de zekerheid van eeuwigdurend geluk; geen enkele poging tot het begaan van een misdaad doorkruiste de fantasie van de aanwezigen. Het gelach dat ik daar die avond en de avonden daarna hoorde, ontdooide mijn diepgaande verkilling, was als een magische zalf voor mijn landkaart met littekens. (In de loop der jaren lachten we steeds minder, hoorde ik mijzelf tegen Luciano zeggen, die zich de tranen uit zijn ogen wreef na een luide lachbui, en toen vroeg hij iedereen: Wanneer heb je voor het laatst zo gelachen als vanavond? Vorige week of al een maand geleden? Daarentegen had een kind nauwelijks een paar uur geleden nog zo gelachen, gezegend is hij, gezegend zijn zij. Dat zei Luciano. En ik dacht aan mijn kind, dat van mij was en dat mij verliet toen het nog maar net had leren lachen.) Die rozekleurige muren kregen in mijn beschermende geest de vorm van een toevluchtsoord voor vijandigheid, wat voor soort dan ook. (Ik heb veel aan je te danken, Reina.) Het einde van deze eerste maaltijd heb ik heel precies in mijn herinnering bewaard: behalve Jean Jacques, liepen wij allemaal naar buiten, en terwijl wij naar de deur liepen voelde ik een hand op mijn schouder. Raakte iemand mij aan? Mijn hele lichaam was onmiddellijk in staat van paraatheid gebracht. Ik draaide mijn hoofd om en zag het gezicht van Luciano en hoorde zijn onverwachte woorden.

'Het viel me op dat je soms verdrietig bent. Als je me nodig hebt, bel me dan, roodhaar, ik zal je geen vragen stellen.'

Door mijn stomme verbazing kon ik niet gauw een antwoord verzinnen; op datzelfde ogenblik vroeg Reina aan Horacio om mij bij het hotel af te zetten, we moesten dezelfde kant uit en het was wat erg laat om terug te lopen. Terwijl ik in de auto stapte, kwam het in mij op dat medelijden de moeder van de bedroefde liefde moest zijn.

Het laatste wat ik vanuit de auto zag, was Reina die naar een zijstraatje liep en Luciano die met haar meeliep.

Natuurlijk belde ik hem niet.

Het was mijn vierde dag in San Cristóbal de las Casas: wat mijn ogen zagen bracht mij ertoe wat meer en wat opvallender afwezig te zijn.

4

Mijn gringomaag kan maar niet wennen aan Mexicaanse etenstijden en de honger belaagt mij al om één uur. Om hem wat te stillen, brengt Ninoska mij een kop sterke koffie. Te oordelen naar de uitdrukking op haar gezicht lijkt het wel of er niets is gebeurd, zij is de enige van ons wie het lukt gewoon door te gaan met haar dag, ondanks de gebeurtenissen van gisteravond. Voorzover ik haar ken, weet ik dat dit niet komt doordat ze onverschillig zou zijn. Het komt doordat ze haar hele leven steeds door moest gaan, tragedie na tragedie, zonder te kunnen stoppen.

Dit doet me denken aan Dolores: misschien is dit wel een karaktertrek van krachtige vrouwen. Ik moet erkennen dat Ninoska mij als mens een zekere jaloezie inboezemt: haar leven is avontuurlijk en heroïsch geweest, de liefde heeft haar altijd begeleid, zij heeft een zoon gekregen die nog steeds bij haar leeft, een zoon die niet is gestorven, en ze kan koken. (Waarschijnlijk zou Gustavo zich niet veel hebben aangetrokken van mijn lafheid ten opzichte van de Chileense dictatuur als ik in ruil daarvoor dit had gekund: als obsessieve *gourmet* zou hij mij alles hebben vergeven als ik ook maar een van die majesteitelijke stoofpotten op zijn tafel had kunnen zetten.)

'Camila! Waar zit je met je gedachten?'

'Pardon, Ninoska, door alles wat er is gebeurd, ben ik een beetje de weg kwijt.'

'Er is niets wat een goede kop koffie niet kan verhelpen. Kom, drink op, laat hem niet koud worden. Het laatste wat we op dit ogenblik kunnen gebruiken, is dat we ons hoofd er niet bij houden.'

Dat is zeker waar, een goede kop vers gezette koffie is van onschatbare waarde, temeer omdat er in dit gebied zo buitengewoon veel van wordt verbouwd. Ninoska pakt een sigaret en komt naast mij zitten.

'Paulina zal zo wel komen,' zegt ze tegen mij, 'Luciano haalt haar op.'

'Komen ze allebei hierheen?'

'Ja, Luciano vroeg of we niet weg wilden gaan.'

Paulina is een kleine Ch'ol-indiaanse met lange, zwarte vlechten en levendige blik, klein en stevig, en ze werkt als hulp van Reina in de boekhandel. Ze is daar al sinds de opening van de zaak en steeds als Reina weg is, wat nogal eens gebeurt, past ze erop. Ze kleedt zich in geborduurde blouses en veelkleurige sjaals en helaas sleept ze met haar rechterbeen. Haar familie behoort tot een van die groepen die enige tientallen jaren geleden in het oerwoud van Lacandona woonden en die voor de tweede keer hun grond moesten verlaten, grond die ze, in deze onmogelijke natuur, met immens veel moeite hadden bewerkt, tot hij door het leger werd bezet na de opstand van de Zapatista's. Dat gebeurde in februari 1995, met een militair offensief dat velen dwong ergens anders te gaan wonen. (Ook die indianen die tegen de guerrillaoorlog waren.) Hun bezittingen werden vernietigd en het huis van haar ouders werd verbrand. Toen haar volk verder het oerwoud introk, op zoek naar een nieuwe plek om te leven, verliet Paulina hen.

'Dat kwam door een ziekte,' vertelde ze mij de enige keer dat ik met haar een gesprek voerde, terwijl ze wees op haar rechterbeen, 'ik heb heel lang in het ziekenhuis van Ocosingo gelegen.'

Toen ze haar terwijl ze nog ziek was genezen verklaarden, omdat ze indianen uit het ziekenhuis zetten om te voorkomen dat zij lange tijd een bed bezet houden, kwam ze naar de stad.

'Hier kun je heel aardig leven,' zei ze mij, en ze bedoelde hiermee San Cristóbal.

En Reina bevestigde mij later dat Paulina, ver van het oerwoud en haar volk, waar de traditie verschrikkelijk strenge wetten oplegt aan vrouwen, zich erg vrij voelde; dankzij haar werk in de boekhandel kon ze zich verzetten tegen het lot van de inheemse vrouwen. Ze is erg jong, bijna nog een meisje, en op deze manier kon ze ontkomen aan haar lot om uitgehuwelijkt te worden in ruil voor wat brandewijn en een koe, zoals haar zusters overkwam. Ik ben niet van plan te trouwen, verzekert ze mij, en stelt zo deze romantische daad van de westerse cultuur tegenover het slavendom dat dit voor haar betekent.

(In Chiapas hebben we de geschiedenis nooit kunnen bijhouden, zei die Mexicaanse advocaat van de NGO *met wie Gustavo mij in contact bracht, tegen mij. De oorlog overvalt ons in tijden van vrede en in vredestijd hebben wij oorlog gevoerd: alles loopt uit de pas. Nee, hier was geen revolutie toen die in de rest van het land uitbrak. De eigenaren van de haciënda's bewapenden hun arbeiders om hun grondgebied te verdedigen, eigenden zich de macht van de staat wederrechtelijk toe. Je had er de Mapaches, een leger dat 's nachts actief was, dat het op zich had genomen om de contrarevolutie uit te voeren en daar kwamen de 'ontoorden' vandaan, de voor de belangen van hun bazen vechtende indianen, van wie het leger de oren had afgesneden. Hier is de gelijke verdeling van grond aan hun deur voorbijgegaan, waardoor grondbezit een van de meest brandende problemen van deze streek is geworden. Het beroven van de inheemse bevolking is van alle tijden, zelfs door de Mexicaanse revolutie werden ze er niet beter op. Daarom is de rassendiscriminatie hier erger dan in welke andere streek van Mexico ook.)*

Een paar minuten later verschijnt Paulina met Luciano en ze komen aan mijn tafel zitten, waar ook Jean Jacques bij komt. Luciano glimlacht moeizaam naar mij, een ontdane glimlach. Je had gelijk, gisteren, met die haan en je voortekenen, ik moest er steeds aan denken, zegt hij mij zachtjes, en raakt even mijn schouder aan met zijn hand waar verfvlekken op zaten. Op datzelfde moment voel ik mij een beetje schuldig omdat ik hem kort daarvoor, op het plein, met mijn ogen had verslonden zonder dat hij dat wist, alsof ik, door dat te doen, hem iets persoonlijks had ontstolen, iets waarvan hij had besloten dat hij dat niet met mij wilde delen.

'Jesús houdt de wacht bij haar en zegt dat hij het geen probleem vindt daar te blijven zolang als dat nodig is,' begint Luciano, met een ongebruikelijk sombere stem. 'Zo is zij in het ziekenhuis beschermd, als ze haar opnieuw willen doden dan kan dat niet. Vanavond zal Jean Jacques met Horacio overleggen over het soort actie dat wij moeten ondernemen en om te bepalen *wanneer*. Ik ben er niet erg zeker van dat wij dat onmiddellijk moeten doen, daarmee zouden we Reina in gevaar kunnen brengen, het zou bijna een vorm van verraad kunnen zijn... maar goed, dat zullen zij bespreken. Wat belangrijk is, is dat Jesús heeft opgebeld, hij heeft gesproken met Paulina in de boekhandel, Reina is bij bewustzijn gekomen. De arts heeft opnieuw uitgelegd dat elke vorm van genezing lang zal duren, maar niemand denkt dat dat in het ziekenhuis zou moeten gebeuren.'

(En als het alleen maar een waarschuwing was en ze niet van plan waren haar te doden, maar ze haar alleen een tijdje uit de weg wilden ruimen omdat ze hen tot last was?)

Luciano oppert het idee haar naar huis te halen wanneer de omstandigheden dat toelaten.

'Wij zijn haar familie, het is aan ons voor haar te zorgen.'

Wanneer ik die woorden hoor, weet ik niet of ik ontroerd moet zijn vanwege de solidariteit die eruit spreekt of me moet afvragen of achter de betrokkenheid van deze aantrekkelijke schilder misschien andere, minder filantropische gevoelens schuilgaan, maar onmiddellijk herstel ik mijzelf: het is niet het moment me te verliezen in dat soort gissingen.

'We hebben bevriende artsen die haar kunnen bezoeken en het verloop van haar ziekte stap voor stap volgen. Maar daarvoor is het nodig dat er steeds iemand bij haar is, ze mag niet alleen blijven. Paulina zal in haar huis slapen, maar overdag is ze bezig met de boekhandel. Ik dacht aan Camila, aan Dun, aan Priscilla... het moeten mensen zijn die haar heel na staan.'

'Waarom alleen vrouwen?' vraagt Ninoska.

'Zou dat niet makkelijker zijn voor Reina? Misschien kan ze een tijdlang niet naar de wc, bijvoorbeeld.'

'Laten we geen minuut vergeten dat die klootzakken terug kunnen komen...' onderbreekt Jean Jacques hen.

'Ik weet hoe ik moet schieten,' zegt Paulina, waarop wij haar allemaal met open mond aankijken en niemand commentaar durft te leveren.

Voor het eerst verhef ik mijn stem, en verander van onderwerp.

'Mijn retourticket is voor overmorgen.'

Er ontstaat een stroeve stilte, deze keer concentreren alle blikken zich op mij. Ik probeer ze te verdragen, maar zonder succes. Luciano is het meest spontaan in zijn reactie.

'Je denkt er toch niet over om weg te gaan onder deze omstandigheden… niet?'

Ik wil protesteren, hen eraan herinneren dat ik alleen maar naar Chiapas ben gekomen voor een week of twee, dat ik mijn afspraken heb afgewerkt, dat ik niet een van hen ben. *(De intellectuelen hebben alles, verwarming, eten, bed en water, zei de advocaat van de* NGO. *Buitenlanders ook. Sommigen komen met enorme angst, alsof wij hen zouden kunnen kalmeren met onze oorlog. Ik geef toe dat ze nuttig waren, en zelfs op sommige ogenblikken onmisbaar, maar het blijven toch politieke bemoeials. Laten ze ophoepelen en ons met rust laten.)* Ik erbij horen? Waarom word ik ingelijfd bij een soort revolutionaire cel terwijl ik niet heb gevraagd te worden toegelaten? Het idee te veranderen in een soort Florence Nightingale van de revolutionairen staat ver van mij af, kom nou! Bovendien staat het idee om weer als verpleegster te gaan werken me tegen, mijn handen en oogleden zouden weer gaan trillen, was het toevallig niet het doel van mijn reis om deze herinnering uit te wissen? Maar de oude en wijze ogen van Ninoska, de intelligente van Jean Jacques, de sensuele van Luciano en de oude, de oeroude ogen van Paulina nodigen me uit te blijven. In mijn zak bewaar ik nog de zilveren oorhanger en ik voel er op die verborgen plek even aan.

'Ik moet erover praten met Washington. Ik zal jullie vanmiddag antwoord geven. En nu,' zeg ik, en ik verander van toon om hen te kunnen ontvluchten, 'denk ik dat de katten het allerbelangrijkste zijn. Heeft niemand aan ze gedacht? Die moeten honger hebben!'

Een golf van opluchting zweeft vriendelijk door het restaurantje in de Real de Guadalupestraat. Luciano raakt even mijn rechterarm aan en Jean Jacques vraagt direct een kopie van de sleutels van het huis van Reina die Paulina hem aanreikt.

'Ik ga erheen,' zeg ik terwijl ik ze aanneem, 'gaan jullie maar door met je gesprek.'

En terwijl ik geen aandacht schenk aan mijn lege maag van één uur 's middags, vertrek ik.

5

Ik wist niet wat ik moest doen en waarschijnlijk nam ik uiteindelijk mijn beslissing op grond daarvan. Ik wist bij voorbaat al wat het antwoord uit Washington zou zijn: wat heb jij met dat alles te maken? Je bent gek! Kom toch terug. Om hiermee in evenwicht te komen moest ik mij even in verbinding stellen met Santiago de Chile. Energiek liep ik naar het Cyber Café waar ik alle middagen naartoe ging, in deze zelfde straat. Voor tien peso per uur kon ik het internet op en mijn e-mail lezen. Alle buitenlanders deden het, en soms vond ik het leuk om, als ik voor het scherm zat, de nationaliteit van mijn medegebruikers en de redenen die hen hiernaartoe hadden gebracht te raden. Dolores en Gustavo waren voor mij mijn belangrijkste gesprekspartners, waarbij ieder van hen elk aan een andere kant van hetzelfde lange touw trok. Ik schreef haar. Als ik geluk had, kon ik vanavond vroeg nog antwoord krijgen.

Wie anders dan mijzelf wilde ik voor de gek houden? Alsof het mij van bovenaf werd toegeworpen, kreeg ik het visioen van mijn witte appartement in Maryland, in de wijk Chevy Chase, wit en minimalistisch, wit en ordelijk, wit en open. Ik stelde me voor dat ik daar was en er rondliep, langs de superslanke staande lamp, die me altijd doet denken aan een beeld van Giacometti, en dat ik dan alleen ging zitten op de enige bank in huis, een enorme, vierpersoonsbank, achteroverleunend tegen de kale muren. Ook het slaapkamertje van mijn zoon is kaal. Zelfs geen wieg. Nee, niet opnieuw. Ik kon Gustavo zien zitten aan de eettafel, hij schilde met zorg een juttepeer, wat voor wijn zou daarbij passen, wat voor druif en wat voor wijnjaar? En als de peer niet zo sappig was als hij had gedacht, op wie zou hij dat afreageren? Ik herinnerde mij hoe elke menselijke geest die op zijn weg kwam werd getest alsof het om een proeverij ging, met de ogen en het gehemelte van een deskundig proever. Ik beschik niet over voldoende kennis van de intimiteit van andere paren om met absolute zekerheid te kunnen zeggen dat mijn man een uitzondering is of dat hij juist de platvloersheid van het alledaagse bevestigt: het is een feit dat ik de vuilnisbak ben van mijn echtgenoot. Dit gezegd hebbende, moet ik erop wijzen dat het woord *echtgenoot* en wat het betekent, mij niet aanstaat. Het probleem is dat ik niet goed weet waardoor ik het moet vervangen, voordeurdeler? Vriendje? Maatje? Het eerste woord heeft statistische connotaties, zoals in een rapport van het ministerie van Justitie; het tweede werd gebruikt door hippies en in bepaalde besloten clubjes; het derde doet denken aan de jaren zeventig, aan links georiënteerde milieus. Omdat de juiste term mij ontbreekt, praat ik gewoonlijk over Gustavo, en niet over mijn echtgenoot – zoals andere vrouwen maar al te graag doen – hoewel ik moet toegeven dat ik het huwelijkscontract heb getekend ten overstaan van een ambtenaar van de burgerlijke stand om met hem te kunnen leven in de Verenigde Staten. Maar laten we teruggaan naar het thema van de vuilnisbak. Ik ben ervan overtuigd dat de enige succesvolle basis voor een paar de basale gevoelens zijn die je voor elkaar hebt op de eerste dag dat je onder hetzelfde dak gaat wonen; vandaag, na zes jaar, constateer ik dat ik hem straf en weer straf, in een poging dingen te veranderen, met de oprechte hoop ongewenste herhalingen te voorkomen, maar het heeft geen zin, het is al te laat, niets zal meer veranderen. Daarom voel ik mij ertoe veroordeeld om de vuilnisbak van Gustavo te zijn tot het einde van mijn dagen, zoals een misdadiger tot zijn eeuwige ketting. Vervloekt zijn alle betekenissen die dit Spaanse woord misschien heeft, maar in het Chileens betekent het: bak met afval waarin alle vuilnis, vieze troep eindigt en verdwijnt, het eindstation voor alle etensresten en viezigheid. De vuilnisbak van een bureau heet prullenbak en is schoner dan die van de badkamer of de keuken, maar het resultaat is precies hetzelfde. Alle negatieve lasten van Gustavo eindigen in mij, de aard ervan is niet relevant, en nog minder of ik er enige band mee heb. Stoïcijns vangt mijn borst een voor een de pijltjes van zijn voorbijgaande verbittering op: dat zijn beste reportage niet als zodanig werd ontvangen, dat die stomme fotograaf niet vanuit de noodzakelijke hoek de cruciale scène had genomen, dat de secretaresse, die stomkop, het opgevraagde archief had gewist uit de computer, dat die onverantwoordelijke lieden van de stomerij zijn blauwe pak hadden geruïneerd, dat door die hoestaanvallen zijn hele lichaam pijn deed, dat die imbeciel van een buurman hem niet zijn originele uitgave van het boek van Neruda had teruggegeven, dat in het restaurant de spaghetti niet *al dente* was, dat die onbeschaamde vlegel van het benzinestation hem had afgezet met het aantal liters, dat het slot van de kofferbak van de auto geblokkeerd was geraakt, dat hij zich had vergist in de weg omdat hij de kaart niet goed had gelezen. Wat de reden ook mag zijn, elke woede – in hem – die hij, door erover te praten, op een ander kan overbrengen, is verdwenen. Camila! Ik herken al meteen de toon die het ogenblik aankondigt waarop mijn lichaam zich zal transformeren in die existentiële vuilnisbak. Zodra de klacht is geuit, zodra die is opgenomen in de emmer met stront, komt de zon terug, lost elke nevel op en ben ik weer de vrouw van een uiterst charmante man. Deze situatie valt niet binnen de bekende vakjes van huiselijk geweld of misbruik, het ligt wat subtieler dan dat, maar evengoed vraag ik me af wat Gustavo gedaan zou hebben als hij vrijgezel was, over wie hij zijn ongenoegen zou uitstorten, wie hij deze rol zou toebedelen. De kinderen van tegenwoordig zouden dat niet accepteren, ook niet als sterk verhaal, integendeel, tegenwoordig zijn zij het die slachtoffers maken, en niet de ouders – als die er al zijn – aangezien ze hun, ondanks alles, een zeker respect verschuldigd zijn, en zijn broers en zusters zouden hem, terecht, ervan langs geven. Bij de film leent zich daartoe soms een butler of de een of andere masochistische dienstbode, maar in het echte leven denk ik dat alleen maar de echtgenotes dienen om deze rol te vervullen, ze hebben bovendien het voordeel dat ze altijd bij de hand zijn. En dat ze het dulden.

Nee, ik wilde nog niet terug naar huis.

Word je nu niet wat kleingeestig? Was ik niet bezig het lichaam van een vrouw, slachtoffer van een ongeluk, politiek geëngageerd – en om die reden gewond – te gebruiken voor mijn eigen doeleinden? Ik, die op politiek engagement nog niet een peso heeft ingezet? Word niet sarcastisch, Camila, relax!

In vergelijking met Washington werden mijn zintuigen gestimuleerd in San Cristóbal de las Casas, het vroegere Ciudad Real en haar straten: chaotisch, gek, met overal straathandel, etensgeuren, inheemsen vermengd met Duitsers, Nederlanders, Spanjaarden, mensen van allerlei huidskleur die allerlei klanken voortbrengen, veelkleurig ambachtswerk, kleine kinderen die bedelend rondlopen, juwelierswinkels met amber in hun etalages, en overal winkels en hotels die de ellende tegenspreken, vegetarische restaurants, esoterische aankondigingen, ceramische tijgers, multiculturalisme dat met taco's en veelkleurige poncho's de mensen tot één geheel maakt. Op een muur, een graffititekst: *Voorwaarts met Marcos.* 'Oké,' antwoord ik luid, met humor, en versnel mijn pas. 'Voorwaarts!'

6

Reina woont in de oudste wijk, Cuxtitali, die gewijd is aan de herinnering van de Dulce Nombre de Jesús (Zoete Naam van Jezus), waar een bloeiende nijverheid is van handwerkslieden die varkensvlees verwerken, met hun pekelvlees en leerlooierijen. De wijk bevindt zich betrekkelijk ver van het centrum, en daarom neem ik liever een taxi dan dat ik de weg kwijtraak als een suffe toeriste. De taxichauffeur denkt dat ik naar het Museo Na Bolom ga, omdat dat voor buitenlanders een bijna verplichte stop is en ik spreek hem niet tegen; toen ik het voor het eerst bezocht, heb ik een aardig tijdje moeten zoeken voordat ik de plek vond. Hoewel ik mij probeerde te concentreren op de lijnen op mijn verkreukelde kaart, merkte ik toch het bamboekruis op dat aan de autospiegel hing: enorm, bijna een gevaar voor het zicht, en aan het kruis hing een bloedende Christus van roze plastic met aan zijn hals een flinke rozenkrans met blauwachtige kralen. Heer, wat een toewijding!

(Mijn hypothese is, zei mijn vriend de advocaat, dat Marcos de katholieke kerk in haar voetsporen volgde, zonder dat zou de Zapatistabeweging niet mogelijk zijn geweest. En zoals je goed weet, overtreedt de katholieke kerk alle wetten, en vestigt zich waar ze wil en hoe ze wil. Zij waren de eersten die langs deze plaatsen trokken, langzaam, en ook de eersten die het oerwoud bereikten: daar maakten ze een moeilijk begin met de organisatie, via de catechisatieleraren. De indianen zijn wantrouwend en alleen door het geduld en de volharding van de katholieken slaagden ze erin tot hen door te dringen. Toen de Zapatista's kwamen, was het werk al gedaan. Hun inbreng was dat zij de beeldvorming veranderden.)

Het huis van Reina bevindt zich dicht bij het museum, in de Comitánstraat, in een wijk die zo duidelijk een villawijk is dat ik mij afvraag waar zij elke ochtend haar brood koopt, als ze dat al koopt. Haar huis is klein en eenvoudig, de simpele lijnen ervan hebben niets te maken met de koloniale architectuur. Gebruikmakend van de sleutels die Paulina me heeft gegeven, open ik de deur moeiteloos, er is helemaal geen dubbel slot, en ik realiseer me dat na het ongeluk niemand deze ruimte heeft betreden. De computer op de tafel in de huiskamer, die tegelijk dienstdoet als slaapkamer, staat nog aan. Ik loop door de weinige meters kamer, door de badkamer, het keukentje waar nog wat vuil serviesgoed in de afwasmachine staat, en het kamertje opzij met het eenpersoonsbed, alles ademt intens leven. Op de binnenplaats genieten twee katten, die zich in alle onschuld voortbewegen over de blauwe tegels, van de zon. Ten minste een deel van Reina lijkt in vrede te leven.

'Opstand! Soldaat!'

Ze kijken me koeltjes aan terwijl ik mij herinner hoe grappig ik die namen vond toen ik ze de eerste keer hoorde uit de mond van Reina, en ik leerde dat bij dit ras, de *calico americana*, alleen de vrouwtjes vlekken in drie kleuren hebben, wit, zwart en koffiebloemkleurig oranje. Achter in de keuken zie ik de bak met zand en de bordjes met water en voedsel staan. Het pak kattenvoer staat daar ook, dat is makkelijk, maar de kattenbak schoonmaken is dat minder. Een schepje met de daarbij behorende zak staat op mij te wachten, ik moet zeggen dat Reina de verzorging van haar katten heel goed heeft geregeld. Ze is er ook goed in om naar ze te kijken, een van haar favoriete hobby's, vertrouwde ze me eens toe.

Door naar ze te kijken ben ik meer gaan begrijpen van de mens, zei ze me de eerste keer dat ik haar opzocht. *Opstand*, de grootste, woont al vijf jaar bij me en is geopereerd. Ik verzeker je dat gesteriliseerde katten geen problemen geven, die heb je heel goed in de hand. Ik denk dat seksuele lust iets is wat je helemaal niet kunt vertrouwen, het kan wat je ook onderneemt kapotmaken omdat het zo oncontroleerbaar is, omdat het zo heel onverwacht de kop opsteekt. Nu *Opstand*, seksueel gezien, neutraal is, wordt het onmiddellijk een vrouwtje dat te vertrouwen is, begrijp je? Nooit gaat ze op stap, want ze is nooit krols, nooit trekt ze op met andere katten want haar hormonen dwingen haar daar helemaal niet toe. Zo is *Opstand* nooit in een vechtpartij verwikkeld geraakt, ze is hier nooit gewond of met krabben teruggekomen, nooit heeft ze een schandaal veroorzaakt. Het is een perfecte, betrouwbare, huiselijke kat. Soms denk ik dat haar operatie een soort lobotomie is, je haalt er haar vermogen om te voelen uit en vanaf dan heb je een serieuze kat. Kun je je voorstellen hoeveel zaken goed zouden zijn verlopen als alleen de *Opstanden* van de hele wereld eraan mee zouden doen? De guerrilla, bijvoorbeeld. Je zou zoveel conflicten vermijden! Vervolgens, toen ik *Soldaat* er hier bij haalde, constateerde ik dat de solidariteit van de soort een grote leugen is. *Opstand* was eraan gewend de enige te zijn en genoot van die status, terwijl ik, die dacht dat ze schuw zou worden van zoveel eenzaamheid, een maatje voor haar meebracht. Wat denk je dat er gebeurde? Ze begonnen te vechten en elkaar het terrein te betwisten, elkaar te bijten en te grommen als ze dichterbij kwamen, elkaar wantrouwend gade te slaan, elkaar vrezend. Geloof me, ze hebben basaal, in de allereerste plaats, territoriumdrift, waarschijnlijk hetzelfde dat wij diep in ons meedragen maar dat we niet herkennen. Op een ander moment besloot ik ze niet te zien als vrouwtjes, maar als twee wezens met dezelfde oorsprong: de conclusie is nog erger. De diepe vijandschap die elk van hen vertoont jegens de ander en waar ze nog steeds mee doorgaan, maakt elke manier van samenwonen bijna onmogelijk. Ze vechten om alles, ze vallen elkaar aan, ze zijn grondig geïrriteerd door de verplichting om samen te leven; kortom, ze verdragen elkaar niet. Ik moest denken aan Hobbes en zijn theorieën. Katten sluiten geen sociale overeenkomsten af om te kunnen samenleven en kennen ook het begrip simulatie niet. Wat zou er gebeuren als wij mensen zo kaal zouden leven als zij?

Ik aaide haar over haar rug, zoals Reina zou hebben gedaan als ze hier was.

Hoewel ik niet de fanatiekste ben in huishoudelijke karweitjes, besloot ik mijn komst te benutten en het huis op te ruimen en gereed te maken voor een eventuele terugkeer van hun bazin. Met de keuken beginnen leek me het meest voor de hand liggend. Het eerste wat mij opviel is de afwezigheid van een tafel, van de klassieke, historische, eeuwige keukentafel, die ontvangt, die samenbrengt, die de omgeving oproept om samen te komen, en daarbij de indruk wekt van een thuis, waarvan het hout donker is geworden omdat erop is gekookt, gegeten, gesprekken zijn gevoerd waarbij zeer intieme ontboezemingen zijn gedaan, waarop het levensdagboek is geschreven en het huiswerk van school is gemaakt, en de jurk voor het feest is genaaid. Ik denk dat de aanwezigheid van zo'n tafel enige menselijkheid zou hebben toegevoegd aan het dagelijks leven van Reina. De tweede gedachte die in mij opkomt is dat iemand gisteren met haar moest hebben gegeten, gelet op de borden, het bestek en de koffiekopjes die er nog stonden. Zouden ze gekookt hebben met peterselie, koriander of alleen maar spinazie? Ik opende de kraan zodat het water de groene resten kon wegspoelen. Wie had er met haar gegeten? De eerste naam die in mij opkwam is die van Luciano, niet omdat ik speciaal door hem ben geobsedeerd, maar ik ben niet vergeten dat hij mij gisteren niet uitnodigde toen wij terugkwamen van San Juan Chamula. Ik vroeg me af of ik nog meer van zulke verse sporen zou aantreffen en zonder me te bedenken liep ik naar het brede bed in de kamer. Nee, het was niet opengeslagen, hoewel de sprei er verre van netjes overheen lag. Ik stelde mij Reina voor, in volle overgave, gehuld in fluweel. Ik bedacht dat geen enkel gevoel dat je als vrouw beleeft oorspronkelijk is, elke ervaring, hoe nieuw of uniek die ook mag schijnen, is al beleefd door een andere vrouw. Daarom twijfelde ik eraan of het alleen mijn hand was – of de vele vrouwenhanden van vroeger die samenkomen in de mijne – die die sprei aanraakte. Ik streelde hem langzaam, spreidde hem uit, betastte hem alsof ik het hier achtergelaten spoor zo zou kunnen achterhalen zonder dat ik precies wist wat ik wilde, of ik, als ik het zou vinden, de gedachte eraan zou willen wegduwen, ontkennen of gewoon het spoor zou willen meenemen. De zekerheid dat ik niet werd gadegeslagen bracht mij ertoe te zoeken naar de geuren tussen alle plooien en naarmate ik ze vond, sloeg een waarheid mij hard in het gezicht: ik was vergeten hoe die geur is die ik precies zocht.

Voor de zon ondergaat lijken de schemeringen in San Cristóbal handgewassen, zo duidelijk zijn de omtrekken en lichten. De heuvels die de vlakten omgeven, stralen met een schitterend groene kleur en een zeldzame gloed maakt zich meester van de daken. De schemering baadt zich in de kleur van een onbekend mineraal, misschien is het platina, misschien witgoud.

Midden in dat zilveren beeld boort een ander, lelijker beeld dat blijft hangen zich een weg: de radio, die radio die ik verscholen onder lakens en handdoeken in de kast van de slaapkamer van Reina vind. Door onwetendheid kom ik er niet achter wat voor speciaal soort het is, en weet ik ook niet wat je ermee kunt doen, maar ik herinner mij eens iets dergelijks te hebben gezien in handen van iemand die een radioamateur leek te zijn. Het merk, hoewel het er enigszins Japans uitzag, was mij onbekend: YAESU. Als het een gewone kortegolfradio was, waarom stond hij dan niet ergens? Wat verbergt Reina?

('Waarom een leven met wapens, Reina?'

'Toen het Zapatista-leger zijn wapens met witte linten aan de lopen liet zien, zei Marcos dat het hun streven was die niet nodig te hebben. Ook zinspeelde hij op de paradox dat je in dit land de wapens moest opnemen, niet om de macht te nemen, maar om democratie te eisen. De wapens van de Zapatista's, stelde ze, dienen hiertoe: tot het verkrijgen en bewaren van de vrede.')

En dan stel ik mij eindelijk de vraag die ik mij tot nu toe niet heb willen stellen: waarom wilden ze haar vermoorden? Waarop onontkoombaar de vraag volgt: wat doe ik hier, waarom meng ik mij in iets wat mij niet aangaat? Soms kan met jezelf bezig zijn uitputtend zijn. Ik kom weer terug op de eerste vraag.

Wat Paulina een paar uur geleden zei, ben ik niet vergeten: Ik kan schieten. En Paulina is haar trouwste maatje. Dan is er ook nog dat jongetje, dat ik mij goed herinner, dat naar het Café Museo kwam om mij op de hoogte te brengen van het ongeluk, waar kwam hij vandaan? Wie stuurde hem naar mij toe? Alsof de wereld van Reina uiteenviel in twee delen: de zichtbare, vrolijke wereld van La Normandie en die andere, mij onbekende, geheime wereld, waarin zij een verborgen rol speelt. Het leek wel of een duistere wolk een einde maakte aan het licht, en iets naargeestigs en sombers, dat eruitzag als een afwijzing, zwierf om mijn geest: met geen enkele gewapende strijd, nergens op de wereld, was ik het eens. Ineens kwamen zomaar de woorden van Cortázar met betrekking tot Ché in mij op: '… *zoveel noodzakelijke, ongebreidelde, gevaarlijke romantiek*.'

Van buitenaf gezien leek het of heel San Cristóbal één grote Zapatista-basis was en dat de *auténticos coletos*, zoals de vroegere bestuurders van deze stad zich laten noemen, de blanken, steeds minder ruimte hadden op een plek die, historisch gezien, zozeer van hen was. Ik ben niet vergeten dat juist hier de wreedste oproeren uitbraken die de inheemse bevolking organiseerde tegen de hardheid van de Spaanse bezetting. De opstand van 1712, die bekendstaat als 'de hevigste opstand van de koloniale periode in Centraal-Amerika'; heeft die toevallig niet iets te maken met de onverwachte bezetting door de Zapatista's van San Cristóbal en de andere belangrijkste steden van de streek – zoals Ocosingo en Las Margaritas – in de nieuwjaarsnacht van 1994?

Intuïtief begrijp ik de gecompliceerdheid van de stad. Zelfs op de markt worden bivakmutsen zoals de guerrillastrijders die gebruiken, verkocht en de diverse portretten van Marcos, in allerlei vormen, groot, klein, op een ezel of te paard, met of zonder vrouw achterop, maar altijd met een geweer over zijn schouder, hangen overal. Zelfs de Virgen de Guadalupe, de icoon onder alle iconen, is geschilderd met een grote zakdoek voor haar gezicht die de gelaatstrekken onder de ogen verhult, zoals gebruikelijk in de guerrilla. Die vormen een onderdeel van het algemene rechtsgevoel van de stadsbewoners. Een paar dagen geleden zag ik hoe op de markt van Santo Domingo een hoogblond meisje, waar iedereen bij stond, een zwarte bivakmuts paste, terwijl ze tegelijkertijd een roodgekleurde zakdoek over haar neus bond. Een oudere vrouw naast haar, ik veronderstel dat het haar moeder was, keek naar haar en

80

begon hard te lachen toen ze haar verkleed als Zapatista zag. Allen, zelfs de buitenlanders die ze kochten, tot de inheemse mensen die ze verkochten, moesten om haar lachen. Natuurlijk, het zou moeilijk zijn om in het oerwoud een opstandeling met deze kleuren tegen te komen, men weet heel goed dat in de EZLN de vrouwen allemaal Maya's zijn: de *Ladina's*, zoals de blanke vrouwen worden genoemd, kunnen niets in de bergen, ze treden op als ondersteunende bases in de steden. Maar ik kom weer terug op het beeld van de jonge vrouw: ze vormde zowel de vergroting als de samenvatting van heel San Cristóbal, van haar winkels, markten, straatkramen, verkopers op het plein, tekeningen op de muren. Stad met de vele gezichten. Eindeloos veel Zapatista's.

Dit alleen al toont de zinloosheid aan om grote aantallen sympathisanten, waar de Zapatista's op kunnen rekenen, te willen tegengaan. Als Reina er ook een was, zou ze dan gevaar lopen? Ik weet zeker dat diegenen van wie bekend is dat ze werken voor de zaak van de autochtonen vijandig worden bejegend, ik denk aan bisschop don Samuel Ruiz en de vele bedreigingen die hij heeft ontvangen, ik denk aan de buitenlandse priesters die het land werden uitgezet en die zelfs niet de kans kregen hun koffer te pakken of afscheid te nemen, ik denk aan de mensen van het bisdom met wie ik contact heb gehouden. En, op wat kleinere schaal, denk ik aan mijn vriendin Christina, de non uit Puerto Rico, die tot op heden, na zestien jaar Mexico, nog steeds geen vergunning heeft gekregen om haar werk voor de kerk in dit gebied te legaliseren, zodat zij om de zoveel tijd de grens moet oversteken voor een visum, zoals elke willekeurige toerist.

Toen ik op een dag naast haar liep door een van de straten die uitkomen op het belangrijkste plein, hoorde ik hoe ze vanuit een auto naar haar riepen: *Samuelista!** Stomverbaasd vroeg ik haar toen of ze gevaar liep. Echt gevaar? Nee. Dat was haar hele antwoord.

Het is niet zo dat ik behoor tot dat type naïevelingen dat de wreedheden die hier zijn begaan niet kent of ontkent, maar iets

* Samuelista – volgelinge van bisschop Samuel Ruiz

zegt mij dat als ze hebben geprobeerd Reina te doden, dat dat komt omdat zij hen meer stoort dan anderen. Daarom vond ik het antwoord van Dolores op de boodschap die ik haar vanochtend stuurde een beetje beangstigend: *Wat je blijven in San Cristóbal en zorgen voor Reina betreft, denk eraan dat solidariteit een van de weinige absolute waarden is die in dit leven moeten bestaan. Denk er geen twee keer over na, Camila. En als je het niet doet, dan weet je instinctmatig wel wat je plek is.*

Het is niet waar, of ik er nu een of vijf keer over nadenk, mijn plek ken ik niet. Ik wil hier weg, ver weg! Godzijdank verlang ik er niet naar om lethargisch op een bed te gaan liggen, nee, niet meer, en daar mag ik God op mijn blote knieën voor danken. Ik draag mijn kind in mij mee, ik heb Washington niet nodig, noch enige andere plaats om het bij me te hebben. Ik zou terug willen naar de stad van voor gisteren, naar de wandelingen, naar de lange, rustige gesprekken in de ochtendzon, naar de afspraken opgeslagen in mijn laptop, naar de eenvoud van mijn vrienden. Kortom, ik zou willen terugkeren naar het ogenblik dat San Cristóbal bij mij als toeschouwster geen enkele tegenstrijdigheid opriep. Ach, Reina, waarom heb je me hierin meegetrokken? Geloof me, het enige wat mij op dit moment ervan weerhoudt een hekel aan je te hebben is de herinnering aan jouw siësta op mijn bed. Als ik niet in staat was de diepte te peilen van de smart die sommige slecht vormgegeven banden kunnen veroorzaken, dan zou ik onmiddellijk het vliegtuig terug nemen. Wat, als ik er goed over nadenk, ook niet waar is. Ik heb niet het lef dat nodig is om, nu het zover is, je aan je lot over te laten.

Ik blijf onbeweeglijk staan.

Ik ben stil blijven staan aan het eind van de met keien geplaveide straat waar ik doorheen loop; het is zeker, de schemeringen in de stad, voordat de zon ondergaat, lijken met de hand gewassen. Daar ligt San Cristóbal de las Casas, uniek en veranderlijk, sereen onder de bescherming van haar patroon San Cristóbal, bij wie de legendarische Pedro de Alvarado, een van de meest ondernemende en ambitieuze mannen van het leger van Hernán Cortés, bescherming zocht tijdens zijn kortstondige doortocht. De geschiedenis vertelt dat de beschermheilige, een lange man met veel ambities, teleurgesteld in een koning die hij probeerde te dienen, naar een andere plaats ging op zoek naar een beter lot en dat hij daar, op een nacht toen hij zijn intuïtie volgde, de rivier overstak met op zijn schouders een jongetje, maar dat de inspanning hem zo zwaar viel dat hij slechts met grote moeite de andere oever bereikte. Het kind zei tegen hem: 'Ik begrijp je vermoeidheid: je droeg de hele wereld op je schouders, want ik ben Jezus Christus, de meester die men zocht.' Don Pedro de Alvarado had gelijk om San Cristóbal een tweede zware last toe te vertrouwen, die van al het verdriet en lijden van de armste en meest uitgebuite indiaanse volken van het hele continent, die hebben gewoond en geleden op de Hoogvlakte van Chiapas.

Misschien moet ook ik wel bescherming bij hem zoeken, want ik begrijp – in een moment van luciditeit – dat deze stad, zonder dat ik dat wilde, is doorgedrongen in mijn vlees en dat ik haar niet wil verlaten.

7

Ik kan wel zeggen dat mijn hart en mijn hersens definitief niet meer samenwerken. Hoewel het mijzelf aan gloed ontbreekt, sluit ik mij niet af voor die van anderen. Laat Reina en haar omgeving maar komen: hier ben ik.

Ik besloot een ogenblik in het hotel te gaan rusten voor ik naar La Normandie zou gaan, ik had dan wel de lunch gemist, maar dat zou me niet gebeuren met het diner; van de gedachte aan een *tasajo* – een gerecht uit Chiapas van droog, gerookt vlees, gezouten en in plakken gesneden, dat Ninoska tot een van haar specialiteiten heeft gemaakt – alleen al, kreeg ik trek. Bovendien moest ik eens even orde op zaken stellen: de onkostenvergoeding die ze me voor twee weken hadden gegeven, raakte op; moest ik van hotel veranderen en voor weinig geld gaan slapen in een van de vele, goedkope hotelletjes in de stad? (Het is duidelijk, Camila, dát is wat je nu moet doen; ben je misschien vergeten dat je een plan uitvoert dat je niet hebt gewild, dat je je opoffert?) Het was ook mogelijk Ninoska om haar logeerkamer te vragen, die zou ze mij niet weigeren, maar het idee mijn onafhankelijkheid kwijt te raken die ik zoveel maanden op bijna dramatische wijze had gezocht, ontmoedigde mij. Alleen in de kamer van het Casa Vieja paste een denkbeeldige wieg, alleen daar kon ik mij rustig voorstellen dat ik die aan het schommelen was. Mijn spaargeld was beperkt, maar zou iets helpen. Geld vragen aan Gustavo, daar was geen sprake van, ik heb nooit waardering kunnen hebben voor die vrouwen die hun crisis oplossen op kosten van hun echtgenoten, en nog veel minder als die, die crisis bedoel ik, direct met hen te maken heeft.

Nu ik zo kijk naar de kamer die ik nu heb, die zo gezellig is, die zo langzamerhand aardig rommelig is geworden, iets wat in Maryland ondenkbaar zou zijn, komt het sterke verlangen in me op rijk te zijn. Ik heb nooit veel geld gehad. Ik probeer me voor te stellen hoe het zou zijn om een paar dagen in de huid van een andere vrouw te kruipen, een van die vrouwen die zich luxe kunnen permitteren, of dat niet eens, een vrouw die 's ochtends opstaat en haar verschillende mogelijkheden overziet, zonder dat de kosten ervan zouden meewegen. Ik moet zeggen dat het leven me een paar cadeaus heeft gegeven, maar niet van die soort. Wie arm is geboren zal dat altijd blijven, dat betekent: een wonderlijke, blijvende onzekerheid, ook al vertelt het heden iets anders. Als ik in Washington, in mijn situatie, geniet van relatieve stabiliteit en welzijn, dan is dat te danken aan het salaris van Gustavo en niet aan het mijne, wat mijn gevoel van eigenwaarde nu niet bepaald vergroot. Ik ben een zuinige vrouw, ik geef weinig uit voor mijzelf en ben zo sterk opgevoed met het idee van soberheid dat als ik stil blijf staan voor etalages, alleen mijn fantasie in actie komt zonder dat ik die zou willen realiseren. Het is zeker dat ik in mijn klerenkast niet één kledingstuk heb dat niet van een *outlet* komt.

De menselijke soort die mij de meeste afkeer inboezemt is die van de *niña rica*, het rijke meisje, waarbij ik moet erkennen dat ik mijn twijfels houd of dit voortkomt uit gevoelens van echte weerzin of de meest ordinaire jaloezie. Ik herinner mij nog hoe ongemakkelijk ik mij ging voelen bij een diner waarbij ook een vroegere vriendin van Gustavo was. Vergeleken met haar leek ik, zonder dat ik dat ook echt was, ouderwets, bijna preuts. Zij had alles wat je je als vrouw maar kon wensen, maar zij had niet de kracht haar gaven te realiseren: ze was onafhankelijk, ook economisch, een beetje koel, overheersend, en had helemaal niets van een huisvrouw. Zij leek wel met de hand geborduurd. En natuurlijk, ze kwam zelf van een familie met veel geld. Wij praatten die avond over de betrekkelijk nieuwe gewoonte om het ontbijt te gebruiken voor werkoverleg. Zij, die voor een belangrijke krant schrijft, vertelde daarop dat zij de uitnodiging van de adjunct-directeur voor een gemeenschappelijk ontbijt had afgeslagen. Iemand vroeg haar waarom, en toen legde zij ons heel serieus uit dat het ontbijt diende te voldoen aan drie voorwaarden: ten eerste was het *fundamenteel* dat het de eerste handeling op een dag was, en daarom kon het niet zo zijn dat je je eerst douchte, aankleedde, opmaakte, een taxi nam – om nog maar te zwijgen van het feit dat je het woord zou moeten richten tot een ander mens – ten tweede dat het een handeling diende te zijn die je in *absolute* eenzaamheid en privacy verrichtte, ter voorbereiding op een te vinden evenwicht in de spanningen die een nieuwe dag met zich meebracht; ten derde, dat het een kwestie *op leven en dood* was om in bed te ontbijten, gewoon vanwege het plezier om dat te doen. (U ziet dat haar taalgebruik wat overdreven was.) Je bent slecht opgevoed, zei Gustavo tegen haar, dat komt omdat ze jou je hele leven ontbijt op bed hebben gebracht. En terwijl ik bezig was het verlies te berekenen dat het afwijzen van de adjunct-directeur van het dagblad betekende, kwam er een enorm plateau op tafel met verrukkelijke rivierkreeftjes, vanbuiten roze, vanbinnen sneeuwwit. Die komen uit Alaska, zei iemand, ze zijn heerlijk, en allemaal stortten wij ons op het plateau, behalve de ex-vriendin. Ik eet alleen maar schaaldieren als ze zelf uit hun schaal komen, merkte ze op, genieten jullie er maar van. Mijn ongeloof was zo groot dat ik een verwijtende blik niet kon verbergen en zij zei met overtuiging tegen mij: nee, het is te veel werk om het vlees eruit te halen. Toen Gustavo die avond tegen me zei: Zij was heel onaangepast, deed mij dat genoegen. Wat bedoel je? vroeg ik nieuwsgierig. Bijvoorbeeld, antwoordde hij, ze citeerde me een vers uit *The Ballad of Reading Goal* in een restaurant in Damascus, terwijl ik de rekening betaalde en probeerde uit te rekenen of het wisselgeld klopte, of ze me niet hadden afgezet; en toen beklaagde zij zich er natuurlijk over dat ik niet naar haar luisterde. U kunt zich wel indenken dat ik schaaldieren in iedere vorm eet, dat ik daar ontbijt waar ik mij bevind en dat ik niet Wilde citeer terwijl iemand probeert een rekening te betalen, maar toch zou ik het prachtig vinden om de aura van rijkdom te hebben die deze vrouw om zich heen heeft. Toen ik het vliegtuig nam in Mexico-stad, zag ik twee mannen naar de boardingpoort lopen van een vliegtuig dat zo zou gaan vertrekken, maar zij zagen er niet uit of ze haast hadden. Driedelige, goed uitziende kostuums, goedverzorgd, zilvergrijs haar, reiskoffertjes van glanzend leer, een air van totale zelfgenoegzaamheid. Die reizen eerste klas, fluisterde een passagier naar een andere. Dat was de sleutelzin: *die reizen eerste klas.* Ze lieten het luidkeels zien alleen al door te bestaan. Wat zou ik het mooi vinden als ze dat op een dag van mij zouden zeggen! Dat alleen al mijn uiterlijk mij een zekere superioriteit zou verlenen boven de gewone stervelingen. Zoals het rijke meisje van Gustavo.

(Als ik eerlijk was, zou ik eraan toevoegen, hoewel dat er niet toe doet, dat ik er verscheidene dagen aan heb gedacht hoe die vrouw in bed zou zijn, en daarbij stelde ik mij haar een beetje dierlijk voor, elastisch als een trapezewerkster uit het circus, mysterieus en genereus tegelijk. Ik trok bij Gustavo in met een enigszins ingebeeld complex. Mijn lief, in bed gaat het niet om kronkelingen! was het eerste wat hij antwoordde. Vervolgens, dat moet ik toegeven, bevestigde elk van zijn woorden mij, stroompjes in een bedding die uitliepen op een hemelse rivier.) Elke uitweiding, iets waartoe ik sterk neig, hield op toen het schelle geluid van de telefoon mij onderbrak. Dat hij overging, verbaasde mij, ik heb niet de gewoonte op dit uur te rusten, ik ben bijna nooit in het hotel voordat het avond is en dat weten de mensen die mij bellen. Ik pakte de hoorn en, zoals gewoonlijk, wachtte ik tot zij mij vanuit de lobby hadden doorverbonden. Het was een mannenstem, die zich deze keer tenminste liet horen, en midden in het torentje van Babel waarin ik mij bewoog, kon ik toch duidelijk het lokale accent herkennen.

'Je weet niet wie je in bescherming neemt!' zei de man met een zacht sissende stem tegen mij, zonder er verder iets aan toe te voegen.

'Met wie spreek ik?'

'Ik ben je vriend. Blijf uit de buurt van die hoer!'

'Neem me niet kwalijk, wie bent u?'

'Weet je wel wie haar naait? Heeft dat teringwijf je dat niet verteld?'

'Met wie spreek ik? Alstublieft, maakt u zich bekend!'

'Sodemieter op, vreemdelinge!'

Hij, en niet ik, verbrak de verbinding, waarbij hij mij op de rand achterliet, precies op de rand: niet die van het mes maar die van op het punt staan over te geven.

Midden in mijn aanval van woede, afkeer en verontwaardiging leek mijn poging om praktisch te zijn en voortaan nog maar weinig sentimenteel, mij de enige te volgen lijn. Als ik mij de rationaliteit van Reina eigen zou maken, zou ik net als zij dit telefoontje bestempelen als een van die gebeurtenissen die de functie hebben te helpen bij het ontdekken van waarden die door onverschilligheid verborgen waren gebleven. Goed dan, ik ben niet cynisch: ik word nog enthousiast voor sommige dingen, en ik word nog woedend om andere, en ik kan nog onder de indruk raken. Ik heb niet die ambitie, noch die niet te verhullen irritatie, dat ongeduld van mensen die de wereld willen veranderen, zoals Reina, en als het zo is dat degene die geen utopie aanhangt het slachtoffer is van luiheid, dan bega ik die zonde iedere dag. Dat is allemaal waar, maar wel was ik nog steeds verontwaardigd. Daarom meen ik dat het enige zinvolle is om rationeel te blijven om je niet klein te laten krijgen.

Weet je wel wie haar naait? Alsof ze daar zelf geen inbreng in heeft, alsof ze achternagelopen wordt omdat een ander, een man natuurlijk, dat wil, niet omdat zij dat zelf wil, en op die manier nemen ze haar de minimale waardigheid af iemand te zijn die handelt en niet iemand die toekijkt, zelfs dat gunnen ze haar niet. De twintigste eeuw is voorbij en nog steeds kan ik de hand leggen op de duizendjarige as ervan die altijd zacht zal blijven gloeien, om daarin de schimmen te voelen van de vrouwen achter de grote strijders.

Weet je wel wie haar naait? Als ik Reina soms wat rechtlijnig vond, bespeur ik nu de reden: is er ruimte voor de vijand binnen in ons als die buiten ons zo zichtbaar is?

Genoeg. Had je het kort hiervoor niet over pragmatisme? Kom op, Camila, vooruit, ga dineren in La Normandie, ruil je retourticket morgen meteen om, ga terug, neem het herstel van die vrouw op je, het moet zo zijn, wie weet waar het goed voor is, ga ervoor, wees mooi, leg af, drink een glas wijn, geef je over want je kunt niet meer terug, net als bij stieren die de arena zijn binnengelopen: de deuren van de omheining zijn voor die stier gesloten en gaan niet meer open.

8

En als ik morgen nu eens wakker zou worden, omgetoverd in een heel klein beestje, een kever, een monsterlijk insect? Vertellen ze niet dat metamorfosen zo gebeuren, zonder waarschuwing of bescherming?

Je hebt geen perskaart! herhaalde Jean Jacques treurig toen we zaten te eten en ik Ninoska en Luciano vertelde van het telefoontje in mijn hotelkamer (waarbij ik, om de een of andere onduidelijke reden, het *Weet je wel wie haar naait?* niet vertelde, maar als ik alleen was geweest met Jean Jacques, dan zou ik het misschien wel hebben gezegd). Maar waarom moest ik een perskaart hebben als ik nooit journalist was geweest? Eens en voor altijd vertelde ik hun het verhaal: de journalist, dat is Gustavo, en niet ik. Het tijdschrift van Peter Graham gaf me deze opdracht, en ook de onkostenvergoeding, maar ze dachten er niet over mij de perskaart te geven die mijn vrienden zo cruciaal vonden: het zou me geen moeite kosten op te bellen en erom te vragen, met de koerier zou die me binnen een paar dagen bereiken, maar de ervaring heeft geleerd dat een dergelijke identiteit op deze breedtegraad nergens tegen beschermt, vraag maar aan Spaanse of Italiaanse journalisten. Of aan iedere willekeurige Europaan of Noord-Amerikaan die hiernaartoe is gekomen om een toevluchtsoord te vinden voor zijn slechte geweten.

En wat als ik Luciano de complete dialoog had verteld met mijn anonieme achtervolger? Zou ik hem hebben gekwetst? De vraagtekens vallen mij op het hoofd en treffen mij als een zomerregen. Wat voor relatie is hij aangegaan? Door wat voor glas ziet hij zijn visioe-

nen? Wat minder vragen, Camila. Concentreer je op je eigen onduidelijke activiteiten, want je hebt heel wat te doen.

Gustavo. Het vliegveld in Washington, de dag van het afscheid.
Kom naar mij terug. Dat waren zijn enige woorden, die in mijn
oren een beetje verlegen klonken.

(Scène uit mijn kinderjaren: mijn mama zit voor haar kaptafel en
kamt voor de spiegel haar haar, met naast haar haar twaalfjarige
dochter. Ze maakt zich op om naar het vliegveld te gaan en mijn vader af te halen. Dialoog, zonder intensiteit, zij is geconcentreerd
bezig met haar haar en de spiegel: 'Vind je het leuk dat je mama en
je papa zoveel van elkaar houden?'

'Ja…' onverschilligheid van mijn kant.

'Denk je dat dat veel voorkomt?'

'Ja, dat is normaal.'

'Denk je echt dat het normaal is?'

'Ja, echt.'

Haar aandacht dwaalt van haar eigen beeld in de spiegel af naar
mij en ze kijkt mij met grote aandacht aan, maar ze verliest haar
glimlach niet. Dan lacht ze openlijk.

'Liefje! Zo onschuldig als je bent,' en ze geeft me een kus vanaf
haar kaptafel.

'Waarom?' vraag ik haar, een beetje in de war.

'Het zou je verbazen hoe weinig gehuwde paren je zou tegenkomen die na vijftien jaar huwelijk nog van elkaar houden. Dat zul je
wel zien als je groot bent.' Ze draait zich weer naar de spiegel toe,
neemt de borstel in haar ene hand en de haardroger in de andere.
Voordat zij hem aandoet en daarmee ons allebei absoluut onver-
staanbaar maakt, zegt ze met lichte stem: 'Jouw papa en ik behoren
tot de weinige uitzonderingen.'

En dan gaat het geluid verder verloren in het lawaai van de haardroger.

Ik moet dit in een hoekje van mijn geest hebben bewaard, terwijl
ik wist dat die informatie bestond, maar zonder dat ik er belang
aan hechtte. Pas veel later, toen ik al een paar jaar met partners had

samengewoond, dook deze scène plotseling weer op in mijn bewustzijn en moest ik de waarheid ervan erkennen. Zo leerde zij mij over het leven, nooit met veel gewichtigheid noch met grote aandacht. Het lijkt wel of ik alles wat ik weet en passant heb geleerd.)

We waren vroeg klaar met eten. Tijdens de maaltijd waren we alleen maar bezig met gissingen over en analyses van de situatie van Reina, en ze vertelden me dat de actie voor de aanklacht een paar dagen zou worden uitgesteld; uit vrees dat zij er schade door zou oplopen, zullen ze ermee wachten tot zij met haar kunnen praten. De journalisten zijn al op de hoogte gebracht, ook enkele ambassadeurs en medewerkers van de NGO, allen wachten op het *Daar gaan we!* om een groot schandaal te ontketenen. Maar, zoals onvermijdelijk was, het dagelijks leven ging door en zo wilde Luciano naar een jazzband die in een café in het centrum speelde en ik zou best bereid zijn geweest met hem mee te gaan als zijn geweten hem niet had bevolen terug naar huis te gaan. Jim, met wie hij samenwoonde, was ziek.

'Hij heeft alleen maar last van zijn maag. Maar iemand moet een kruidenthee of witte rijst voor hem klaarmaken. Snap je? Ik ben een echte *echtgenote* geworden,' merkte hij op.

'Als je dat echt was, zou je je er nog meer over beklagen dat je je jazz miste,' reageerde Ninoska. 'Welke vrouw zou een zieke echtgenoot verdragen? Zelfs niet een heilige!'

(Gustavo hoestte alleen maar, maar in zijn ogen klom de ziekte in zijn lichaam omhoog als een vruchtbare, wilde klimop, installeerde zich bovenaan en kende zichzelf alle winnende sterren toe. De simpele hoest kreeg als connotatie weinig minder dan kanker, alleen maar omdat het zíjn ziekte was. Waarom maken mannen zich zo verschrikkelijk belangrijk als ze ziek zijn? Ik herinner mij dat toen ik klein was het hele huis een grote chaos was als papa een pijntje had; mama holde met glazen water en medicijnen, we waren allemaal stil: je vader voelt zich niet goed, een heilige zin. Toen het haar overkwam, besteedde niemand ook maar de geringste aandacht aan haar.)

Ik besluit wat te gaan lopen voor ik naar het hotel ga. Nog even wil ik de onvermijdelijke oproep uitstellen van Gabriela Mistral, de Chileense, die ik elke avond uitnodig om samen, haar Canción Amarga (Bitter Lied) te zingen:

Ach! Laten we het spel spelen, mijn zoon,
Van de koningin met de koning.

Waar ik ook heen loop, ik kom altijd weer uit op *el parque*, en ga dan zitten op een van de banken. Als het zaterdagavond is, luister ik graag naar het marimbabandje dat zich in de muziektent installeert en dat met zijn muziek mijn altijd aandachtige zintuigen genereus bedeelt. Maar vandaag is het vrijdag, en de muziek is voor morgen.

Ik denk eraan hoezeer Reina gelijk had! Ik zou niet weten hoe ik de verliefdheid die langzamerhand ontstaat tussen de stad en mij nog zou kunnen verbergen. Hier is dan San Cristóbal de las Casas, een stad die overduidelijk intact is gebleven, wat altijd die plekken karakteriseert die door de autoriteiten van de centrale macht aan hun lot worden overgelaten, eerst door de Guatemalteekse gouverneurs van de kolonie, vervolgens door de machthebbers van Mexico-stad, ver van de belangrijkste wegen en al hun kruisingen. Wat een vreemde paradox dat de plekken waar weinig aandacht aan is besteed ten slotte de charme hebben dat ze goed bewaard zijn gebleven, je hoeft alleen maar te kijken naar de met keien geplaveide straten en de klassieke hoekjes die anders hadden plaatsgemaakt voor de eisen van de vooruitgang. Wat een tegenstelling met de grote stad, met het nabije Tuxtla, aan de oever van de Sumidero! Wat vind ik het aantrekkelijk dat San Cristóbal nog steeds een stad is met lage, veelkleurige huizen met lemen muren en daken met dakpannen, kloosters en oude kerken, goed bewaarde paleizen van huizen, heldere luchten en met een vleugje provincialisme dat je maar op weinig plekken op de wereld vindt. Ik denk aan de keuze die Jean Jacques en Luciano hebben gemaakt om deze stad uit te kiezen als plek om te leven, en voor het eerst voel ik hoe ze, heel langzaam, jaloezie in me doen opwellen.

Het is onmogelijk om te tellen hoeveel inheemse kinderen mijn uitweidingen hoe vaak hebben onderbroken, hetzij voor drie pakjes kauwgum voor de prijs van één, een maïskolf voor vijf of een armband voor tien peso. Dan komt er een klein meisje op mij af, blootsvoets en met haar dat, net zoals bij alle anderen, helemaal in de war zit, dat een baby op haar rug draagt, een roodborstje met gebroken veren. Alsof ze al het onmetelijke geduld kent, gaat ze naast mij zitten ondanks mijn desinteresse voor haar handeltje. Ik geef haar een van de mandarijnen die ik in mijn tas heb en vraag haar hoe oud ze is.

'Zes jaar.'

'En de baby die je op je rug draagt?'

'Drie maanden. Dat is mijn kleine zusje.'

'Hoe heet ze?'

'Carmelita. En ik heet María del Carmen.'

(Hoe zouden ze de rest van de kinderen hebben genoemd?)

'En je mama?'

'Die werkt.'

(Op dit uur? Ja, inderdaad, elke avond is ze toiletjuffrouw in een openbaar gebouw.)

'En jij zorgt voor je zusje terwijl zij werkt?'

'Ja.'

Op zesjarige leeftijd! Ik krijg er kippenvel van als ik mij voorstel hoe een meisje van zes de zorg heeft voor een baby van drie maanden. (Mijn kind komt steeds terug, zoekt steeds een manier die zo min mogelijk pijn doet om aanwezig te zijn.) Zij werkt al, brengt geld naar huis en is verantwoordelijk voor een ander schepsel. Een fout die al begint bij de geboorte.

Als María del Carmen doorloopt naar andere buitenlanders die vrijgeviger zijn, kijk ik naar de kathedraal, de trotse hoofdrolspeler in een belangrijk gedeelte van de geschiedenis van deze streek. Aan de zijkant bevinden zich de kantoren van het bisdom, waar een paar dagen geleden een van de priesters die daar werkten, pater Iñiguez, mij opwachtte.

(Chiapas en zijn inheemse wereld: de allerarmsten. We zouden ze zelfs niet kansarme burgers kunnen noemen, want ze stonden los van deze kansen. Tot nog maar kortgeleden bestond er in Chiapas een bijna feodale structuur. De 'coletos'* mengden zich nooit met de inheemsen, wat hen ertoe bracht zich 'auténticos coletos' te noemen. Zij verdreven de indianen naar het gebergte, maakten zich meester van de vallei en maakten hen tot hun slaven. Vier eeuwen lang voerden ze het absolute bewind over San Cristóbal, ondanks het feit dat van het begin af aan antropologen en avonturiers om haar vochten. De indianen waren de allereerste meesters en noemden de stad Jovel. Ze moesten eerst de conquistadores verdragen, later de grootgrondbezitters die hen eenvoudig zagen als objecten die dienden tot hun verrijking, als lastdieren die werkten op de koffie- of katoenplantages, in de mijnen en in de suikerfabrieken. San Cristóbal was het centrum van dat alles, het was voor deze 'auténticos coletos' de spil waar alles om draaide.

Toen ik bisschop Ruiz vroeg welke situatie hij aantrof toen hij hier kwam wonen, kon ik mijn ogen niet afhouden van zijn knokige handen, die vel over been waren, van de langzame gebaren die de lange vingers maakten.

Wat don Samuel aantrof in de staat Chiapas, meer dan vijfendertig jaar geleden, verschilde niet van de wrede werkelijkheid die zijn voorganger, Fray Bartolomé de las Casas, vier eeuwen daarvoor te zien kreeg. Alsof de moderne tijd dit stuk land had uitgesloten van het voorrecht van de beschaving, het had gemerkt met onuitwisbare inkt, het isoleerde, achterstelde, beroofde.

En terwijl ik naging wat zijn doel was, keek ik aandachtig naar die blauwe ogen en probeerde te begrijpen hoe vermoeidheid kon samengaan met taaie hoop, die ook te lezen was in zijn ogen.

'Het doel van don Samuel was tegelijk nederig en groots. Ik zal het zeggen in zijn eigen woorden: "Doorgaan tot een inheemse kerk verrijst die rekenschap aflegt van de reddingsgeschiedenis, die in staat is zich uit te drukken binnen haar eigen cultuur; zich te verrijken met de

---

* coleto – vooraanstaande, blanke inwoner van San Cristóbal

waarden ervan, die het lijden, de strijd en het streven ervan over-
neemt, en die met de kracht van het evangelie die cultuur een andere
vorm geeft en vrijmaakt." Een inheemse vrouw zei op een dag tegen
hem: "Als de kerk zich niet maakt tot Tzeltal met de Tzeltal-indianen,
tot Ch'ol met de Ch'oles, tot Tojolabal met de Tojolabals... dan be-
grijp ik niet hoe zij zich katholieke kerk kan noemen." Vervolgens
streefde don Samuel ernaar om een einde te maken aan wat hijzelf
noemde "de religieuze schizofrenie die de indiaan beleeft sinds de oor-
log van de Conquista"*.'

En terwijl ik vroeg wat de catecheten hadden gedaan, verlangde
ik ernaar te blijven luisteren naar zijn monotone stem, die mij langzaam in slaap wiegde als de belofte van een rust die van de hemel
zelf leek te komen.

'Ze vingen de woorden op die in de gemeenschap bestonden, syste-
matiseerden ze en brachten ze weer terug onder de mensen om ze te
socialiseren. Alleen op die manier konden we proberen deze slecht be-
handelde christenen, zoals Fray Bartolomé de las Casas de autochto-
nen noemde, hun waardigheid terug te geven.')

Terug in het hotel, toen ik de buitentrap naar mijn kamer op de derde verdieping opging, bleef ik staan op de overloop en keek naar de
duisternis met haar onveranderlijke stilte, die bestand is tegen bestuurders die tegenspoed brengen en onderdanen die vluchten. Een
land verloren in het grensgebied van het Mexicaanse land, in het zuiden, altijd in het zuiden, zoals in elk van onze landen aan deze kant
van de wereld, elk met de erfenis van zijn eigen zuiden. Wat voor
schokkends zou het hart van de 'Vader van de indianen', bisschop
Bartolomé de las Casas, hebben doorgemaakt? Wat zag hij, als zes
maanden aan het hoofd van deze kerk voor hem genoeg waren om
de rest van zijn leven te wijden aan het navertellen van de vernietiging van Amerika? Zou het gedrag van de 'encomenderos', de be-
heerders van de 'encomiendas', de belastinggebieden, en de ambte-
naren van toen, erg verschillen van dat van hun huidige erfgenamen?

* la Conquista – de verovering van Latijns-Amerika door de Spanjaarden

Vier eeuwen later, en nog steeds dezelfde werkelijkheid. Is het mogelijk dat de ontwikkeling afremt, onbeweeglijk wordt, stagneert, geblokkeerd raakt op een plek die ooit iemand moest aanwijzen? Een toekomst die op voorhand al was veranderd in een zoutpilaar. Toen de middag op zijn eind liep was het enige wat mij nog overbleef een kleine waarheid: de tijd was stil blijven staan in Chiapas en in de verte had God zijn weg vervolgd.

Zaterdag

1

Ik werd wakker in de overtuiging dat Paulina Cansino zich vergiste wanneer zij stelde dat elke nieuwe dag de viering was van een wedergeboorte. In haar taal hebben de Ch'oles-indianen één enkele lettergreep voor drie klanken: *k'in* betekent zowel *zon, dag* als *feest*. Nee toch, wat zonde van deze woorden, je moet een beetje naïef zijn om deze drie woorden als synoniemen te kunnen zien.

In de lobby van het Casa Vieja hielden ze me aan om mij te waarschuwen dat mijn reservering afliep en nog steeds wist ik niet waar ik naartoe zou gaan. Mijn geld raakte op. Het beviel Gustavo niet dat ik langer bleef dan voorzien, en om de een of andere diep verborgen reden zag ik ervan af hem te vertellen wat er met Reina was gebeurd.

('Geef mij één objectieve reden, Camila, zodat ik achter je beslissing kan staan.'

'Objectief? Nou, geen enkele, waarom moet ik een *objectieve* reden hebben?'

'Maar, in dat geval, hoe rechtvaardig je het dan?'

'Hoezo, waarom moet ik het rechtvaardigen? Het lijkt me geen zonde om een paar dagen langer te blijven. Er is nog genoeg tijd over vóór de deadline van het tijdschrift.'

Objectiviteit. Rechtvaardiging. Mijn god, wat een woorden! Op welk ogenblik in de geschiedenis eigenden de echtgenoten zich het recht toe als rechters te oordelen over het doen en laten van hun echtgenoten?)

Toen ik het hotel uitliep zag ik op de stoep aan de overkant een man die tegen de muur geleund een krant stond te lezen. Hij scheen zo verdiept te zijn in wat hij las dat hij mij alleen maar opviel omdat hij, tot mijn verbazing, zijn inspannende arbeid onderbrak om achter mij aan te lopen door de Adelina Floresstraat. Ik lette er niet op hoe hij eruitzag, ik lette alleen maar op het feit dat ik nu vertel. Later zou het me spijten dat ik niet goed had opgelet. Ik besloot mijn opwachting te gaan maken bij het Regionale Ziekenhuis, maar mijn bezoek was zinloos: ze lieten me niet toe bij Reina. Ik had een felle discussie met een assistent, maar mij werd zelfs niet verteld hoe ze de nacht had doorgebracht. Ik kon haar ook niet vertellen dat ik bij Jesús was geweest, haar beschermheilige.

Nu de zaken er zo voor stonden, wandelde ik langzaam naar het plein, zoals elke ochtend. Ik besloot mijn gewoonten niet te onderbreken, omdat die mij een zeker evenwicht verschaften dat weliswaar wankel was, maar toch een evenwicht was, iets wat ik heel erg nodig had op ogenblikken dat er niets in mijn agenda stond en het gebrek aan werk mij parten zou kunnen spelen. Ik ging zitten op de bank waarop ik iedere dag zat om de krant te lezen in zon, *die koperen ploert* (soms heb ik het idee dat in Mexico de zon nooit ondergaat, dat hij op de een of andere onbegrijpelijke manier zijn ondergang niet accepteert; ik herinner mij dat ik een tekst van Octavio Paz heb vertaald, die over de schilderijen van Tamayo zei dat het meest bijzondere element van dit werk de zon was, zichtbaar of onzichtbaar, zelfs de nacht was voor Tamayo alleen maar verkoolde zon. Voor Tamayo, en voor Mexico, denk ik). Steeds als ik met dit kleine ochtendlijke ritueel bezig was, koesterde ik een dwaze illusie: dat ik weer zwanger was. De weldadige warmte die mijn lichaam omgaf en de rust die mijn bloed in zijn omloop gewaar werd, brachten mij terug naar die negen glorierijke maanden en met een lichte siddering kwam mijn toewijding weer in mij op. Elke ochtend *el parque*, elke ochtend het leven dat vruchtbaar en idyllisch op mij af kwam. Dankzij de zon.

Deze stemming – sereen, en tegelijk vol hersenspinsels – werd onderbroken door de stemmen van twee mannen, beiden van middelbare leeftijd, de één een mesties en de ander een indiaan, die op een paar meter afstand van mij aan het discussiëren waren. Hun stemmen verhieven zich en je proefde duidelijk hun ergernis, maar het lukte mij niet te begrijpen waarover het twistgesprek ging. Ik bleef naar ze kijken terwijl de schitterende ogen van Luciano mij weer voor de geest kwamen, de dag dat we aan tafel zaten in La Normandie, met een blad vol met verrukkelijke, gevulde maïsbladen uit Chiapas voor ons, sommige in Cambraystof gewikkeld, andere in bananenblad, en een fles tequila, en hij mij verhalen vertelde over het racisme in de streek. (Reina ging trouwens tussen ons in zitten.) Ook al moest Fray Bartolomé de las Casas vierenhalve eeuw geleden tegenover de Spaanse Kroon verdedigen dat de indianen een ziel hadden en behandeld moesten worden als menselijke wezens, hun eigen legenden, die tot op de dag van vandaag bestaan, over indianen en mestiezen die elkaar naar beneden halen, helpen daar niet erg bij. De mestiezen beweren dat Jezus alleen hen had geschapen, totdat de Vader kwam en hem vroeg om ook indianen te scheppen. Jezus antwoordde dat de klei op was. Op dat ogenblik passeerde er een ezel die vlak voor hen zijn behoefte deed. Jezus maakte toen gebruik van zijn stront en modelleerde daarmee de eerste indiaan. Het antwoord van de indianen, in hun eigen beeldrijke taal gegeven, liet niet op zich wachten: Jezus had alleen maar de indianen geschapen, maar die liepen nog maar net rond of ze begonnen te vechten en verdeeld te raken, waardoor het aantal mannen dat nodig was om de vrouwen te bevredigen sterk verminderde; daarom gaven de vrouwen zich af met honden, en zo kwam het dat er mestiezen werden geboren, kinderen van honden.

Een ander accent – een dat verre zeeën in mij oproept – duikt op tussen de boze stemmen, en haalt mij uit mijn lethargie vol legenden en zon.

'Vrouw met het rode haar, ik zocht je.'

'Als je het over de duivel hebt! Of liever, aan hem denkt... Ik was juist bezig mij een van de verhalen die je me vertelde te herinneren.'

'Nou, ik vertelde je er verschillende, materiaal genoeg dus.'

'Is je huisgenoot alweer beter?'

'Hij maakt het goed, daarom heb ik gisteravond van de gelegenheid gebruikgemaakt met hem te bespreken of jij bij ons zou kunnen intrekken. De oude bank in mijn atelier is voor mij als bed goed genoeg, dan kun jij in mijn kamer. Nee, val me niet in de rede… Ik denk dat je je bij mij meer op je gemak zult voelen dan bij Ninoska, dan heb je met niemand iets te maken en hoef je tegen niemand aardig te zijn. We hebben maar één enkele badkamer, maar als we de tijden van tevoren afspreken, dan zou dat geen probleem hoeven te zijn. *Ti pare?* Wat Jim betreft is de enige voorwaarde dat de Spaanse taal verplicht is, en dat er geen Engels wordt gesproken, en al helemaal geen Italiaans.'

'Ik moet zeggen dat je een schat bent.'

'Steeds tot uw dienst, *signorina*.'

'Maar je overvalt me een beetje… laat mij er even over denken.'

'Eens kijken… waar moet je over denken?'

'Ik weet niet of ik het prettig vind om zo'n inbreuk te maken op jullie dagelijks leven, per slot van rekening werk jij in hetzelfde huis.'

'Overdag zou je in het huis van Reina kunnen zijn en 's nachts slaap je, zoals alle gewone mensen, waar ik mij niet toe reken. Waarin zit de *inbreuk*?'

'Ja, je hebt gelijk… Het komt doordat ik vandaag een beetje uit mijn doen aan de dag ben begonnen, zonder enige ruimte voor optimisme.'

'We worden al omringd door heel wat schaduwen, je moet er geen nieuwe aan toevoegen. Weet je wat we doen? Ik vraag Jim zijn auto te leen en ik neem je mee uit voor een tochtje, want op dit uur van de dag vind ik het moeilijk mij te verliezen in mijn werk, weet je.'

'Echt waar? En waar zouden we dan naartoe gaan?'

'Naar de Cañon del Sumidero, de Canyon van het Moeras, als je die tenminste nog niet kent.'

'Nee, die ken ik niet. Maar… Reina dan?'

'Als we haar niet mogen bezoeken, wat kunnen we dan voor haar doen? De vergaderingen zijn al geweest, Jean Jacques zorgt voor alles. Jesús zal het restaurant waarschuwen wanneer ze weer naar huis mag. Paulina houdt het in de gaten, Ninoska ook. O ja, we hebben al met Dun en Priscilla gesproken, beiden zijn het ermee eens de zorg voor Reina met jou te delen.'

Omdat Leslie, haar partner, dezer dagen haar vaderland bezoekt, gaf Dun de verzekering dat ze *alle tijd van de wereld* heeft, als die tijd die niet door haar honden in beslag wordt genomen. Priscilla, Mexicaans antropologe, geeft les aan de universiteit en door haar rooster voor dit semester heeft zij minstens een middag en drie ochtenden de tijd. Ik bedacht dat, ondanks hun beschikbaarheid, Dun haar honden heeft en Priscilla haar klassen, wat wil zeggen dat ik de enige ben die eigenlijk niets te doen heeft. Ik, de meest kwetsbare van alle zielen in de stad.

'Hier heeft niemand kinderen,' stamelde ik niet erg samenhangend.

'Daar is geen plaats voor,' antwoordde Luciano onverschillig, 'fanatici hebben die niet nodig.'

De Cañon del Sumidero is een buitengewoon natuurverschijnsel. Aan de weg naar Tuxtla, voor je in de stad komt, bevindt zich een steiger en daar meert een boot af die zijn passagiers over de rivier brengt naar een eeuwenoud natuurwonder van ongehoorde grootte, naar enorme, steile rotsoevers en rotsen, die er duizend jaar oud uitzien en die, als onomkoopbare schildwachten, beide oevers bewaken. Hoe makkelijk laat je de wereld achter je als je over dit water vaart, alsof de gigantische natuurlijke muren je er afdoende tegen beschermen. Nu ik mij te midden van de meest basale elementen van de kosmos bevond, die niet verontreinigd raken, zoals lucht, water en zon, merkte ik hoe ik werd overvallen door een weldadig gevoel van frisheid dat ik helemaal was vergeten, een van die zeldzame, koesterende gewaarwordingen waardoor je gaat denken dat je precies op de plek bent waar je wilt zijn, waar je naar verlangt en waar je niet buiten kunt. Sublieme vruchtbaarheid.

Eén keer schrok ik tijdens deze prachtige uren. We zaten met drie personen op een brede bank in de volgende opstelling: een passagier van de boot, ik en dan Luciano. Op een bepaald ogenblik stond die passagier naast mij op in een poging een paar apen in de bomen op de oever van dichterbij te bekijken, hij verloor zijn evenwicht en in zijn val duwde hij mij omver tegen het lichaam van Luciano aan. Die pakte mij stevig bij mijn schouders en legde toen zijn armen om mij heen. Nadat de buurman zich keurig had geëxcuseerd en ik mij ervan had verzekerd dat alles met hem in orde was, maakte ik een instinctief gebaar om mij los te maken uit de omarming van Luciano, maar hij leek dit niet te merken. Of liever, hij lette er niet op en drukte zorgzaam en met kracht mijn lichaam tegen het zijne. Meteen voelde ik tegen mijn wang het zachte contact met het gemzenleer, en in plaats van mij – stoïcijns – terug te trekken uit dat zachte leer, gaf ik mij eraan over. Ik bedacht dat mijn wil niet goed voor mij zorgde. Met tegenzin had ik nu ontdekt waar ik bang voor was: ik moest die angst zien te verkleinen en erkennen dat hij zich had laten zien.

Op de terugweg keerde ik, dankbaar dat Luciano mij uit mijn gebrek aan duidelijkheid van de laatste dagen had gehaald, terug tot de alledaagse werkelijkheid en tot ons gesprek van die ochtend in *el parque*, en ik vroeg hem naar iets wat mij in welke vorm dan ook, koude rillingen bezorgde: het fanatisme.

'Je moet dat anders zien dan het woord "engagement", hoewel sommige mensen het over één kam scheren. In de woordenschat van felle idealisten en in de messiaanse heilsverwachtingen is dat een vies woord. Zij denken dat engagement gelijkstaat aan opportunisme, onfatsoen, lafheid. Engagement is synoniem met leven, het tegenovergestelde ervan is niet integratie of moed, het tegenovergestelde van engagement is fanatisme, dood.'

'Zo had ik het nog niet bekeken.'

'Loop de geschiedenis er maar op na en je zult het enorme verschil zien tussen geëngageerde mensen en fanatici. De fanaticus heeft geen *zelf*, voor hem bestaat het privé-leven niet, alle honderd procent van zijn leven staat in dienst van de publieke zaak. Hij houdt zich alleen bezig met jou om je te veranderen, om je te bevrijden, hij is meer geïnteresseerd in jou dan in zichzelf. Als je niet verandert, doodt hij je.'

'Hij is er meer mee bezig voor een zaak te sterven dan een zaak te zoeken om voor te leven.'

'Precies. Denk eens aan een vegetariër: hij eet je levend op als je vlees eet. Aan een pacifist: hij schiet je voor je kop als je een vijand doodschiet,' hij glimlacht even.

'Ze gebruiken dezelfde wapens die ze zo verafschuwen want hun waarheid is nooit relatief, hun waarheid is onveranderlijk en altijd in het nadeel van hen die geëngageerd zijn.'

'Ja, dat is zeker.'

'En pas op wanneer een fanaticus het slachtoffer is van een proces of een bepaalde gebeurtenis! De pijn van de overwonnenen werkt als chantage, en zonder dat wij het beseffen laten wij toe dat dit gebeurt.'

Plotseling remt hij voor een vrachtwagen die in een bocht is blijven staan, hij roept boos iets naar de chauffeur, rijdt hem voorbij en gaat dan door, rustig en geconcentreerd, alsof er niets tussen is gekomen.

'Ik weet niet of dat je al eens is opgevallen, maar ze denken nooit aan het *daarna*. En het leven, *cara mia*, heeft niet anders gedaan dan laten zien dat het *daarna* dat zij hebben opgebouwd, net zo grijs is als het *daarvoor* waar ze tegen hebben gevochten.'

'Denk je aan iemand uit je omgeving?'

'Soms zie ik dat venijn in de ogen van Reina.'

'Reina?'

'Een fanaticus kan er heel aantrekkelijk uitzien om zijn fanatisme te verbergen, wist je dat? Maar laten we het niet over haar hebben. Per slot van rekening wil zij niet in het hier en nu leven, zoals elk van ons dat op zijn manier doet. Er zijn mensen die daarboven uitstijgen. De boeddhistische monnik, bijvoorbeeld, en zou die dan geen fanaticus zijn? En ook de guerrillastrijder. Ja, laten we ze dit nageven: ze weten in ieder geval te ontkomen aan het hier en nu.'

'Over vooruitgang gesproken, of over moderniteit zo je wilt, is dat hele conflict in Chiapas eigenlijk niet een beetje een nostalgische, verouderde zaak?'

'Nee, integendeel, het is volstrekt eigentijds. Zo zien conflicten eruit na de val van de muur: klein, binnen de familie, binnen de parochie. Nu de wereld wees is geworden nemen kleine, plaatselijke utopieën de wapens weer op.'

'Weet je Luciano, het is niet alleen zo dat Reina weet te ontkomen aan het hier en nu. Het grote verschil tussen haar en de anderen is dat bij haar de muren niet zijn gevallen. Toen ze in Chiapas kwam heeft ze ze eigenhandig stevig verankerd.'

'Wat ze heeft gedaan is ontsnappen aan één toestand die ze vreest: slachtoffer zijn.'

'Slachtoffer waarvan?'

'Van een catastrofe.'

2

Ik moest het tegen Luciano zeggen: het enige revolutionaire dat ik heb is mijn naam. Gezien het feit dat ik halverwege de jaren zestig werd geboren, uit geëngageerde ouders, hoe hadden ze mij anders kunnen noemen? Camila. Ze zijn het er nog niet over eens wie ze hiermee wilden vereren, mijn vader zegt: Cienfuegos, mijn moeder: Camilo Torres. Die werd een paar dagen voor mijn geboorte vermoord in dat verre jaar 1966, en daarom geloof ik eerder mijn moeder. En behalve dat ik het slachtoffer ben geworden van de nieuwe theorieën over kinderopvoeding en van de gloed van verandering die elk huis van stand moest bezielen, zijn dat mijn enige radicale antecedenten.

Toen in mijn land de enige socialistische regering die door verkiezingen aan de macht was gekomen omver werd geworpen, was ik pas zeven jaar oud. Mijn twee jongere broertjes – de tweeling – droegen nog luiers. Mijn ouders hielden nog van elkaar en hadden van de talloze gelegenheden gebruikgemaakt om humanere wegen te zoeken, ze hadden besloten in Chili te blijven om te vechten tegen de dictatuur. Daarom was het leven in het huisgezin waar ik opgroeide nogal schamel, het werk dat ze in die jaren wisten te bemachtigen was erg onder hun niveau, ik kende overvloed alleen in de zin van: niet opvallen, geheimhouden; alles gebeurde in stilte en subtiel, maar het was er wel. Toen ze mijn moeder arresteerden en meevoerden bijvoorbeeld, had ik het daar op school met niemand over; niet omdat ze me gewaarschuwd hadden dat niet te doen, maar omdat ik intuïtief wist wat ik wel moest zeggen en wat niet. Ik maakte er een gewoonte van om 's nachts alert te zijn op onbekenden omdat ik geen geld had om iemand aan te nemen om dat voor mij te doen, wat mijn betrekkelijke vertrouwen in de menselijke soort wat deed toenemen, hoewel ik, nu ik groot ben, niet zo zeker ben van mijn liefde ervoor. Ik ben opgegroeid met een enorme afkeer van gebrek aan vrijheid en van jongs af aan voelde ik al dat democratie het beste lot betekent. Maar meer niet. Mijn moeder lette altijd erg op haar formuleringen, ik weet niet of dat nu kwam door haar respect voor ons als wezens die los van haar stonden, of om ons meer veiligheid te geven in de illegaliteit; het enige consigne in mijn opvoeding was: solidariteit, niets anders. Als ik soms nog eens die taal van toen hoor, die hoogdravende, dogmatische, totalitaire kreten, dank ik de hemel dat ik daarmee niet ben grootgebracht, wat ook de diepliggende redenen waren.

Ik heb geen sociologie gestudeerd, zoals mijn moeder, en ook geen filosofie, zoals mijn vader, twee studies die in de ogen van de mensen van nu volkomen zinloos zijn, maar ik besloot om vertaler te worden. Zeker is dat ik dat deed omdat ik ervan droomde woorden van grote dichters te ontraadselen en om te zetten naar mijn eigen taal, maar het is lastig om er je eigen brood mee te verdienen en nog steeds sleep ik me ongelukkig aan technische woordenboeken en gespecialiseerde woordenlijsten op bepaalde gebieden, en ik vertaal teksten die niet precies de natuur van de menselijke soort behandelen maar ook niet nieuwe levens toevoegen aan die waarmee wij het in dit leven moeten doen. Hiermee wil ik maar zeggen dat ik ook op professioneel gebied geen poging heb gedaan een einde te maken aan de ellende, zoals mijn moeder dat deed met haar werk.

Toen ten slotte de vrijheid terugkeerde in mijn verre land, hoewel velen het maar zagen als een halve vrijheid, had ik de aanvallige leeftijd van vierentwintig jaar. Maar die leeftijd weerhield mij er niet van om, tegen het einde van de eerste regeringstermijn van de *Concertación**, in de hoofdstad te gaan wonen.

* Concertación – overeenkomst gesloten tussen Pinochet en de Chileense regering

Het enige wat ik in mijn revolutionaire *curriculum* kan zetten is dat ik in die jaren van onderdrukking kleine karweitjes heb uitgevoerd voor Dolores, dat ik een paar keer de straat op ben gegaan om deel te nemen aan demonstraties en doornat en bijna gestikt in dat onmenselijke traangas van de politie weer thuiskwam, en op de universiteit wat heb meegedaan aan acties over kiesadvies om bij de volksstemming de militairen de macht te ontnemen. Zoals u kunt zien, het minimum dat een fatsoenlijk mens in die jaren kon doen. Ik herhaal: het minimum.

Toen ik Gustavo leerde kennen was dat geen reden om trots op mezelf te zijn. Erger nog, ik moet bekennen dat ik soms mijn eigen verhaal een beetje verdraai en er een stukje van dat van mijn moeder aan toevoeg, om niet die blik van afkeuring te hoeven voelen van die politiek o zo correcte Amerikanen, die evenwel geen idee hebben van wat angst betekent als je een militaire laars op je hoofd voelt. Gustavo zelf, de zoon van Chileense intellectuelen die gevlucht zijn naar de vs is, toen dat weer kon, nooit meer teruggaan naar zijn land van oorsprong, hij gaf er de voorkeur aan om te *strijden* vanuit de diverse lobby's waar hij toegang toe had en inderdaad, waarschijnlijk heeft dat voor de goede zaak meer zin. (Tot op de dag van vandaag hoor ik mijn schoonvader elke keer dat hij ons bezoekt, zeggen dat het enige wat erger is dan verbanning, terugkeer is.) Ik moet eraan toevoegen dat zolang als ik mij kan herinneren mijn nationaliteit nooit neutraal is geweest; dat predikaat heeft mijn land al tientallen jaren niet meer gehad, alsof wij veroordeeld zijn. Mijn visitekaartje in het buitenland was het land waar ik vandaan kom en de verschillende gesprekken die volgen als ik verklaar dat dat land voor mij een soort achternaam is, wat mij eraan doet denken dat een land dat zich letterlijk onder aan de landkaart bevindt, er decennialang in is geslaagd de ogen van de wereld op zich gericht te houden. Als klein kind al dacht ik dat Chili klein was en ver weg lag, maar toen ik opgroeide merkte ik dat geen enkel land in Europa groter was, ook Japan niet en dat het bovendien niet ver meer weg lag nu de Stille Oceaan bezig was de as van de wereldeconomie te worden. Maar laten we het er niet meer over hebben, want de Chilenen denken dit nog steeds. Tegenwoordig, als ik uit een van die landen zou komen die aan ons land grenzen, dan zou ik naar dat volk met een zeker ressentiment kijken, me afvragend wat voor bekoorlijks er wel mag liggen achter die hoge bergen. Waarschijnlijk vanwege het ongebruikelijke, afgesloten karakter van deze plek was het dat de bewoners zich de luxe hebben veroorloofd van oorspronkelijke, bijna excentrieke politieke opties, hoewel ze hier wel voor hebben moeten boeten. Dolores zegt dat die charme op het punt staat voor altijd te verdwijnen. Maar als ik de teleurgestelde, welhaast rancuneuze berichten van mijn moeder moet geloven, kan ik beter van nationaliteit veranderen.

Soms heb ik het vermoeden dat mijn gebrek aan engagement te wijten is aan een vorm van rebellie tegen die nationaliteit, aan een diepe, niet te veranderen scepsis die ik altijd met mij meedraag of gewoon aan de lafheid van de gemakzucht. Misschien wel aan alle drie. De muur van Berlijn viel ook over mijn drieëntwintig jaren van toen, en overtuigde mij van de zinloosheid van het uitproberen van politieke visies, van de terreur die daar verborgen lag waar ik dacht dat rechtvaardigheid was te vinden. Ik trok heel hulpeloos door mijn eerste jeugdjaren, om ten slotte te constateren dat honger voor iedereen gelijk is en dat macht het volkomen, absolute, totale venijn is. De val van de Muur heeft ons allen geraakt, gelovigen en niet-gelovigen. De gelovigen heeft het op heel andere wegen gebracht: enkelen werden onverzettelijk en sloten zich op in hun eigen waarheden; anderen kozen voor pragmatisme en voelden zich vrij om hun persoonlijke projecten tot bloei te brengen. Maar dit einde van een tijdperk veranderde ook ons die niet geloofden, want wij, die dicht bij de gelovigen leefden, worden nog steeds achtervolgd door bepaalde nostalgische gevoelens waarin geen enkele rationaliteit zit. Een voorbeeld: de eerste keer dat mijn vader de communistische landen bezocht, bracht hij voor mijn moeder een muziekdoosje mee met de noten van de *Internationale*. Ik herinner het mij nog heel goed, een roodgelakt doosje, ik speelde er heel vaak mee, mijn ogen vol van de sneeuw van dat Siberische landschap. Vele jaren later, toen ik meereisde met Gustavo die een verslag moest maken van een demonstratie in de stad San Salvador, hoorde ik weer de muziek van de *Internationale*. Als betoverd volgde ik de mars: met heel mijn hart was ik bij hen, zonder een greintje gezond verstand, als een kip zonder kop deelde ik hun gevoelens, kostte wat het kostte.

De muren vielen ook bij mij thuis. Heel langzaam begonnen de wegen van mijn ouders tegengesteld te lopen en ten slotte verdwenen ook hun gevoelens voor elkaar: de een nestelde zich in het rijk der teleurstellingen, de ander in dat van de koppigheid, zodat ze door hun visies steeds verder van elkaar af groeiden. Toen ik om de beurt bij een van beiden op bezoek ging, begon ik een fenomeen te ontdekken dat ik later ook kon terugvinden in het gedrag van die mensen om mij heen die tot de politiek linkse wereld behoorden: het einde van de communistische modellen ontregelde op een radicale, onomkeerbare manier hun waarneming van de zaken en het gevoel dat ze hadden over hun eigen levens. Sommigen kozen ervoor door te gaan met hun revolutionaire idealen, hoewel zonder enige hoop dat dit zou kunnen leiden tot een echte verandering van de werkelijkheid, terwijl zij daarvoor het idee hadden dat het op het punt stond te gebeuren en het hun het gevoel gaf dat ze leefden. Ze gingen door met het cultiveren van de discipline, hoewel met steeds minder mystiek, en brachten hun politieke visies terug tot genadeloze kritiek op de nieuwe globale fenomenen, waarvoor ze geen alternatieven formuleerden. Ze hadden nog wel een roeping, maar die had nu, pathetisch genoeg, geen inhoud meer. Dat maakte van hen mensen die elke dag schuwer en onaangepaster werden, alsof de linkse revolutionairen voorbestemd waren een kort, heroïsch leven te leiden, waarna de geschiedenis hen veroordeelde tot een lange winter zonder enige verwachtingen, in een gebied dat hun voor altijd vreemd en vijandig voorkwam.

Mijn moeder bleef koppig volharden in de puurheid van haar engagement, maar mijn vader paste zijn visies en zijn principes aan en probeerde daarbij de doelmatigheid van zijn handelen niet uit het oog te verliezen. De kortsluiting die tussen beiden ontstond was niet te keren, de dialoog en de vriendschap die hun warmte

hadden gegeven, waren niet langer mogelijk. De politieke ineen-
storting verkilde voorgoed hun bestaan.

Ik hoef niet nader aan te geven wie van de twee aan de macht
kwam.

(En ook niet, neem ik aan, het oneindige wantrouwen, moge
mijn vader mij vergeven, dat degenen die deze uitoefenen bij mij
oproepen.)

Toch, wanneer ik mijzelf vergelijk met mijn moeder, zeg ik: haar
leven was beter dan het mijne. En dat vind ik niet leuk om te voelen. Net zomin als dat vage schuldgevoel me bevalt dat ik heb tegenover Reina, Jean Jacques of Luciano, en wat nog dieper gaat, het
schuldgevoel dat ik heb als ik mij vergelijk met de mensen die werken in het bisdom San Cristóbal, met al diegenen die ik de laatste
dagen heb gesproken, al diegenen die zich anoniem uitleveren aan
de zaak van de oorspronkelijke bevolking, deze alfabetiseren, cate-
chiseren en waardigheid bijbrengen. Ik moet erkennen dat hun levens een groot verschil uitmaken in deze wereld, terwijl het mijne
lethargisch, soms onaangenaam, bijna altijd saai is verlopen. Misschien is, om de waarheid te zeggen, mijn echte angst wel dat ik op
mijn doodsbed lig en gedwongen word de zin van mijn leven samen te vatten en die dan niet vind. Wat moet dat allemachtig angstig zijn!

En hier loop ik dan, op weg naar mijn nieuwe vrienden met hun
ideologisch en existentieel tekort, die in het zuidoosten van Mexico
een nieuw plekje op aarde vonden waar kleine, fragmentarische
utopieën met streng afgebakende grenzen weer tot leven kwamen,
maar die toch utopieën zijn.

3

In de Ch'ol-mythologie zijn de sterren onschuldige kinderen die, veroordeeld door de hoge Schepper Ch'ujtiat, samen met hun ouders, de Chuntie Winik, stierven.

Toen hij de mensen schiep en hen op aarde zette, waren de mensen hem niet dankbaar en brachten hun leven door zonder hem te eren en zonder te werken. Ch'ujtiat werd heel kwaad en stuurde een grote vloed op hen af zodat zij allen zouden verdrinken.

Maar enkelen slaagden erin zich te redden door in bomen te klimmen en zich op de toppen ervan in veilighcid te brengen. Dat waren de Chuntie Winik. Na een tijdje kwam de Schepper op aarde en trof hen levend aan. Hij werd weer erg boos vanwege hun ongehoorzaamheid, en veranderde ze in apen. Die vluchtten opnieuw de bomen in, waar ze tot op heden wonen. Maar hun kinderen stierven, hoewel ze Ch'ujtiat niet te na waren gekomen, ze waren klein en hadden geen schuld. Toen, begaan met hun lot, stuurde de Schepper ze naar het oneindige, om als sterren in de hemel verder te leven.

Ik bedacht dat ook ik mijn kind tussen de sterren moest zoeken.

4

'Schrik niet, Camila, maar ik heb de indruk dat je door een auto wordt gevolgd.'

Ik keek instinctief achterom en zag een witte auto die tegenover de Santo Domingo-kerk geparkeerd stond, op de stoep van het huis van Luciano. Ik zag dat er drie mannen in zaten. Ik kon het nummerbord niet zien.

'Ik denk dat je me belangrijker maakt dan ik ben,' zei ik tegen Luciano, ervan overtuigd dat het niemand kon interesseren mij te volgen. Ik betaalde de taxi die me had geholpen met het vervoer van de koffer en stuurde hem weg, terwijl Luciano zorgvuldig bleef staan kijken vanaf de deur van zijn huis, waar hij naartoe was gekomen om mij te ontvangen.

'Waar kom je vandaan?'

'Van het huis van Reina.'

'Er is daar verder niemand geweest sinds het ongeluk, niet?'

'Dat veronderstel ik.'

'Dan moet het huis van Reina het probleem zijn... Ben je de katten gaan voeren?'

'Ja. Ze fascineren me een beetje.'

Luciano keek weer naar de witte auto zonder zijn zorg te verbergen.

'Toen je me zei dat je met een taxi zou komen, ben ik naar buiten gelopen om je op te wachten. Ze kwamen achter je aan, Camila, begrijp dat goed, ik kon ze zien.'

'Zouden we niet bezig zijn allemaal een beetje paranoïde te worden?'

Luciano woont in een klein huisje met een zwarte deur, geheel opgetrokken uit groen geschilderde, lemen stenen. Toen hij mij naar zijn kamer bracht, bekeek ik ondertussen het interieur. De muren waren gedekt rood geschilderd; de bouwstijl was typerend voor die omgeving: een binnenpatio vol met planten, een gang met op de vloer een fris gekleurd mozaïek, waar drie houten deuren op uitkwamen – de twee slaapkamers en de badkamer – de balken onder het dak zichtbaar net als in de grote koloniale huizen maar dan in miniatuurvorm, en een ruime kamer die helverlicht was. Toen ik zag dat daar het atelier van Luciano was, vroeg ik waar Jim bleef als hij uit zijn kamer kwam.

'Hij gaat praktisch niet uit, daarom heeft hij de grootste kamer, met televisie en de meubels die eigenlijk uit de huiskamer komen. Als er visite komt, ontvangt hij die daar. Wat mij betreft is dat geen probleem, ik ontvang niemand.'

Toen ik ongelovig reageerde, voegde hij eraan toe: 'O ja, en dit is de keuken... *non è così piccola*. Daar eten en leven we.'

Inderdaad was de keuken vierkant en ruim en precies zoals je je een Mexicaanse keuken voorstelde; aan drie van de muren zag je koningsblauwe schappen met grote, houten lepels, blauw met witte borden uit Talavera, groen geverfde schalen en rode, glazen kannen met glazen in alle maten. Het was makkelijk om een verband te zien tussen de kastanjebruine vloertegels met tekeningen in koffiekleurige en gele lijnen, en de heer des huizes en diens kleurenpalet; ze waren zo fris en gastvrij, wat kreeg je zin om erop te gaan liggen en wat te rusten!

In tegenstelling tot de keuken was de wanorde in de huiskamer enorm, boeken en papieren lagen overal op overvolle planken, op de grond lagen een paar beeldjes van voor de Spaanse overheersing, onder de tafel stonden een paar vuile glazen, een deken was nonchalant over de leunstoel gegooid, overal verspreid zag je schildersdoeken en potjes verf, kannen met water, doosjes van cd's, alsof geen enkel voorwerp een vaste plek had. Ik verlangde er vurig naar een paar dagen in die overvolle chaos te leven, het maakte op mij een nostalgische indruk (mijn kinderjaren, het ouderlijk huis waar de esthetiek niet geprogrammeerd was; die kwam er spontaan door de materiële sporen die het leven achterliet, door de altijd gastvrije, ongelijksoortige houten meubels tegenover de stinkende oliehaarden, door de macramé-antimakassars, die op de ruggen van de leunstoelen nonchalant werden afgewisseld door shawls en lappen textiel, door de veelkleurige vloerkleden van goedkope wol waarop bergen kranten, documenten, knipsels en mappen verspreid lagen opgestapeld. Ik herinner mij geen enkele strakke, kille lijn. Daarheen zou ik soms willen terugkeren. Maar Gustavo heeft een mening over zoveel onderwerpen dat de mijne daar niet tussen past, die van hem zijn altijd zo stellig en gefundeerd – zoals zijn ideeën over vormgeving en architectuur – dat het mij van het begin af aan comfortabeler, gemakkelijker en draaglijker leek om mij eraan aan te passen, liever dan een bij voorbaat verloren strijd te leveren. Om die reden heb ik de laatste zes jaar van mijn leven geleefd in de dictatuur van het minimalisme, en heb ik begrepen dat daarbij geen enkele vorm van improvisatie past).

De kamer die Luciano me heeft afgestaan is als een kloostercel. Onder het hoge dak zag ik alleen maar een tweepersoonsbed en de kleine tafel met de daarbij horende stoel, die wel leken te komen uit een klaslokaal van een openbare school; oranje muren met een wat mattere, niet zo felle kleur, en daarop vage cirkels die of helderder of donkerder van kleur waren, alsof iemand in het wilde weg een spons had rondgedraaid waardoor die vreemde structuur was ontstaan. De enige versiering die ik zag was een houten toekan die aan een balk aan het dak hing. Zou het fraaie geel van zijn hals en zijn roodzwarte pluimage het enige nachtelijke gezelschap van de schilder vormen? Ik liet mijn enorme rugzak achter op de handgemaakte sprei die vast hier aan de overkant was gekocht, op de markt die er altijd is op het kerkplein. Ik denk dat hij uit Guatemala komt, maar ik herinner mij dat de grenzen tussen Guatemala en Chiapas erg vaag zijn, ze waren niet voor niets tot in de eerste tientallen jaren van de negentiende eeuw één land geweest.

'Kom, ik maak een lekkere kop koffie voor je,' nodigde Luciano mij uit, toen hij zag dat ik mijn nieuwe kamer al had ingericht.

Ik ging zitten op de lianenzitting van een geel geverfde stoel aan de enige tafel in de keuken. Terwijl Luciano water in de koffiepot deed, vroeg ik of ik hem een brief, die Dolores een paar dagen daarvoor had gestuurd, mocht voorlezen.

'Je kunt me alles wat je maar wilt, voorlezen, zelfs de meest intieme bladzijden van je dagboek…'

Ik glimlachte naar hem en begon.

'Camila, mijn lieve kind,

Wat zou ik deze dagen graag bij je willen zijn in het zuiden van Mexico. Ik heb nagedacht over je vragen en dankzij jouw reis heb ik opnieuw alles wat daar gebeurt, kunnen analyseren.

Wat betreft Marcos, de Subcomandante: dat is een thema dat mij aan het denken heeft gezet en dat ik heb willen begrijpen, in de eerste plaats om mijzelf te begrijpen, Camila. Want ik denk dat het probleem van Marcos niet Marcos is, maar dat wij dat zijn, de revolutionaire, linkse groeperingen van ons continent. Want hij vertegenwoordigt veel zaken die ons aangaan, die ons ontroeren of ons aanvallen.

Ik voel dat het voor de mensen van mijn generatie een verontrustend verschijnsel is, omdat het ons wakker schudt, het is anachronistisch (ik probeer hardop te denken) en haalt de grond onder onze voeten vandaan. Dat komt omdat Marcos pas laat opstond en wij hem daarom zagen als een ellendeling – niet als iemand die was gekomen om zijn eigen leven te leiden. Daarom. Het lag op het persoonlijke, intieme, moeilijk te bekennen vlak. De Subcomandante kwam pas toen het verdriet, de teleurstelling, de rouw en al het andere al wat lichter waren te dragen. Hij verscheen toen wij al min of meer het terrein van onze nederlaag hadden verlaten, toen wij hadden aanvaard – met tegenzin, maar toch, aanvaard – dat de gewapende strijd in Latijns-Amerika op een mislukking was uitgelopen. En met die berustende overtuiging hadden wij het licht uitgedaan. Kun je je voorstellen? Precies op dat ogenblik, paf, verschijnt die duivel en gooit zijn Mexicaanse haar in onze soep.

De man van de bivakmutsen verschijnt op het moment dat wij tot de overtuiging waren gekomen dat de strijd en de kosten van die strijd, hetzij tot niets hadden geleid, hetzij ons, vooruit, hadden gediend als persoon – een anorectische troost – en dat idee had ten slotte postgevat bij de jongens van toen met een epische, ethische, melancholieke inslag. Hij verschijnt met zijn pijp om ons te zeggen dat wij niet lang genoeg hebben gewacht, dat de revolutie wel degelijk mogelijk was… op een andere manier, op een andere plek of met andere mensen. Maar in ieder geval: mogelijk.

Los van deze heel persoonlijke overwegingen, wil ik je zeggen dat alles wat er in Chiapas is gebeurd mij ter harte gaat, want er is geen twijfel mogelijk dat de opstand van de indianen en hun strijd juist en mooi is. En ik denk dat dat voor een groot gedeelte te danken is aan Marcos. Maar voor mij zit daarin ook het raadsel; want dat is ons probleem, Camila, en onze grote mislukking. Het is verschrikkelijk te moeten bedenken dat vandaag de dag alleen de messiaanse, verlichte figuren in staat zijn de veranderingen op gang te brengen die ons Latijns-Amerika nodig heeft.

Denk je dat mijn leven rampzalig is?

Vertel me nu eens hoe jij dit ziet, vanuit het gezichtspunt van jouw generatie, die zo onverschillig en koel staat tegenover alles wat ons beweegt.

Pas goed op jezelf, dochter, en geef Reina vele kussen.'

Toen ik uitgelezen was, zag ik dat de ogen van Luciano strak op mij waren gericht, terwijl hij met zijn lepeltje speelde. Zijn aandacht voor wat ik had voorgelezen ontroerde mij en ik bedacht dat ik de mensen met wie ik op deze wereld een eenvoudige brief kon delen, de mensen die echt naar me zouden luisteren, op één hand kon tellen.

'Niet onze hele generatie is zo… wat dat betreft verschil ik van mening met je moeder: dat is een *cliché*-zin. Hoe dan ook, daar gaat het niet om. Wil je dat ik je een politieke of een gevoelsmatige mening geef?'

'Ik denk dat het je niet lukt om helemaal geen mening te geven, het is wat laat geworden…' antwoordde ik, 'maar toch denk ik dat een gevoelsmatige mening mij meer aanspreekt.'

'Heb je er weleens aan gedacht dat de wereld er anders uit zou zien als beide meningen één geheel zouden vormen?'

Ik keek hem een beetje verbaasd aan en spontaan strekte ik mijn hand naar hem uit over de keukentafel heen en raakte de zijne. Ik pakte hem. Voor de eerste keer voelde ik echt de warmte van zijn hand. Ik herhaal: ik deed dat niet zelf, het was mijn intuïtie. Iets ontvlamde in mijn lichaam en deed me weer denken aan de akeligste periode in mijn puberteit (alleen al de gedachte dat ik mij weer gevoelens zou herinneren uit die tijd van mijn leven – de ergste – bracht in mij een heftige afkeer teweeg). Ik trok mijn hand onmiddellijk terug, en ik wist niet of het waar was of niet, maar ik meende een beetje spot in zijn ogen te zien. Tegelijkertijd moest ik iets, wat in mij op gang was gekomen maar nog niet was afgelopen, beëindigen.

'Laten we er morgen over verdergaan,' brak ik het gesprek af, 'als we officieel in hetzelfde huis wonen.'

'Morgen?'

'Ja. Morgen heb je me hier. Ik heb de mensen in het hotel al op de hoogte gebracht, mijn vertrek lucht hen erg op.'

Mijn manier van praten had iets zenuwachtigs, had iets te maken met een versnelde hartslag.

'Ik bereid mij nu voor op mijn laatste nacht in mijn super-*master suite*, waar ik mijn periode van onderzoeker-gestuurd-door-een-belangrijk-tijdschrift-om-de-problemen-van-Chiapas-te-verslaan zal afsluiten.'

'*Va bene*. Kom niet te vroeg, zodat je me niet wakker maakt.'

We liepen weer de straat op en zagen dat de witte auto was verdwenen. Luciano haalde opgelucht adem en gaf toe dat het een vergissing zou kunnen zijn.

'Wil je dat ik met je meega naar het hotel? Ik zeg dit in verband met de auto…'

'Maak je geen zorgen, ik ga daar niet naartoe. In *El Puente* draaien ze om acht uur een documentaire over de slachtpartij van Acteal. Die wil ik graag zien. Ik denk dat ik iets in het café ga eten voor ik weer voorzichtig ga zijn.'

Hij maakte met zijn rechterhand mijn haar een beetje in de war – streelde hij mij? – en liet mij toen gaan.

5

El Puente, dat zich bevond in een enorm, sfeervol blauw huis in de Real de Guadalupestraat, is een cultureel centrum waar veel te doen is, met diverse activiteiten, waar ze alle middagen films vertonen, drie voorstellingen per dag, in een piepklein zaaltje aan het eind van alle gangen. Het idee dat je voor vijftien peso alle mogelijke films kunt zien, van James Bond tot de EZLN*, vind ik fantastisch.

Het moet een van de weinige plekken zijn die niet voor tien uur 's avonds dichtgaat en ook het café blijft tot dat uur open. Omdat ik er zo vaak ben geweest, heb ik er ten slotte vrienden gemaakt en heb ik toegang gekregen tot filmmateriaal over Chiapas dat ik op geen enkele andere plek zou vinden.

Ik ben gaan lopen vanaf de schilderachtige wijk Santo Domingo, een wereldje op zich, levendig, stralend, erg leeg op dit uur waarop alle handelaren van deze handwerksliedenmarkt het plein hadden verlaten, alsof alle kleuren van de wereld waren gaan rusten, met achterlating van een zekere atmosfeer die aangaf dat het hun wijk was, een niet mis te verstaan teken van afbakening van hun territorium. Terwijl ik een straat oversteek denk ik eraan hoe je in je jeugd vecht om je hoofdzonden te overwinnen zonder dat je voorziet dat in je volwassen leven het niet de deugden zijn die ze zullen neutraliseren, maar andere zonden. Bijvoorbeeld, op den duur overwint

* EZLN – Ejercicio Zapatista de Liberación Nacional – Zapatista-leger voor de Nationale Bevrijding

vraatzucht ijdelheid en luiheid wellust. Nu ik op het punt sta het avontuur te beginnen van de uitnodiging van Luciano, loopt mijn verwachting op tegen mijn eigen luiheid die groter is geworden en krachtig is. Toch word ik door een deel van mijzelf, misschien dat deel dat de dochter is van Dolores, gewaarschuwd: pas op je deugd! Zoiets kan heel dikwijls nutteloos zijn.

De werkelijkheid heeft lippen die kussen tot de dood erop volgt.
Ik kom verslagen en heel somber uit de bioscoop.

Acteal is een inheems Tzotzildorp in het gebied van de Hoogvlakte van Chiapas. Nadat een groep paramilitairen hen eind 1977 met de dood had bedreigd en verschillende woningen van hen had vernietigd, zochten meer dan driehonderd personen daar hun toevlucht. Het waren leden van de zogenaamde Sociedad Civil Las Abejas de Chenalhó*, een pacifistische groep die een oplossing zocht voor de oorlog door middel van onderhandelingen en politiek.

Ze hadden hun maïsakkers, koffieplantages en huizen verlaten in de hoop de bedreigingen van die paramilitairen, die hen ter dood hadden veroordeeld in hun ijver overal te zoeken naar Zapatista-bases, te overleven. De tweeëntwintigste december vond in Acteal een massamoord plaats die een einde maakte aan het leven van vijfenveertig personen, voor het merendeel vrouwen, kinderen en ongewapende mannen die tijdens een wake in een kapel aan het bidden waren. Door een slechte, van de Amerikanen overgenomen gewoonte probeerde ik de keerzijde van de dingen te zien en te bedenken dat de toegebrachte schade in dit gebied al van veel vroeger dateert, dat er vroeger al structurele conflicten waren in Acteal en dat zij nu alleen maar omvangrijker werden omdat de straffeloosheid ook groter is geworden, maar dat ik de verjaagde slachtoffers van de gebieden die onder controle staan van de Zapatista's niet moest vergeten, en ten slotte, dat deze oorlog niet zwart-wit was,

* Sociedad Civil Las Abejas de Chenalhó – Burger Maatschappij De Bijen van Chenalhó

zoals niets dat is, noch is geweest. Maar algauw voelde ik dat dit een zinloze bezigheid was en dat ik alleen maar mijn eigen verontwaardiging opschroefde.

Het beeld van een vrouw uit die documentaire achtervolgt mij, een ontheemde die op het moment dat de paramilitairen kwamen een bad nam en die moest rennen voor haar leven in de toestand waarin ze zich op dat ogenblik bevond. Vandaag zag ik dat ze vanaf haar middel naar boven toe naakt was, ze had een kind aan haar rechterborst, het kind leek niet zozeer op zoek te zijn naar melk als wel naar spel. De ogen van de verbouwereerde inheemse vrouwen lieten haar geen moment los. Haar treurige naaktheid was de meest welsprekende getuigenis.

Op weg naar het hotel denk ik na over het begrip schande.

Volgens het Maya-geloof maakten de goden, toen ze probeerden de mens te scheppen, de eerste mens van klei, en deze kon niet praten. De tweede maakten ze van hout, en deze kon niet voelen. De derde werd gemaakt van maïs en die was in het bezit van al zijn vermogens. Ik denk dat de mensen die in Acteal de schoten afvuurden, de mensen van hout waren die vanwege hun gevoelloosheid niet opklommen tot de menselijke soort. Alleen zo kan ik zoveel schanddaden verklaren.

Verzonken in mijn overpeinzingen liep ik langzaam en kalm door de Adelina Floresstraat naar hotel Casa Vieja, zonder dat ik, voordat ik bij de deur was aangekomen, had opgekeken. De straten in San Cristóbal zijn 's nachts altijd leeg, alsof de stad zich voor zichzelf verbergt en de bewoners met ijzeren hand beschermt, tegen goed of kwaad. De stad was om die reden ondergedompeld in eenzaamheid, toen ik op tien meter afstand van de hoofdingang de blik omhoog richtte en de witte auto zag staan met zijn drie inzittenden.

Ontsteld ging ik onmiddellijk het hotel binnen en stortte mij in de lobby, op zoek naar een bevriend gezicht, maar tot mijn verbijstering zag ik dat de dienstdoende portier sliep. Ik besloot zonder tijd te verliezen naar boven te gaan. Bij het oversteken van de patio naar de trap die naar mijn kamer voert, zie ik de oker- en zwart-kleurige jaguar van keramiek, die dreigend zijn muil opent. Hij is levensgroot, zijn ogen kijken mij direct aan en het lijkt wel of de staart tussen zijn poten trilt terwijl hij wacht op zijn prooi. Ik versnelde mijn pas. In het hotel zijn twee patio's, achter de eerste liggen de lobby, de eetzalen en de kantoren; de tweede, waarop alleen kamers uitkomen, heeft een grote, tweedelige houten deur die op straat uitkomt, maar waar niemand doorheen gaat. Soms zag ik in het voorbijgaan dat hij openstond. Nu berekende ik dat als iemand binnen zou willen komen zonder te worden gezien, hij dat kan doen door die deur, vervolgens naar de derde verdieping kan gaan – de mijne – via de enige deur tegenover kamer 49, en naar het platte dak kan gaan. Ikzelf heb daar in de zon gelegen en van daar naar de nacht gekeken en ik ben er zeker van dat je, zolang als je wilt, daar kunt blijven zonder te worden gezien. Mijn hersens registreerden dat de plek waar de witte auto geparkeerd stond, precies tegenover de deur van de tweede patio lag.

Ik ging mijn kamer binnen, deed alle lichten aan en keek rond alsof ik een detective was die de controle over zichzelf kwijt was. Alles bevond zich op zijn plaats, zoals toen ik terugkwam van de Cañon del Sumidero; zo op het eerste gezicht was er niemand binnen geweest. De stilte was angstaanjagend. Bang om alleen in de kamer te blijven, ging ik weer naar buiten naar de overloop van de trap, mijn favoriete plek, waar gewoonlijk waardevolle gedachten in mij opkomen. In de eerste plaats was dat de gedachte aan een allesoverheersende vrede, maar vandaag leek mij die fictief. De wereld had zijn lichten definitief gedoofd. De nacht was overal, strekte zich uit over de belangrijkste vier punten. De dakpannen, zwart op dit uur, bedekten, verborgen, sloten alles af, maakten het onmogelijk iets diepers te ontdekken. Heel San Cristóbal beleefde de stille nacht, ieder in zijn eigen eenzaamheid, voor zichzelf, op eigen risico, wie weet wat voor angstzweet onder deze dakpannen werd beleefd.

Geen enkel geluid in de hele stad. En ik, die altijd zo'n hekel had aan lawaai. Ik, die altijd met minachting keek naar de man of de vrouw die op een openbare plek zijn of haar stem verhief. Ik, die actief de akoestische vervuiling heb veroordeeld. Ik, die overal waar ik heb gewoond, zocht naar een plek waar geen lawaai was. Ik, die, als een boze engel mij een menselijke straf zou opleggen, ervoor zou kiezen om stom te worden. Ik, die om die reden op deze plek volkomen gelukkig was – die discrete stilte die er heerst – ik verlangde naar lawaai, en het was niet belangrijk of het schril, knarsend, bruusk of disharmonisch was, of het vals, scherp of luid klonk, welk geluid dan ook, als het mijn angst maar zou bedaren.

Ik verliet de overloop weer toen ik merkte hoe ongerust ik was en ging terug naar de kamer. Ik liep rond en probeerde mijn zelfbeheersing niet te verliezen, al was het alleen maar voor mijzelf. Vormen en waardigheid raak je allebei even snel kwijt, in een oogwenk; je hebt even met je ogen geknipperd en ze zijn verdwenen, ze zijn er hand in hand vandoor, achter je rug om lachend of spottend. Terwijl deze overtuiging nog zwaar op mij drukte, pakte ik de telefoon en mijn persoonlijke demonen toetsten een nummer voor mij in. Eindelijk hoorde ik een bevriende stem.

'Luciano? Ben jij het? Alsjeblieft, kom! Kom, want ik ben bang!'

6

'Ze zijn ervandoor.'

'Misschien is een van hen naar binnen gegaan, zoals jij dat ook deed, en als de portier dan slaapt…'

'Dat is waar, naar binnen sluipen door de toegangsdeur doe je als je onervaren bent… maar áls het zo is gebeurd, dan hebben ze mij naar je kamer zien gaan. Laten we gaan, Camila, laten we hier weg-gaan.'

'Nee, ik wil hier niet weg… ze zouden ons onderweg naar je huis te pakken krijgen. En de straten zijn volkomen leeg.'

'Stel je nu voor de nacht in het hotel door te brengen?'

'Ja.'

'Met mij?'

'Je denkt er toch niet over mij alleen te laten!'

'*Va bene, va bene*… Wil je dat we erover praten, dat we de situatie nog eens doornemen en bekijken wat er precies gebeurt? Dat we onderzoeken waarom het jou overkomt en niet ons? Dat we de zaak opnieuw bekijken vanaf het eerste anonieme telefoontje?'

'Nee, ik wil niet praten.'

'Heb je iets te drinken in die koelkast?'

'Ja, erbovenop staat tequila. Kom, ik schenk je in. Maar laten we alle lichten uitdoen, en doen alsof we er niet zijn.'

'Wat schieten we daarmee op?'

'Dat is voor het geval ze jou niet hebben gezien. Dat ze denken dat ik al ben gaan slapen, dat ik niet meer besta. Dat de achtervol-ging voor vandaag is afgelopen.'

'Ik denk dat ik op dit ogenblik niet veel rationaliteit van je kan vragen.'

'Inderdaad, vraag dat niet.'

'Wil je dat we Jean Jacques bellen?'

'Nee, waarom?'

'Hij is de patriarch, de grote man…'

'Laat me niet lachen.'

'Je kamer mag dan ruim en mooi zijn, maar deze bank is als van steen.'

'Ja, ik zit daar nooit op. Ga op bed liggen. Ik blijf hier aan tafel zitten.'

'De hele nacht op die rechte stoel?'

'De hele nacht.'

'Camila, ontspan je.'

'Morgen ga ik naar het reisbureau, ik vertrek zo gauw mogelijk naar Washington.'

'Geef je je zo gauw gewonnen? Voor zo'n miserabel autootje dat je achtervolgt om je angst aan te jagen?'

'Reina probeerden ze te doden.'

'Jij bent Reina niet.'

'Ik ben erger dan Reina, dat weet ik.'

'Ik maak geen vergelijking.'

'Haar leven is heel zinvol, toch?'

'Camila… Zij is de dappere revolutionaire, waar of niet? en ik… Weet je, Luciano, wat ik zie? Het lijkt wel of haar bestaan alleen al een verwijt is aan het mijne…'

'Wat wil je eigenlijk?'

'Niets, niets. Ik ben uitgeput. Ik denk dat ik ook maar een slokje van die tequila neem. Er zijn ook mandarijnen. Heb je honger?'

'De nacht zal lang duren, later pas.'

'Waarom slaap je niet? Nu ik eenmaal weet dat je hier bent, vind ik het niet erg als je slaapt.'

'Ik heb geen slaap. En het bed is enorm. We kunnen er zonder problemen met zijn tweeën in slapen.'

'In het bed?'

'Wat een gezicht trek je! Ik doe je geen oneerbaar voorstel. Hoewel, nu ik erover nadenk, dat zou geen slecht idee zijn… het zou in ieder geval wat van je spanning wegnemen.'

'Lach niet...'

'*Bella, bella*, dat is het beste wat we kunnen doen. Kom, kom naast me liggen.'

Kamer 49, hotel Casa Vieja, dodelijke stilte, duisternis, en ik die vlucht, die heen en weer loopt met het glas tequila in mijn trillende hand, die denkt dat ik er lijkbleek uitzie, onzeker over mijn volgende stap, mijn hele wereld op zijn kop. Omdat Luciano de hele nacht op de stenen bank achter in de kamer is blijven liggen, omdat het bed mij obsceen lijkt, omdat in de lucht een doldwaze maan danst, omdat ik niet meer weet hoe te bewegen, noch hoe stil te staan, omdat zijn gezicht zo stralend, zo ongetemd is, verlicht door verre stadslichten, omdat hij naar mij kijkt alsof hij de draaikolken in mijn hoofd peilt; als vele, veelsoortige monsters zich onontkoombaar in onze zintuigen rondwentelen, dan moeten zich daartussen goede en slechte bevinden, nietwaar? Dus zocht ik mijn toevlucht tot de meest goedgunstige.

In een opwelling van persoonlijke kracht liep ik naar het einde van de kamer en naderde de bank die groot en hard was, inderdaad als van steen, maar wel met het lichaam van Luciano erop, kom maar, zei hij, en de stem waarmee hij tot nu toe tegen mij had gesproken veranderde van toon, ik gehoorzaamde en nam ondertussen een grote slok uit mijn glas tequila, brandend, als een messteek. Ken je de engel van Wim Wenders? vroeg hij. Nee, antwoordde ik. Toen zei hij: die hield op engel te zijn, want alleen de verwondering van een man en een vrouw konden hem in een menselijk wezen veranderen. Hij raakte mijn haar aan, een belofte van beginnende warmte, alsof tijdens de laatste uren van deze dag het vuur langzaam ontstond, vuur als een rode bloem, vanuit het binnenste van onszelf. Hij raakte mijn gezicht aan, de aanraking deed mijn bloed sneller stromen en ik kreeg het gevoel dat er voor iedereen overal op de wereld een grotere eensgezindheid en gelijktijdigheid was. Toen er in mij een lelijk, donker monster zichtbaar begon te worden, het monster van de schuld, schoof Luciano het opzij met zijn intuïtie, loste het op met zijn hand, gooide het weg met zijn mond.

Op het moment dat voorafgaat aan de liefde beminnen wij allen. Dat is de enige wet die zeker is.

Toen hij mij meevoerde naar het bed schoten ineens vele beelden die verankerd lagen in mijn hoofd door mij heen, als een vlucht vogels die door een schot plotseling verspreid opvliegt, als een luchtspiegeling of een hallucinatie drongen de meest intieme beelden zich aan mij op. Het waren beelden die mij verblindden, beelden van mijn middelmatige lichaam, van al mijn onvruchtbaarheden, van al mijn verdriet, maar in het midden was daar, als de keizerin van alle, het beeld van Reina. Ik hoorde haar stem tegen mij zeggen: katten bezitten een aangeboren, basale vorm van jaloezie die te maken heeft met hun territoriumdrift, dezelfde die wij vrouwen in ons meedragen, maar die wij niet herkennen. Hoe wil je dat ik vanaf mijn sterfbed met je concurreer, Camila? De wonden van haar lichaam, de vouwen in de sprei van haar bed, haar misschien gevulde buik toen ze die avond vol vertrouwen naar mij toe kwam voor onze afspraak om acht uur, haar intens zwarte haar uitgespreid over de stoep als een overwonnen alg diep op de zeebodem, het zilver van haar hanger dat schitterde op het plaveisel, als de ster van het laatste uur, het spoor van het opgedroogde bloed deden mij verstenen.

Ik maakte mij los uit zijn omhelzing.

Zondag

1

Ik werd vroeg wakker door het felle licht, ik was de avond ervoor vergeten de gordijnen te sluiten. Mijn begrip deed er enige tijd over om helder voor mij uit te tekenen wat er was gebeurd, toen ik merkte dat ik alleen was in mijn kamer en geheel gekleed op bed lag, met een van de dekens uit de kast over mij heen, op een kuis bed, onbezoedeld als een verzegelde brief. Op mijn werktafel een briefje: '*Ti aspetto da me. L.*'

De douche was de langste die ik in San Cristóbal heb genomen, van het water en de stoom vroeg ik stromen energie, vernieuwing en warmte. Bij het aankleden merkte ik al dat er een vreemde kracht over mij kwam, een stroom opgewektheid die geen enkele witte auto me zou gaan afnemen. Ik telde ze: zeventien dagen was ik nu in Mexico: elke dag stapelde zich op de vorige, gaf mij kleine injecties leven; elk van deze injecties slaagde erin, langzaam, heel langzaam maar doeltreffend door de opeenstapeling, die gebroken vrouw die lethargisch op haar bed lag achter zich te laten. Ik was blij dat ik gisteren de rugzak in het huis van Luciano had achtergelaten en dat ik nu het hotel uit kon lopen met alleen de leren tas bij me die ik altijd bij mij heb, waarin met enige goede wil de minimale hoeveelheid cosmetica past en de pyjama die ik opzij had gelegd, natuurlijk met de gedachte dat ik die 's nachts zou gebruiken. Dankbaar nam ik afscheid van het personeel van Casa Vieja, met een voorgevoel van nostalgie, maar met de zekerheid dat ik in de wijk Santo Domingo de noodzakelijke bescherming zou vinden. Ik liep direct naar het plein, voor geen goud zou ik Luciano zo vroeg hebben willen lastigvallen, zou hij vannacht wat hebben geslapen?

Het kuiltje in zijn kin.

De zondagen in San Cristóbal hebben geen eigen identiteit, tenminste niet voor mij of voor de mensen om mij heen, en verschillen zo van de zondagen in Chili of in Washington. Terwijl ik de krant las op de bank waar ik altijd zat en gretig de frisse ochtendlucht die krachtig en vitaal op mij afkwam inademde, alsof geen enkel probleem in het leven me kon raken, werd ik opgeschrokken door getoeter en plotseling, krachtig remmen. Toen ik mij omdraaide zag ik hoe de chauffeur van een elegante BMW door het raampje schreeuwde naar een indiaanse vrouw die er wat lang over deed om de straat over te steken; ze was zwaarbeladen met stapels stof in beide armen die ze waarschijnlijk ging verkopen op de markt. Stom wijf! Het scheelde maar weinig of je was er geweest! Je moet eens leren om de straat over te steken, je bent niet in het oerwoud!

(San Cristóbal de las Casas, de stad die wordt gekenmerkt door voorouderlijke smarten. Vanaf de tijd dat de Spaanse veroveraars de hoge, mooie vlakte van Jovel ontdekten, hoewel zij daar geen stad vestigden, kwamen zij er elk jaar terug om zich te misdragen, belasting te eisen en slaven te maken en ze vervolgens te verkopen op de markten van Vera Cruz en Nicaragua, waarvandaan de indianen vertrokken naar de Antillen of Zuid-Amerika, hetgeen het aantal mestiezen en de variëteit van Latijns-Amerikaanse lakens sterk deed toenemen. *Een slaaf was goedkoper dan een muilezel.*)

Een fractie van een seconde waren de aangesproken indiaanse en ik dezelfde persoon.

Ik woon in de Verenigde Staten, maar mijn bloed, wil en herinneringen zijn Chileens. Toen ik in dat land aankwam, lieten zij mij een formulier invullen met een vakje dat betrekking had op je ras: de eerste mogelijkheid was blank, wat ik automatisch van plan was in te vullen, tot ik verderop het woord: *Hispanic* las. Het leek mij een enorm cultuurtekort te zijn van die gringo-ambtenaren, omdat *hispano* niet betrekking heeft op een ras, maar toen ik mij erin verdiepte begreep ik dat ik, voor de eerste keer in mijn leven, werd verstoten uit mijn eigen nest, uit naar ik meende mijn natuurlijke, objectieve identiteit, hoewel er tussen een Noord-Amerikaanse vrouw en mij niet het minste fysieke verschil valt te constateren (ja zelfs geldt in dit specifieke geval: ik ben roodharig, ik lijk op hen). Omdat ik er niets tegen in te brengen had, vulde ik woedend het tweede hokje in, maar elke dag van de afgelopen zes jaar ben ik mij er meer en meer aan gaan hechten. Als ik door de straten van de stad loop, heb ik soms de indruk dat ik al mijn voorouders daar zie staan, in die propere, onpersoonlijke ingang van de metro, in de hoop ergens te komen. Iedere verachtelijke Mexicaan of Salvadoraan is mijn oom, de Honduraan die het vuil ophaalt is mijn verloofde. Als Reina van zichzelf zegt dat ze een gedeclasseerde is, weet ik precies waar ze het over heeft.

Mijn hele leven heb ik mij bewogen aan deze kant van de wereld. Mijn werkelijke en mijn fictieve wieg, de plek waar ik werd geboren en die andere die ik mij heb verworven, zijn bekleed met Noord-Amerikaans klatergoud. (Ik accepteer het niet dat het adjectief 'Zuid' alleen maar wordt gebruikt door de Amerikanen in het noorden! Amerika, dat is zowel het werelddeel in het noorden als dat in het zuiden, het noorden en het zuiden zijn even Noord-Amerikaans.) Ik teken twee punten op het continent om aan te geven wat mijn plekken zijn en voeg er een derde aan toe, dit punt. Twee van die punten zijn betrekkelijk dichtbij, maar dan gaat de lange lijn onvermijdelijk omlaag en daalt af tot in het zuiden, tot het punt waarvan ik, met tegenzin, moet toegeven dat het het einde van de wereld is. Na dat land komt alleen nog maar het eeuwige ijs. Daar werd ik geboren. Bij Mapuche-indianen of bij Spaanse vrouwen, soepel, onvoorspelbaar, krachtig, bij hen liggen mijn wortels.

2

De armen van Ninoska om mijn lichaam waren de armen van alle moeders, zij namen mij hartelijk in bescherming toen ik haar de gebeurtenissen van de dag ervoor vertelde. Zij wilde er niet van horen toen ik haar vertelde dat ik per se in het hotel wilde blijven; waarom niet in haar huis, als het toch ook het mijne was en van iedereen die het nodig had? Toen ik aankondigde in het huis van Luciano te willen blijven, weet ik niet of het kwam door mijn achtervolgingswaan of dat ik echt een wat samenzweerderige glans in haar ogen ontdekte, die sterker werd toen ik haar vertelde dat ik hem midden in de nacht had opgebeld. Terwijl ze naar mij luisterde, opende ik een ogenblik de sluisdeuren van mijn zintuigen, wat ik mijzelf tot dan toe niet had toegestaan, en rook weer terpentine en citroen en likte weer met mijn tong langs zijn kuiltje en betastte zijn mond alsof het vocht tot wijn was geworden.

'Gaat het goed met je?' vroeg Ninoska mij.

'Ja, het gaat goed, alle angst onder controle,' antwoordde ik met een glimlach waarvan ik niet wist of die vals of echt was.

Zij sloot haar ogen een beetje terwijl zij mij strak aankeek, zoals je doet wanneer je iets precies wilt bekijken of iets van dichterbij wilt zien, en opnieuw wist ik niet of het haar zorg was of de mijne die even zichtbaar werd, het enige wat duidelijk was, was dat wij op dit ogenblik geen van tweeën dachten aan de paramilitairen. Misschien voelde zij dit alles wel intuïtief aan, het leven heeft haar middelen te over gegeven om dingen haarscherp aan te voelen, en toen zij mijn haar streelde en mij verzekerde dat alles goed zou komen, wist ik zeker dat ze aan Luciano dacht, aan Reina en Luciano.

'Kom, kind, ik breng je met een glas lekker vruchtensap naar mijn slaapkamer, zodat je wat kunt rusten tot Jean Jacques komt.'

Ik ging met haar naar de tweede etage en liep naar haar kamer, niet naar de gastenkamer, en het was alsof ik op het bed van Dolores ging liggen en alle nachtmerries van mij zouden worden weggenomen. Ze liet mij drie boeken zien die op haar nachtkastje lagen.

'Een goede roman zal je helpen, je weet toch dat die altijd helpen? ik heb ze al uit, kies er maar een uit terwijl ik het glas sap voor je haal, wil je met meloen of met watermeloen?

Ik vroeg watermeloen en keek naar de boeken, een van Muñoz Molina, het andere van Aguilar Camín en het derde van Doris Lessing. Ik pakte het laatste, het leek me dat ik er op dit ogenblik meer behoefte aan had om een vrouwenboek te lezen, hoewel ik de andere twee auteurs ook erg kon waarderen. Door de omstandigheden amuseerde de titel mij: *De goede terroriste*. In de overtuiging dat literatuur het meest gastvrije gebied vormt van het bestaan en dat dankzij haar de wereld leefbaarder wordt, begon ik de eerste bladzijden te lezen; terwijl ik het deed, dook het kleine, verwende meisje dat ik soms was weg onder de warme dekens en sloot haar ogen.

Ik droomde van mijn zoontje. Ik droomde dat hij er gezond en prachtig uitzag, vol leven en niet klein te krijgen. Ik droomde dat zijn hart het niet zou begeven en dat ik aan zijn zijde oud zou worden. Ik droomde dat de muren van het ziekenhuis verdwenen, dat alle muren van alle ziekenhuizen ter wereld verdwenen, met hun nare lucht, hun verdriet, hun geweld. Ik droomde dat hij nog eens en nog eens werd geboren, en mij zo mijn wees-zijn afnam. Ik droomde dat ik tegen hem zei dat ik ten opzichte van hem kwetsbaarder was dan Reina ten opzichte van de politie. Mijn kind glimlachte naar mij.

Een hand streek het haar weg van mijn voorhoofd. Droomde ik nog steeds in dit moederbed, tussen de zware meubels en het zachte dekbed? Ik werd wakker toen ik besefte dat die hand echt was. Ik opende mijn ogen en zag Luciano op de rand van mijn bed zitten en aan zijn voeten zat Jean Jacques, die met het geluid uit naar een

135

voetbalwedstrijd op de televisie zat te kijken. Het watermeloensap en de roman van Doris Lessing, die open op de grond lag, maakten mij weer klaarwakker.

'Jezus! Hoe laat is het?'

'*Dai, bella*. Je hebt de hele ochtend geslapen.'

Ik kon hem door de lichte nevel van mijn slaperigheid heen zien en tot mijn verbazing constateerde ik dat Luciano, in mijn ogen, een ander mens was geworden: iemand die ik had aangeraakt. Het kon niet anders dan dat onze relatie was veranderd. Wat een vreemde kracht ontstaat er wanneer mensen elkaar aanraken, alsof, wanneer de lichamen met elkaar in contact zijn geweest, de ontmoeting van de geest anders is. Vanaf dat exacte, precieze ogenblik, dat werd voorafgegaan door het sneller kloppen van het hart, herneemt de relatie nooit meer haar gewone loop. Een bepaald soort wantrouwen verdwijnt en maakt plaats voor een oneigenlijke inbezitneming, een onvoorziene wegomlegging. Zijn mond was voorgoed anders. Ik hoefde hem niets te vragen. Ik had gedacht dat ik bij onze eerste ontmoeting – na de nacht ervoor – met hem alleen zou zijn, wat mij de gelegenheid zou hebben gegeven na te gaan hoe hij dacht over mijn verwarde, misschien onbegrijpelijke gedrag. Is het aanvaardbaar voor een man de begeerte van een vrouw te constateren en haar vervolgens te zien wegvluchten? Maar ondanks de aanwezigheid van Jean Jacques wist hij heel subtiel een nieuwe valstrik uit te zetten, een band van saamhorigheid te smeden, zwak maar echt, want toen hij naar mij keek, straalde de intensiteit van zijn blik als het vuur van een vreugdevuur in de donkerste nacht.

'Er is geen hoop dat ze Reina aan ons overdragen. Ze blijft op de intensive care.'

Hoewel ik de eerste was die die nacht in het ziekenhuis was verschenen, stond Jean Jacques genoteerd als naaste verwant – zonder dat men ons toestond haar te bezoeken – want tegenover de artsen en het personeel van het ziekenhuis deed hij zijn gezag gelden, wat mij waarschijnlijk niet zou zijn gelukt. (Ik heb het dan nog niet gehad over het ongelooflijke geval Jesús, de Spanjaard, die niet van haar bed wijkt; talloze malen hebben ze al geprobeerd hem naar buiten te werken, maar steeds veroorzaakt hij dan zo'n schandaal, met zijn enorme lichaam en zijn zware bromstem, dat zij het verstandiger vinden om hem te gedogen. Ninoska brengt hem twee keer per dag eten en houdt hem op de hoogte van wat er buiten het ziekenhuis gebeurt; Luciano bood aan hem af te lossen, maar daar wilde hij niet van horen.) Jean Jacques vertelt mij dat Reina erg achteruitgegaan is, praktisch dag en nacht slaapt, en maar af en toe een helder moment heeft. Zij is nog geheel afhankelijk van het infuus, waardoor het absoluut niet mogelijk is haar te vervoeren. Vandaag was het voor het eerst mogelijk tien minuten achter elkaar met haar te praten. Ze bevindt zich nog in een staat van verwondering, alsof ze niet kan geloven wat haar is overkomen, ze is nog niet volledig bij haar positieven. Zij weet dat wij wachten op het moment om haar naar huis te brengen, maar ze voelt zich verschrikkelijk zwak, alsof zij er de voorkeur aan geeft in deze omstandigheden in het ziekenhuis te blijven. Toen Jean Jacques het er met haar over had dat hij bang was dat de criminelen zouden terugkomen, glimlachte ze nauwelijks en zei tegen hem, maak je geen zorgen, behalve Jesús is er nog een bevriende dokter, die ook voor mij zorgt. Zoals ik al zei, de wortels van de Zapatista-beweging zijn oneindig wijd vertakt.

Hij vertelt mij dat een onbekende bij de administratie van het ziekenhuis heeft geregeld dat alle kosten van het verblijf van Reina voor zijn rekening zijn; een van de artsen kwam het hem vertellen en liet hem opgelucht en tegelijk verbijsterd achter. (Wie? Jesús heeft niemand gezien.) Vervolgens herinnert hij zich dat zij speciaal naar mij vroeg. Camila wacht op je, antwoordde Jean Jacques, ze zal je verplegen als je weer thuis bent.

Deze laatste opmerking bracht mij met een schok terug bij mijn verantwoordelijkheid en ik sprong overeind.

'Eet je hier?'

'Nee, ik ga naar het huis van Reina.'

'Kijk goed om je heen voor je naar binnen of naar buiten gaat, Camila. Als je iets bijzonders ziet, ga dan niet alleen de straat op, bel Jean Jacques of mij.'

'Wij zouden eens even over gisteravond moeten praten, Luciano heeft het mij al verteld.'

'Nee, dat hoeft niet, Jean Jacques. Laten wij het niet belangrijker maken dan het is. Zoals ze hier zeggen, ik laat mij niet van de wijs brengen door een wit autootje dat mij achternazit.'

Ik wilde weggaan toen Luciano me tegenhield.

'Luister! Je bent nu een huisgenote van mij, wat mij ten opzichte van jou zekere rechten geeft. Hoe laat denk je thuis te zijn?'

'Eens even kijken, even kijken…' – ik hoorde het gutturale en enigszins nasale accent van Ninoska die op dit ogenblik de trap op-kwam en haar handen afveegde aan haar schort – 'vraag je het om redenen van veiligheid of van bezitsdrang?'

'Om alle twee, beide zijn legitiem, als je me toestaat.'

Ninoska glimlachte tegen mij zoals geen man dat zou kunnen, zoals vrouwen dat al eeuwenlang wel konden, omdat ze dat aan el-kaar doorgaven. (De enige vrouwen die echte vriendinnen hebben zijn die vrouwen die zich bewust zijn van hun geslacht, had ik haar op een dag horen zeggen, de overige concurreren met elkaar en krabben elkaar de ogen uit.)

Katten zijn nog gulziger dan wij, ik laat ze achter met volle borden en de volgende dag hebben ze ze helemaal leeggegeten. Ik ging zit-ten op de enige stoel in de keuken en keek toe hoe ze water dronken zoals diabetici hun dorst wegdrinken. Soldaat wreef zich tegen mijn been aan, terwijl Opstand at.

Ik liet ze hun gang gaan en waagde mij in de richting van de kast van Reina waar ik een paar dagen geleden schone handdoeken uit had gehaald, omdat ik wilde proberen die radio, die mij zo had ver-ontrust, aan de praat te krijgen. Ik zocht weer tussen het witgoed, maar de radio was er niet meer. Heel voorzichtige handen moeten in de kast hebben rondgezocht, te oordelen naar de perfect opge-vouwen lakens, die er daarvoor overheen lagen. Als een maniakale speurneus begon ik weer te zoeken en merkte dit alles op, maar zonder resultaat. Ik raakte in grote verwarring: er werd veronder-steld dat alleen ik beschikte over sleutels om binnen te komen, wie kon ze nog meer hebben? Een bevriend iemand uit de omgeving van Reina of haar eigen vijanden? En als het Luciano was? Nu de zaken er zo voor stonden werd mijn verwarring steeds groter, ook al omdat ik een zekere afstand bemerkte tussen haar verschillende manieren om het conflict in Chiapas het hoofd te bieden, de ene als de een beetje sceptische sympathisante van verloren zaken, de andere als de ervaren activiste van genoemde zaken, dat laatste was mij tenminste duidelijk geworden vanaf het moment van de onloochenbare werkelijkheid van het ongeluk. Soms dacht ik dat het basale verschil tussen Reina en Luciano was dat terwijl Reina haar leven op het spel zette voor de bevrijding van de indianen, Luciano verrukt bleef stilstaan bij zijn visie op de wereld.

Dus, wie had de radio meegenomen?

Ik bedacht dat Dolores deze middag de plaats zou moeten innemen van haar dochter.

Haar bezorgdheid om de gezondheid van Reina en om mijn aanwezigheid in San Cristóbal werd duidelijk in haar mail van vandaag, die ik las in het Cyber Café, op weg naar de wijk Cuxtitali. Als ze er ooit van droomde zichzelf voort te zetten in haar dochter, dan moet dit voor haar een gunstige gelegenheid zijn. Dan zal ze trots zijn dat haar dochter een ogenblik afziet van haar egocentrische, persoonlijke, beperkte leven. Haar dochter, die en passant op magische wijze, gedurende enkele ogenblikken, de Chileense troosteloosheid overwint, die troosteloosheid die ons nooit meer heeft verlaten, die twistziek en zonder woorden de wacht houdt achter onze efficiëntie, onze welgemanierdheid, ons pragmatisme. Die ons voor altijd zonder warmte achterliet. Waarom zijn wij zo'n treurig volk geworden, of was dat altijd al zo en beseften wij het niet? Wanneer, wanneer verloren wij onze ziel?

(Vakantie in Guadalajara, een familiereünie: wij wonen een uitvoering bij van de groep Inti Illimani, Dolores is blij om iets Chileens met haar eerstgeborene te delen in het buitenland. Vrolijk zingt ze alle liedjes mee – natuurlijk kent ze ze allemaal uit het hoofd! – totdat wij, ter afsluiting, de eerste akkoorden horen van het onvergetelijke *El pueblo unido jamás será vencido;* een verenigd volk wordt nooit overwonnen. Verwarring op het gezicht van Dolores, wat vreemd, dat hebben ze nog nooit gezongen, was haar commentaar. De tranen lopen over haar gezicht. Ik houd haar arm stevig vast en zing met het publiek mee, net zoals ik indertijd achter de muziek van het muziekdoosje aan liep. Maar als ik een bepaald geluid hoor, moet ik naar haar kijken: Dolores huilt, ze huilt vanwege een oneindig groot verdriet, ze kan niet meer ophouden met huilen. Ze huilt om Chili, en dat durft ze te doen omdat ze op vreemde grond is, ze huilt om de zeventien jaar dictatuur, om de doden. En ten slotte huilt ze ook om zichzelf. Het lied heeft de strakke banden om haar hart losgeknoopt. Ze blijft huilen en zo laat ze alles wat zij de laatste jaren niet heeft gezegd, alles wat op subtiele manier werd gecensureerd, wat altijd achtergehouden is, want-ten-slotte-zullen-we-winnen, vrij. Ik wil haar troosten, maar ik kan het niet, mijn leven wordt niet opgeroepen door de stemmen van Inti Illimani, ik heb niets te zeggen.

Die nacht, als wij in het hotel uit elkaar gaan, probeer ik haar nieuwe moed in te spreken: Troost je, Dolores, de geschiedenis zal je recht doen. Zij antwoordt mij: de geschiedenis, die wordt geschreven door de overwinnaars. En ik ben er in dit geval niet erg zeker van wie er eigenlijk heeft gewonnen.

Ik denk eraan hoe geschokt mijn vader zou zijn als hij haar zou horen.)

Reina wist waar ik over sprak toen ik het had over dit aspect van mijn moeder. Sterker nog, Dolores werd voor haar een voorbeeld. Zij wilde haar verzwegen, vernederende nederlaag niet vergeten, het was voor haar een signaal dat ze daaraan moest zien te ontkomen, tegen elke prijs, of ze nu zo verwikkeld in het Chili van Pinochet zou raken dat ze haar het land zouden uitzetten of zich zou aansluiten bij de burgeroorlog in Guatemala. Toen zij voelde dat het continent zijn loopgraven voor haar sloot, verscheen voor haar een nieuw strijdtoneel: Chiapas. Waar zijn de toekomstvoorspellers die het einde van de geschiedenis aankondigden? vroeg zij mij op een middag, alsof de bergen in het zuidwesten van Mexico zich opmaakten om haar tegen te spreken.

'Er zijn duizenden Doloressen verspreid over heel Latijns-Amerika,' had Reina tegen me gezegd. 'Elk van hen draagt de frustratie van haar eigen einde van de wereld, elk van hen probeert zich aan te passen aan een vijandig universum dat zijn poorten voor haar heeft gesloten, elk van hen vraagt zich af wat, ruim gezien, de zin van het leven is. Elk van hen is lui geworden en maakt elke dag opnieuw pas op de plaats. Het zijn slachtoffers, Camila, allemaal slachtoffers.'

'Van wat?'

'Slachtoffers van de utopie, van de revolutie, van de muren, noem het wat je wilt. En ik heb mijzelf beloofd dat ik dat nooit zal worden, dat ik de prijs zou betalen die moest worden betaald. Geen dag van mijn leven heb ik niet gevochten.'

(De slachtoffers. Later, toen ik terugkwam van de Cañon del Sumidero, herkende ik bij Luciano dezelfde taal – de taal van de aanklager – maar Reina zou zelf nooit in die categorie willen vallen.)

3

Shit! Een geluid aan de deur.

Ik was zo verdiept in mijn herinneringen dat het geluid van een sleutel in het slot mij met enige vertraging bereikte. Ik zat, zonder iets te doen, op de enige stoel in de keuken en keek passief naar de poezen, terwijl taferelen van vroeger door mijn hoofd flitsten, en ik zat zo comfortabel genesteld in mijn passiviteit, dat elke stimulus van buitenaf zijn betekenis verloor. Het schuin naar binnen vallende licht leek op de blauwe tegels van de binnenpatio een partijtje te dammen en mijn ogen gingen erdoor heen en weer. Totdat het geluid me dwong te bepalen wat werkelijkheid was en wat droom. Heel langzaam, heel voorzichtig baande het voorwerp waarvan ik dacht dat het een sleutel was, zich een weg om het huis in te komen. Mijn hart begon vanzelf sneller te kloppen en mijn borst raakte beklemd, alsof een onbuigzame band om mij heen wilde voorkomen dat ik ademhaalde. Ik bewoog niet, omdat ik er toch niet in zou slagen mij te verstoppen, want de ruimte van het huis was beperkt; om niet gezien te worden zou ik mij alleen hebben kunnen opsluiten in de lege kamer, die met het smalle bed, maar om dat te doen moest ik langs dezelfde deur lopen die men op dit ogenblik probeerde te forceren. Ervoor zorgend dat ik niet het minste geluid maakte, duwde ik met mijn voet tegen de keukendeur en deed hem bijna dicht, iets was beter dan niets, al was het maar om daar niet met open ogen te zitten wachten. Met loodzware armen pakte ik Opstand van de grond en verborg mijn gezicht in haar lichaam dat zo zacht, wit en onschuldig was op die plekken waar ze wit was, en zo stralend, bijna blauw waar ze zwart was, gastvrij was haar warme li-

142

chaam, een klein schild om je achter te verbergen.

Het slot gaf mee en een paar voorzichtige, lichte passen drongen het vertrek binnen. Vreemde passen waren het, alsof iemand op zijn tenen liep. Hoewel de stilte die eromheen hing me liet weten dat er maar één persoon was binnengekomen, hield ik toch mijn adem in, hoelang zou hij erover doen om de keukendeur te openen? Maar die stilte werd zo sterk dat hij zichzelf hoorde. Al na een paar ogenblikken liep niemand meer, wie er ook was binnengekomen, hij moest zijn blijven stilstaan. Misschien weten ze dus niet dat ik hier ben en zijn ze gaan zitten om mij op te wachten? Opstand mauwde zachtjes en ontsnapte uit mijn handen, sprong op de grond en liep twee kleine pasjes naar de deur, die mij maar een paar meter scheidde van de huiskamer. Omdat enkele ogenblikken daarvoor, toen ik de deur met mijn voet had dichtgedaan, deze was blijven aanstaan en niet was dichtgegaan, vreesde ik dat de kat erdoorheen zou slippen, hem zou openduwen en mij zo aan de openbaarheid zou prijsgeven. Maar toen besloot Soldaat, die al aan het spelen was of al was begonnen te vechten, haar in haar staart te bijten en Opstand reageerde vol haat en agressie; zonder te begrijpen hoe dat kon, of het kwam door tovenarij of door hekserij, de twee lichamen vlochten zich samen in een kalme strijd op de grens van de keuken en de huiskamer, waarbij ze de deur minstens twintig centimeter verder openden. Ondanks de dwaze angst die elk van mijn ledematen verlamde, dreef een zekere onbekende nieuwsgierigheid, die ik had weggeduwd maar die toch onontkoombaar was, net als slechte gedachten, mij ertoe mijn gezicht naar de huiskamer toe te wenden.

Door de nauwe deuropening kon ik het beeld bespieden van iemand die op de enige bank zat die er was, ik hoefde het gezicht niet te zien om te begrijpen dat het een inheemse vrouw was, de lichtgroene sjaal en de sandalen spraken voor zich. Alsof ze zat vastgebonden tegen een onzichtbare muur aan, zo absoluut was haar onbeweeglijkheid, zo recht was haar rug. Ze zat op de punt van de bank, met een uitdrukking van grote verlegenheid op haar gezicht, alsof ze klaar was om te vertrekken en ze wachtte tot men haar kwam ophalen. Opstand moest haar geur kennen want zij liep onmiddellijk op haar af en tot mijn oprechte verrassing zag ik eindelijk het gezicht van de vrouw die naar opzij boog om naar de poes te kijken.

'Lieve hemel, Paulina, ben jij het! Weet je wel hoe bang je me hebt gemaakt?'

Paulina stond verbaasd op van de leunstoel toen ze mijn stem hoorde, en ze leek nog banger dan ik, haar zwarte ogen stonden wijdopen. Ik stond ten slotte op van de keukenstoel en liep naar de huiskamer terwijl ik voelde hoe mijn bloed weer zijn normale loop hervatte en hoe de lucht weer door mijn longen stroomde. Ik bedacht dat ik in de toekomst de betekenis van de opluchting niet moest vergeten. (Ook twijfelde ik eraan of Paulina sinds het ongeluk hier voor de eerste keer in het huis kwam.)

Omdat het leven soms absurd is en situaties omgekeerd terugkomen, was ík het ten slotte die Paulina van de schrik moest laten bekomen en haar uitleg moest geven over mijn manier van doen, want zij vond het onbegrijpelijk dat ik mij had verborgen. Zij zocht mij en had gedacht mij in het hotel te zullen vinden en omdat niemand kon vertellen waar ik naartoe was gegaan, besloot zij mij op te wachten in het huis van Reina, omdat ze wist dat ik de sleutels had en voor de poezen zorgde. Daarom gebruikte ze een ijzerdraadje om de deur te openen, een eenvoudig ijzerdraadje scheidde het huis van Reina van grote vijandigheid.

Paulina was geen vrouw van veel woorden. Toen ik haar vroeg waarom ze mij nodig had, hield ze mij alleen een papier voor, een klein wit papiertje, in vieren gevouwen, een beetje verkreukeld.

'Wat is dat?'

'Dat stuurt Reina je.'

(Hoe had ze dat in handen gekregen? Bezoek was toch immers verboden?)

Ik probeerde mijn spanning onder controle te houden toen ik het opende.

Vertrouwelijk. Camila: alsjeblieft! In de derde la van de kast vind je een rood kistje. Dat moet je op maandag de vierentwintigste, op de markt van Ocosingo, bij het eettentje van de Chato, om twaalf uur 's middags aan iemand overhandigen. Veel dank.

'Wat voor dag is het vandaag?' vroeg ik, helemaal in de war.

'Zondag.'

'Shit!'

Ik stopte het papiertje in mijn broekzak en voelde hoe mijn borstkas, waarin de lucht zo genereus was geweest om een paar minuten eerder weer door mijn bloed te gaan circuleren, zich opnieuw samentrok en mijn normale ademhaling belemmerde. Paulina keek naar mij alsof ze van niets wist en ook van niets wilde weten, stond kalm op van de bank waarop wij met z'n tweeën zaten en liep naar de keuken.

'Koffie?'

'Ja, graag, een kop koffie zal ons goed doen.'

Terwijl ik vanuit de keuken het geluid van de kraan hoorde en vervolgens het metalen geluid van de ketel, kwam een bepaalde gezichtsuitdrukking van Reina helder in mij op: soms werden haar ogen fel en hard, misschien wel zonder dat ze dat zelf wilde, alsof die blik hoorde bij een keurig bewaard register dat je ineens, zonder te waarschuwen en ongecontroleerd, overviel. Die blik, die spotte met mijn emotie toen ik het verhaal van Jean Jacques hoorde dat zij naar mij zou hebben gevraagd op haar ziekbed, had weinig te maken met affectie: Reina had mij nodig, dat was alles.

'Waarom ga jij niet?' vroeg ik Paulina scherp, terwijl ik even mijn gevoel voor discretie vergat, omdat ik er op dit moment zeker van was dat zij van dit alles deel uitmaakte.

'Het zou niet goed zijn als ik wegging uit San Cristóbal,' was haar heel eenvoudige antwoord.

'Waarom niet?'

'Dat moet ik niet doen.'

'Jij niet en ik wel? Waarom?'

'Niemand kent je in Ocosingo.'

Haar duidelijke antwoord bracht mij van mijn stuk en snoerde mij de mond.

Toen kreeg ik een vreemde ingeving: te midden van al haar medicijnen, pijn en extreme zwakte is Reina bezig het beeld van Dolores en mij samen te voegen, heeft zij ons samengesmolten tot éénzelfde persoon en dát is nu de persoon tot wie zij haar toevlucht neemt en die zij om hulp vraagt. Mag ik haar in een dergelijke situatie teleurstellen? In mij werd iets aangesproken, iets wat verder ging dan Reina, Chiapas en de Zapatista's, en dat iets – ondoorzichtig en vaag, daarover is geen twijfel mogelijk – verbood elk negatief antwoord.

4

Paulina Cancino weet niet, zoals vele anderen van haar lotgenoten, hoeveel jaar geleden zij werd geboren, ze berekent dat het zo'n zevenentwintig of achtentwintig jaar zou kunnen zijn. Maar wat ze wel weet is dat haar moeder haar navelstreng begroef onder de as in de haard, en op die manier haar lot op symbolische wijze bezegelde; niet voor niets werd de navelstreng van haar broer de berg op gedragen en begraven in de vrijheid van de pure natuur. Zij werd geboren in de wetenschap dat zij, in tegenstelling tot hem, nooit meesteres zou kunnen zijn van het land waarop zij werkte, dat zij nooit eigendomspapieren of leningen zou kunnen krijgen, dat zij niet hoefde te rekenen op een gezaghebbende baan en dat als haar misschien op een dag de tragedie zou overkomen verkracht te worden, dat de verkrachter dan haar heer en meester zou worden. Zij aanschouwde het levenslicht te midden van de bomen van het dichte Lacandonawoud en omgeven door de grootst mogelijke vochtigheid die maakt dat het minstens acht van de twaalf maanden van het jaar regent. Paulina leerde om blootsvoets in de modder, altijd in de modder te lopen, hetzij omdat het regende, hetzij omdat het de erfenis was van het water in de droge periode. Modder, afgevallen bladeren en moerassen vormen haar geboorteakte. Ook is niet zeker hoeveel broers ze heeft, ze gelooft dat het er negen zijn. Maar wel is ze zeker van de plaats die zij inneemt, de derde plaats, tussen allemaal vrouwen, en dat haar vader de komst vierde van de arbeidskracht die in het huis verscheen, toen nummer vier een man was.

Omdat hun grond werd onteigend, zag haar familie zich veertig jaar geleden genoodzaakt te emigreren naar het oerwoud; aanvankelijk woonden daar alleen mensen van de Lacandon-stam, mensen die nooit met de rest integreerden. Met de Ch'oles-indianen kwamen er ook Tzotzil- en Tzeltal-gemeenschappen, die onderling hevige sektarische conflicten uitvochten, ondanks hun gemeenschappelijke kenmerken en alles wat hen bond, zoals Maya-voorvaderen en het oerwoud op zich. Op den duur bracht de graad van marginalisatie waaraan allen zich onderworpen zagen, hen er toch toe onderling banden aan te knopen en te zoeken naar wat hen verbond. Hun grootouders, die hadden gewerkt op koffieplantages en slachtoffer waren geworden van enorme uitbuiting en vernedering, brachten op hun kinderen hun wonden over, zij werden tot elkaar gebracht door hun afkeer van de blanke man, de *caxlan*, en om die reden weigerden de ouders van Paulina voor hem te werken, hoewel het gevolg was dat ze honger leden. Zij verborgen zichzelf en hun cultuur in de bergen om te kunnen overleven, zij wilden niet dat hun afstammelingen werden geboren met gehoorzaamheid als een tweede natuur, die hun op de huid kleefde als een onuitwisbare tatoeage. De ouders van Paulina slaagden erin, met enorme moeite, een stukje grond vrij te maken, midden in het oerwoud. Daarop plantten ze maïs en sojabonen, die zij vervolgens verhandelden in nabijgelegen dorpen. Het ontbreken van wegen belemmerde de handel; vóór het jaar 1994 waren er zelfs nog geen wegen om bij de meest nabijgelegen stad te komen. Soms liepen haar ouders wel acht, dertien uur om aan een paar peso's te komen. Nu is het gebied tenminste ontsloten door de aanleg van toegangswegen, hoewel die niet zijn verhard. Dit droeg bij de bestrijding van de vernietigende schaarste, waaronder Paulina en haar broers en zusters leden.

In het huis van Paulina was de vloer van aarde en de muren van palen met leem ertussen. Vanboven en van opzij regende het in. Nooit had ze er een badkamer, noch een wc, noch water. Ze hoorde haar moeder om drie uur 's ochtends opstaan om tortilla's te maken en het eten te bereiden. Wanneer het licht was geworden, vertrok haar vader te paard. Haar moeder volgde hem te voet, en droeg de jongste van haar broers en zusters mee, de anderen werden toevertrouwd aan de zorg van de oudste meisjes, welke leeftijd ze ook hadden. Haar moeder deed 's nachts de was, want overdag had ze daar geen tijd voor. Paulina heeft haar nooit meer dan vier uur zien slapen. Haar vader rustte 's middags uit van het werk op het land, maar zij, die net als hij met schoffel en machete op de maïsakker had gewerkt, niet. Bovendien zorgde ze voor de kinderen, kookte, maakte tortilla's, repareerde de kleren en verzorgde het huis. Zij deed meer dan hij. Toch, wanneer hij veel had gedronken, kwam hij thuis en sloeg haar, soms vol geweld.

Paulina werd er van jongs af aan op voorbereid moeder te worden. Maar ook, vanaf haar geboorte, leerden ze haar naar de maïsakker te gaan, maïs te malen, hout te hakken, koffie te plukken, de baby te dragen. Paulina werkte van jongs af aan. Soms dreef de vermoeidheid van haar lichaampje haar ertoe ruzie te maken met andere kinderen, zich te isoleren, soms kreeg ze er nerveuze lachaanvallen door die haar zusters verontrustten, rillingen, gebrek aan eetlust. Vasten roept de wind op en maakt je licht, zegt ze er nu van. Maar soms gaf ze over, de honger deed haar overgeven. Nooit speelde ze met jongetjes, nooit voelde ze de onschuldige aanraking van de ene hand op de andere. Haar favoriete spel was over de weilanden zwerven.

Toen het vierde kind werd geboren en het een jongetje was, en de vader feestvierde, toen haalde de moeder opgelucht adem, ze was gered, want het land was de kern van hun bestaan en een vrouw heeft er geen recht op. Als zij weduwe werd of alleen bleef, had zij niet te eten.

Toen haar oudste zusje dertien jaar was, werd er een huwelijk voor haar gearrangeerd. Haar ouders zochten een man voor haar uit en die bracht hun cadeaus: maïs, bonen, wat stof en een paar oorbellen. Hij slaagde er niet in een koe te geven. De schoonvader van de buurman had gevraagd om een stuk vee en wat alcohol en zij hoorde haar buurmeisje zeggen: Mijn papa ruilde mij in voor werk. Maar haar zuster zei niets. Zij ging naar zíjn huis, om dingen te leren van haar schoonmoeder die haar en passant bijna alle huishoudelijke karweitjes liet opknappen, in openlijke uitbuiting. Paulina herinnert zich hoeveel medelijden zij met haar zusje had als zij op feesten niet mocht dansen, eerst omdat ze verloofd was, later omdat ze getrouwd was. Zijzelf mocht wel dansen, hoewel zij nooit haar partner mocht aanraken of naar hem mocht kijken, gewoon omdat hij een man was: het was verboden.

Haar zuster woonde drie jaar bij haar schoonouders in, maar werd niet zwanger. Toen richtte haar zwager een huis in dat los van dat van zijn ouders stond, om zijn toekomstige kinderen in te kunnen ontvangen, maar die kwamen niet. De tweede zuster ging bij hen wonen. Omdat in de gemeenschap diegene die een vrouw onderhoudt ook recht op haar heeft, werd het meisje binnen korte tijd zwanger en dit vervulde de man, wiens zekerheid daarvan afhing, met vreugde. Het wordt gezien als iets heel positiefs dat de man kinderen heeft, zegt Paulina nu. En voor de zusters is het een levensverzekering. Bovendien, als de eerste vrouw hem geen nakomelingen geeft, is het legitiem dat de tweede het doet, en op die manier leven de drie natuurlijkerwijs samen. Het zou gezien worden als een vorm van dementie als de oudste zuster was gaan scheiden. In haar gemeenschap bestaan haast geen scheidingen, de vrouwen kunnen nergens naartoe, het gebrek aan mobiliteit en de ernstige economische problemen binden de vrouwen voor altijd aan hun echtgenoten. De laatste keer dat Paulina haar zusters zag waren er al vijf kinderen in het huis. Als ze dertig zijn, zijn de inheemse vrouwen oude besjes die hun oude lichamen met zich meetorsen, zegt Paulina nu. Het gemiddelde aantal kinderen is zeven, maar sommigen van haar familieleden hebben er twaalf. De eerste keer dat haar zusters hoorden spreken van gezinsplanning, was met de komst van de Zapatista's. Maar de katholieke kerk herinnerde hen er eens temeer aan dat het een zonde was. Paulina vraagt zich af tot hoeveel kinderen ze tegenwoordig zouden gaan.

Toch was het dankzij de katholieke kerk dat haar wereld zich begon uit te breiden, het enige instituut dat haar gemeenschap niet wantrouwde. Er werd slecht gedacht over vrouwen die hun dorpen verlieten, zij werden ervan beschuldigd hun echtgenoot elders te gaan zoeken, daarom zocht Paulina contact met diegenen die op haar af kwamen: de catecheten. Ik ben katholiek, maar ik geloof niets, zegt Paulina nu. Ze deed mee aan diverse workshops, niet alleen leerde ze wat voor haar het belangrijkste was, lezen en schrijven, maar ook bestudeerde ze de geschiedenis van haar dorp vanaf de Conquista, ze leerde over haar ras en cultuur en voor het eerst was ze in staat onderscheid te maken tussen goed en kwaad in het leven van haar grootouders en ouders. Ook leerde ze over haar situatie als vrouw, de gevolgen van geweld en armoede, en ze leerde haar lichaam kennen. Ze onthield ideeën, om die later uit te werken en om samen met haar lotgenoten de Wet van de Zapatista-vrouwen te eisen, de eerste tekenen van vrouwenemancipatie die eeuwenlang zouden nagalmen tot diep in het oerwoud en die, zo stel ik mij voor, maakten dat in de graven de botten van haar voorouders over elkaar zouden buitelen (en een enorme revolutie veroorzaakten voor hen die geen Zapatista's waren maar wel op hun grondgebied woonden). Toen Paulina kennismaakte met de EZLN, kreeg zij het idee dat zij ten slotte als vrouw de lotsbestemming van haar ras zou kunnen ombuigen.

Dat wat in mijn hart is, waren haar woorden toen zij haar levensverhaal beëindigde, dat is wat Maya-vrouwen zeggen als ze een verhaal afsluiten.

5

Schuw en kieskeurig zette het licht de nacht aan tot haast, terwijl de
eerste schaduwen zich verspreidden op het tijdstip dat ik aankwam
bij het huis van Luciano. Paulina nam zozeer mijn gedachten in beslag toen ik naar de wijk Santo Domingo liep, dat ik geheel vergat
om op straat om mij heen te kijken, alsof de witte auto nooit had
bestaan, terwijl het toch pas gisteren was dat de aanwezigheid ervan mij uit elke andere werkelijkheid had geduwd. Ik moet wel een
heel onverantwoordelijk persoon zijn, bedacht ik: frivool en ver-
strooid. Wat zou Dolores vinden van het gebrek aan consistentie
van haar dochter die de revolutionaire uithangt, een manier van leven die zijzelf, toen het nodig was, zo goed heeft geleerd? Een over-
duidelijke waarheid kwam protesterend in mijn geest op en deelde,
als een telegrafist, een serie kleine tikjes uit: in mijn leven ontbrak
het aan verklaringen, terwijl naast mij andere vrouwen zich verhieven en mij influisterden: niets in jou is roemrijk of heldhaftig. Alsof
zij een moreel privilege hadden dat mij buitensloot.

Die middag was ik – tot mijn verbazing – iets te weten gekomen
wat mij op slag veranderde in iemand die zich makkelijk liet winnen voor zo'n gevoelige zaak: Paulina was een *enmontada* (berg-
guerrillera). Zij werd geteisterd door armoede, zei ze, en de militaire activiteiten waar indiaanse vrouwen aan konden meedoen,
waren gemakkelijker dan het huishoudelijke werk, als je dat al vanaf je vierde jaar verrichtte; bovendien, in de bergen had je ten minste te eten. Het Zapatista-betoog is niet hoogdravend, daarom voelen zoveel vrouwen zich erbij thuis. Er valt niets bij te winnen dan
pure waardigheid, waren haar woorden. Paulina vocht mee in de

opstand van de eerste januari 1994 en werd gewond in het gevecht in Ocosingo, bij de slachtpartij die plaatsvond op de markt van de stad. Paulina kan niet terug naar de bergen, want met haar gehavende been is ze daar nutteloos. Het eerste verhaal dat zij mij vele dagen geleden vertelde, was maar half waar: zij verliet haar dorp niet toen de paramilitairen het oerwoud binnentrokken, zij was al jaren eerder weggegaan, toen zij zich bij de rebellen voegde. En de ziekte waarvoor ze in het ziekenhuis van Ocosingo moest blijven, was de kogelwond in haar heup. Iemand moet haar in contact hebben gebracht met Reina, iemand die heel geïnteresseerd was in de geschiktheid van beide vrouwen als contactpersonen voor de guerrillastrijders. Misschien is de boekhandel maar een façade, misschien is Reina wel de ondergeschikte van Paulina en niet omgekeerd. Dit is een goede guerrilla, zei ze, ik weet dat er ook slechte guerrilla's bestaan; wij strijden voor de rechten van de allerarmsten, rechten die wij vijfhonderd jaar lang hebben opgebouwd, maar wij hebben nog geen schot gelost.

('Jullie hebben het steeds over de oorlog, jullie hebben er de mond van vol. Als jullie in zes jaar nog geen schot hebben gelost, over welke oorlog hebben jullie het dan?'

'Over de oorlog van de honger,' antwoordde Paulina, en toen hield ik verder mijn mond.)

Zij liet bovendien een geliefde achter onder de rebellen, een relatie die tot op de dag van vandaag duurt. Reina ook? (*Weet je wel wie haar naait?*)

Ik wilde niet weten wat er in de rode doos van hard karton zat die ik uit het derde laatje van de kast haalde, en die hermetisch was afgesloten met plakband. Het doosje was niet groter dan twintig bij twintig centimeter en had een gemiddeld gewicht, wat erop duidde dat er meer in zat dan geldbiljetten en minder dan een wapen of een metalen voorwerp. Het leek mij misplaatst om mij te vragen ergens een pakketje af te leveren zonder dat ik de inhoud ervan kende, ik had het gevoel dat ik het recht had te weten wat ik aan het doen was. Maar Paulina, ook al was ze heel open toen ze het over zichzelf had, was dat niet toen het over Reina en het hier en nu ging: zij hield zich verre van elke verklaring.

Vanaf een afstand trekt Dolores aan mij!

In de Maderostraat werd een Italiaans restaurant gevestigd, La Trattoria, waar Luciano vaste klant is geworden omdat de baas ervan een landgenoot van hem is en het eten honderd procent authentiek is. Het goede van deze plek is dat het elk mogelijk gevoel van nostalgie van mij wegneemt, had hij vrolijk tegen mij gezegd, en daarom ging ik graag met hem mee om daar te eten.

Terwijl de pasta voor ons werd bereid en wij de wijn van het huis dronken, wilde ik over Paulina praten, er was geen excuus voor de uren die zij te laat was gekomen om de poezen te voeren. Ik had met hem over het onderwerp 'autonomie' willen praten, wat de Zapatista's wilden voor hun dorpen, en de twijfels die ik daarover had. Zou dat niet ruimte bieden om van alles en nog wat toe te laten? Het machismo, bijvoorbeeld. Zou dat niet makkelijk kunnen worden doorgegeven in een autonoom dorp en zo het bestaan ervan kunnen versterken? Wie zich meester maakt van die ruimte, zou die misschien niet machtsstructuren kunnen reproduceren en die tot in het oneindige herhalen? Maar ik praatte alleen over het verhaal van Paulina, dat Luciano al kende. Om de een of andere reden kon ik alleen met hem, en alleen met hem erbij, mijzelf vragen stellen over wat het begrip verlangen, het begrip behagen betekent voor een inheemse vrouw.

'De Ch'ol-mythologie, en ik denk ook wel de overige mythologieën, die allemaal dochters zijn van de Maya-cultuur, kent geen levenslustige goden, zoals onze Griekse of Romeinse voorouders kenden. Daarom is het heel begrijpelijk dat het leed al sinds onheuglijke tijden bij hen zijn plaats heeft gekregen. Hoe moeten ze het leed te boven komen als er in hun beeldenwereld niet een Apollo of een Afrodite zit die hun de weg toont naar het behagen, en die het idee ervan legitimeert?'

Paulina legde mij uit dat het ritme van haar dorp samenhangt met de oogst, met leven en leven reproduceren. De activiteiten worden bepaald door het vallen van de regen, het schijnen van de zon, het groeien van de maïs, het opkomen van de vruchten van het land aan het eind van het seizoen, daarmee identificeren ze zich, altijd binnen het enge begrip van het overleven, nooit gaan ze verder. Nooit het genot om het genot. Wist je, Luciano, dat Paulina pas te weten kwam dat er maandverband en condooms bestonden toen de Zapatista's in hun dorpen kwamen?

'Dat verbaast mij niet. Als ze trouwen, *ligt hun lot in handen van de man*. Wat voor ruimte is er dan nog om als vrouw te behagen?'

'Alsof het een luxe is…'

'Ja,' antwoordde Luciano, 'alsof het een luxe is.'

Hij keek mij aan door zijn half geloken oogleden, alsof hij mij niet echt wilde aankijken, maar ik begreep dat zijn stemming zonder enige overgang was omgeslagen. Over de tafel heen strekte hij zijn hand naar mij uit en raakte de mijne aan, hij raakte mij aan alsof hij er een bepaalde bedoeling mee had, alsof het een poging was.

Gustavo.

De noodzaak om te verifiëren of zijn lichaam nog steeds zijn lichaam is. Of het mijne, droog en verschroeid, nog van hem is. Zijn verlangen als een verloren schildwacht, verstrikt in mijn eigen sporen. Zijn woorden, stilzwijgend als de maan.

'Mijn vrouw van vuur,' zei Luciano, zonder nadruk, zomaar, luchtig.

'Van vuur? Wat bedoel je?'

'Vrouw met rood haar. Ik heb het alleen maar over je rode haar.'

(Het gebeurt soms in een huwelijk dat woorden slijten, dat ze, doordat ze steeds worden herhaald, leeg raken, dat ze geleidelijk hun betekenis verliezen. Het heeft geen zin ze opnieuw te gebruiken, de betekenis ervan geeft niet meer aan wat ze, semantisch gezien, zouden moeten zeggen. Het echtpaar kan zo ongewild een instantie zijn die bijdraagt aan taalverlies.)

'Je bent een groot schilder,' zei ik tegen hem toen we nog thuis waren en ik zijn olieverfschilderijen bekeek.

'Nu weet ík dat, maar morgen weet misschien de hele wereld het.'

'Vind je de wereld echt belangrijk?'

'Op een dag vroeg ik aan Jacques wat voor plaats de toekomst in zijn leven had en zijn simpele antwoord was: Geen grote plaats. Dat bracht mij op de gedachte dat geen van ons ergens vandaan komt en dat het ons ook niet bovenmatig interesseert waar we naartoe gaan. Ik denk dat dat de essentie van vrede is. En van vrijheid, als je me toestaat.'

'Ik zou willen dat ik je visie kon delen,' zei ik tegen hem met enige bezorgdheid.

'Waarom zeg je dat? Zou jij ook voor een goede zaak willen strijden?'

'Nee, ik heb alleen de behoefte mijn leven zin te geven. Mijn leven had zin, Luciano, geloof me. Een jaar geleden zou ik zo niet hebben gepraat. Nu, nu het zijn zin voor mij heeft verloren, ligt de leegte op de loer, alsof die mij op elke straathoek kan bespringen.'

'Wat was die zin?'

'Een leven dat verder ging dan het mijne.'

Zijn donkere ogen begonnen fel te glanzen en vertelden mij dat ik op het punt stond mijn ontboezemingen met mooie woorden te omzeilen, maar dat dat overbodig was, dat verdriet beleefd moest worden in de meest absolute eenzaamheid. Hij ontzegde mij categorisch het recht te praten over mijn kind, en als ik niet bereid was dit te accepteren, moest ik maar door de zijdeur vertrekken en zelf de weg langzaam weer aflopen om te komen tot de kern van de zin van mijn bestaan. Vervolgens zou ik datgene wat ik al had verzwegen, moeten blijven verzwijgen, de diepe levensvragen zouden tot het einde toe alleen van mij zijn en van niemand anders.

'En nu voel je je als een mens zonder stamboom...'

'Ja, misschien wel.'

'Zo voelen wij ons allen, Camila. Dat is net zo gewoon als elke ochtend weer ademhalen.'

'Je zult wel gelijk hebben. Oké, ga maar door met werken. Ik ga naar bed.'

'Ben je er zeker van dat je dat alleen wilt doen?'

Hij had zijn gevoel voor humor alweer hervonden.

'Nee, ik ben er niet zeker van, maar ik doe het gewoon,' antwoordde ik met een glimlach die even uitdagend was als de zijne, hoewel alleen ik wist hoe waar mijn woorden waren.

'Het doet er niet toe, wij hebben alle tijd van de wereld.'

Toen ik de tederheid hoorde waarmee hij dit tegen mij zei, bedacht ik dat het voor mijn weinig fantasievolle begrip moeilijk was de stemmingswisselingen van deze man te volgen. Wat zeker was, was dat ik hem geloofde: we hadden alle tijd van de wereld.

'Camila!' riep hij mij, 'voor je weggaat… ik ben vergeten je een cadeau te geven.'

Ik was al op weg naar de gang om naar de slaapkamer te gaan, maar vol verlangen liep ik weer terug. Een cadeau? Het was langgeleden dat iemand mij met zoiets had verwend. Luciano kwam op mij af met een in witzijden papier gewikkeld pakje.

'Maak het eens open,' droeg hij me op.

Erin vond ik een gravure, gemaakt op een dunne houten plaat, met een lichtgroene ondergrond en daarop dansten enkele zwarte doodshoofden. Het was een schitterende houtgravure, een lust voor het oog.

'Het zijn afbeeldingen van de Dood, geschilderd door een Maya-indiaan uit het oerwoud, een Lacandón-schilder,' deelde hij mij mee. 'Alleen in dit land kan een dergelijke voorstelling vrolijk zijn. Laten we eens zien, Camila, of die afbeeldingen van de Dood jou kunnen brengen tot een ommekeer in je levensbeschouwing.'

Ontroerd bedankte ik hem.

Het enige wat ik in San Cristóbal heb gekocht is een tijgertje van keramiek, vertelde ik hem, snel pratend, gekocht op de markt hiertegenover, en het kostte mij nog geen dollar. Dat was alles wat ik tot nu toe had gekocht om als souvenir mee naar huis te nemen.

'Een tijger? Mooi handwerk, daar moet je niet te min over denken. De keramiek van hier… het is prachtig om te zien hoe ze in klei kunnen liegen.'

'Maar dit is mijn kostbaarste bezit,' antwoordde ik, en wees op de gravure. 'Ik zal er een smalle lijst omheen doen van licht hout… als ik weer in Washington ben.'

We bleven ernaar staan kijken. Hij glimlachte nauwelijks. Wat verbijsterend was het te moeten constateren hoe mijn gevoelens tot ijs waren geworden. Waarom sloeg ik mijn armen niet om zijn hals? Noch mijn verlangen, noch mijn tederheid bracht mij hiertoe, die waren al verstikt voor ze vorm hadden gekregen, doodsbang om in vervoering te raken. Ik kon hem alleen maar goedenacht wensen.

Zo ging ik alleen naar mijn kamer en urenlang was er muziek in de huiskamer – jazz – het enige waardoor ik wist dat de schilder wakker was. Ik vond in mijn nachtkastje de roman van Doris Lessing – Ninoska had ervoor gezorgd dat Luciano hem voor mij haalde, ik deed er alles aan om mij te verdiepen in andere levens, maar het lukte niet. Ik woelde in mijn bed met het licht uit, overspoeld door emoties en tegenstrijdige onrustgevoelens, van de telefoontjes in het hotel, waar ik nu ten slotte van verlost was, tot de markt in Ocosingo, de verdwenen radio en de handen van Luciano, al die emoties vlogen rond in een verwarrende werveling en dreigden mijn bange lichaam in hun greep te krijgen. Alle mensen praatten tegen mij, hun stemmen klonken door elkaar heen en spraken elkaar tegen zonder enig medelijden met mij te hebben. Reina zei tegen mij: Is overvloed niet te prefereren boven schaarste? Het enige wat dit stukje wereld kent is gebrek: aan brood, aan rust, aan rechtvaardigheid, aan veiligheid. Aan bescherming, aan warmte. Wil je dat ik doorga met mijn opsomming? Nee, Reina, zeg niets meer. Vervolgens kwam de stem van Paulina ertussendoor: In de Mayacultuur is het hart het middelpunt van alles. Ik heb geleerd over mijn leed te praten om mijn hart vrij te maken, want het is erg beschadigd. De vrouwen van mijn volk hebben altijd hoofdpijn, dat komt door het verdriet, dat is de oorzaak. Ja, Paulina, dat ken ik ook. Toen kwam Dolores: Als hier in Chili iets heel onfatsoenlijk is, wordt het gezien als *modern*. Dat zijn de mensen met de dubbele moraal. Heb je er weleens aan gedacht, Camila, dat dat mogelijk zou kunnen zijn? Alles wat betrekking heeft op het denken is verouderd. Als iemand een nadenkende trant van spreken heeft, dan wordt hij bestempeld als nostalgisch; als iemand inhoudelijk iets te vertellen heeft, dan wordt hij gezien als ouderwets. De woorden hebben hun betekenis verloren, de categorieën lopen door elkaar.

Nee, Dolores, ik had er niet aan gedacht. Paulina, Reina, Dolores, elk van hen met haar oorlogstrauma's en ik, onbeschadigd. (Onbeschadigd? Laat mijn kind antwoord geven.) Ten slotte slaagde ik erin de andere stemmen te doen verstommen en me alleen te richten op de stem van Luciano, zijn woorden, met zoveel zachtheid over het tafeltje heen gezegd in La Trattoria: Je lichaam, Camila, is een veld vol mijnen, waarvoor je de handigheid moet hebben om eroverheen te lopen met een zeldzame mengeling van toeval en precisie.

Als iemand haar hele leven lang een gereserveerde, preutse vrouw is geweest die serieus probeerde deze monotonie te larderen met trouw, wordt het heel moeilijk het seksuele verlangen te herkennen. Dit verlangen ontsnapt, vlucht schuw van tak naar tak, komt alleen maar aan de oppervlakte om daarna weer diep weg te duiken en die afschrikwekkende gevoelens te verbergen, en laat ze vanbinnen bestaan zonder er iets mee te doen, laat ze onvoorspelbaar.

Wat selectief en beschermend blijkt intimiteit te zijn!

Ik, die er gewoonlijk enigszins sceptisch tegenover stond, begrijp dat het iets verbazingwekkends is. Gustavo. Ik herinner mij dat deze man, voor wie ik een nieuwe, zwarte beha had aangedaan om zijn libido te prikkelen, dezelfde is die in momenten van ziekte de zorg voor mijn lichaam op zich neemt, getuige is van het gebrek aan decorum ervan, het tot zich neemt, verzorgt, het zich, in al zijn lelijkheid, eigen maakt om mij te laten genezen, om het voor mij te beschermen. Een lichaam zonder enige aantrekkelijkheid, dat niets te bieden heeft. Maar hetzelfde lichaam is ook dit. Een lichaam dat er olijfkleurig uitziet, badend in het zweet, uitgeblust, dat zijn charme en frisheid heeft verloren, rust nu in dit andere lichaam dat de vorige dag nog in vuur en vlam stond, dat een bron van erotiek was. Ik vind goed dat hij het als enige ziet en er zijn goedkeuring aan hecht. Net zoals wanneer het tot een orgasme komt, hij degene is die ervan geniet. Of, die ervan genoot. Dat is intimiteit. Het lelijkste en het mooiste: het laagste en het hoogste. Dat alles vindt plaats ten overstaan van dezelfde mens en deze vangt het op, zonder dat het negatief van hetzelfde plaatje hem afzondert, hem verwijdert, hem wegdrijft.

De enige getuige van mijn geestelijke onrust in die nieuwe kamer was de toekan met zijn schitterende kleuren, die arrogant, vanaf zijn balk onder het dak, over mij de wacht hield, hoogmoedig, alsof hij de verleiding weerstond mij de ogen uit te pikken. En op het tafeltje dat leek te komen van de veiling van een openbare school, mijn prent met doodskoppen, wachtend op het ochtendlicht om weer te schitteren.

Luciano bleef de hele nacht schilderen. Geen enkele keer kwam hij naar mijn kamer. Het viel mij erg moeilijk om het onbenoembare toch onder ogen te zien: dat ik de hele nacht geen oog had dichtgedaan omdat ik wachtte, wachtte op zijn voetstappen.

Maandag

1

Toen er geleidelijk aan een metamorfose van de vegetatie zichtbaar werd en de pijnbomen plaatsmaakten voor platanen en er palmen verschenen die de lucht vochtig maakten, begreep ik dat het oerwoud niet ver weg meer kon zijn en ik onverbiddelijk het einde van mijn rol in dit scenario naderde. Duizend hobbels lagen er op de weg en van elk ervan moest ik de schokken verdragen door de bokkensprongen die het busje maakte en die mij nog meer tegen mijn buren aandrukten in die beperkte, benauwde ruimte. Eigenlijk was het voertuig, waarvan de naam *Lam Gods* trots op de voorruit prijkte, bestemd voor zes, hooguit zeven passagiers, maar wij reisden met z'n tienen. Ik had liever de auto van Jean Jacques willen lenen, maar dan zou ik uitleg hebben moeten geven waartoe ik mij niet gemachtigd voelde: het woord *Vertrouwelijk* stond boven aan het briefje van Reina, en daar moest ik mij aan houden. Nu en dan kon ik door de schitterende natuur, het samenspel van heuvels, velden en groen, het ongemak en de beklemming in het busje vergeten. Door de dichte vegetatie die van minuut tot minuut dichter werd, viel op het landschap een speciale lichtval, alsof het met elke meter donkerder werd. Ik zou graag even zijn uitgestapt om diep adem te halen en te horen wat voor geluiden de vogels maakten, hoe ze communiceerden met de andere duizenden dieren van de rijke fauna die de poort van het oerwoud bewoonden. Je hoefde maar om je heen te kijken om de enorme rijkdom te zien die dit verlaten stukje planeet heeft aan biologische diversiteit, aan water, aan belangrijke mineralen. De onvoorwaardelijke steun van vele buitenlanders aan de zaak van de Zapatista's houdt verband met het milieu: zij hechten groot belang aan de zorg voor het evenwicht op aarde en zij zijn de enige rebellen die dat doen. Voor de Maya's vormt het Lacandonische oerwoud de longen van moeder aarde en alleen in hun handen zou de zorg ervan gewaarborgd zijn. Er zijn vele multinationals die deze grond exploiteren, zoals ze dat ook deden met de koffie in het begin van de twintigste eeuw. Ik kijk naar de mensen om mij heen die allemaal zijn gestrand in sjofele armoede en ik vraag mij met een zekere verontwaardiging af hoe het mogelijk is dat in een gebied zo rijk als dit, dat meer dan de helft van de Mexicaanse energie levert en een grote hoeveelheid koffie en maïs, het overgrote deel van de bevolking niet kan lezen en geen licht of water heeft. Het is niet nodig om revolutionair te zijn om zich te verzetten tegen zo'n abjecte werkelijkheid.

(Of moet ik mij afvragen of niet het menselijk kapitaal de ultieme rijkdom van welke plek op aarde ook is, en dus of het basisprobleem niet het ontwikkelingsniveau van de bewoners is, hun gebrek aan opleiding, hun demografische explosie, de broosheid van hun interne structuren – die het hart van Chiapas en haar inheemse dorpen doorsnijden – waar het aan schort? Moet ik denken aan de enorme subsidies die dit gebied ontvangt? Wat zou ik op momenten als deze graag willen dat ik een briljant econoom was en antwoorden ingegeven zou krijgen, dat iemand mij zou influisteren hoe je deze barbaarse cirkel van armoede zou kunnen doorbreken.)

Terwijl de weg honderd-en-een bochten maakte, praatten mijn medereizigers met elkaar in een taal die ik niet ken, die ik niet kan verstaan. (Ik houd mij bezig met gesproken culturen, niet met symbolische.) In de groep reisde maar één vrouw mee die een baby droeg in haar poncho, zoals gebruikelijk is in deze gebieden waar vrouwen en kinderen zozeer samensmelten dat je de eigen lichamen van beiden niet kunt onderscheiden; gezegend die vrouw die een baby met zich meedraagt, gezegend de baby die ademhaalt zonder dat zijn hart het begeeft. Op een gegeven ogenblik boog zij zich voorover om iets te zoeken in een van de tassen die zij tussen haar voeten had neergezet, en het kind, dat niet meer prettig zat, begon te huilen. Ik bood aan haar te helpen, om het kind of de tassen van haar over te nemen, maar zij keek mij aan zonder mij te begrijpen, en sloeg onmiddellijk een hand voor haar mond. Paulina doet hetzelfde, gisteren vroeg ik haar waartoe dat gebaar diende, of het was om haar tanden te beschermen. Nee, het is vanwege de schande van het Castillaans spreken – het Spaans – en zij vertelt mij dat het begrip schande alle gebieden van het leven van de inheemse vrouwen beheerst, zij ervaren schande voor alles en iedereen. En hoewel Paulina tweetalig is omdat ze het Castillaans van de catecheten leerde en haar kennis later verdiepte bij de rebellen, voelt zij zich nog steeds onzeker als zij een andere taal dan het Ch'ol spreekt. Denkend aan haar voorouders probeerde ik mij in te denken hoe groot hun verwarring moet zijn geweest toen de Spanjaarden kwamen met hun eigen taal die doordrenkt was van hofgewoontes waarin werd gezegd wat je niet voelde; wat een indiaan in zijn eigen taal nooit zou doen. Ik veronderstel dat toen gelijk met de rassenvermenging de etiquette is ontstaan die zich door de tijd heen heeft gehandhaafd als zijnde Mexicaans erfgoed.

Naarmate in het landschap al het groen onder de hemel glooide, te voorschijn kwam, zich terugtrok en weer te voorschijn kwam, zich liet zien op knoestige bomen maar aan de aangevreten bomen voorbijging, vorderde het busje langs talloze bochten en door het raampje kon ik dorpjes of gehuchten zien; deze spreidden hun armoede en hun tekorten tentoon, kortom, ik mocht wel zeggen dat de eenentwintigste eeuw hier nog niet was begonnen.

Maar daar concentreerde ik mij niet op, want iets trok aan mij, dwong mij om te keren, terug te gaan, terug te keren tot welke periode in mijn verleden dan ook, zodat ik niet hoefde te kijken naar de toekomst die mij te wachten stond, terug naar recente, pas voorbije verledens, zodat ik niet op de dingen vooruit hoefde te lopen, het was alsof ik geheel verdiept was in een van mijn vertalingen en alsof elke nieuwe pagina mij zo'n groot wantrouwen inboezemde dat ik liever de voorgaande tekst wilde corrigeren dan verdergaan, alsof ik zo het feit niet onder ogen hoefde te zien dat ik op weg was naar Ocosingo met een twijfelachtig pakje in mijn tas dat ik op de markt om twaalf uur moest overhandigen aan iemand die ik niet kende; ik keek terug zoals je doet als je iets hebt geschreven, je werkt achteruit, je corrigeert, je leest opnieuw; ik maakte pas op de plaats en het lukte mij niet door te gaan naar de volgende bladzijde. Door de verstikkende hitte die mij omgaf werd ik slaperig, waarom zou ik anders wakker blijven dan om te voorkomen dat de witte bladzijden vol zouden raken? Daarop concentreerde ik het beetje energie dat ik nog had na een bijna geheel doorwaakte nacht en een ochtend vol angst, op deze maandag aan het eind van januari, in het begin van de nieuwe eeuw.

En toen, inderdaad, keerde ik terug naar het verleden.

Ik haalde in gedachten het beeld op van Reina, zoals zij gisteren in haar huis met mij sprak over de slachtoffers, de lusteloze vrouwen die dag na dag pas op de plaats maken. Ik vraag mij af wat voor slapende spoken het nietsdoen in haar wakker maakt. We waren die middag de katten aan het voeren en ondertussen vertelde zij mij het volgende verhaaltje.

Ten tijde van de dictatuur in Chili arresteerden de militairen haar en verbanden haar naar een gehucht op het platteland, op anderhalf uur afstand van Santiago. De politiepost was op verscheidene kilometers afstand van die plek en er was geen hotel, familiehotel of pension in de buurt, er was alleen nog maar een kapelletje, opgetrokken uit een paar armzalige planken, dat op instorten stond. Zij vermoedde dat de oorzaak van de vijandigheid van de politie voor een deel was dat ze geen plek hadden om iemand onder te brengen. Reina ging naar de kruidenierswinkel, de enige die er min of meer florerend uitzag, en praatte met de eigenaar, waarbij ze hem haar situatie openlijk uiteenzette. De enige oplossing die de winkelier voor een dergelijk probleem zag was in te trekken in het huis van een dame die ergens in de omgeving alleen woonde, een familielid van een vroegere grootgrondbezitter die, van drama naar drama, alleen nog maar haar huis had overgehouden. Ze is een beetje gek, als u begrijpt wat ik bedoel, zei hij tegen haar.

Er zat voor Reina niets anders op dan daarnaartoe te gaan.

Na een half uur lang door de modder van de Chileense winter ge-

166

lopen te hebben, stuitte ze op een plek die haar met verbijstering sloeg. Zelfs in de somberste kinderverhalen kwamen geen beelden voor van zoveel verval: overal op het braakliggende land groeide onkruid en dat bedekte alles, met enige fantasie kon je je voorstellen dat er hier ooit een tuin was geweest waarvan nu alleen nog maar varens over waren, verpieterde klimplanten en veel troosteloos struikgewas. Het huis had twee verdiepingen en was gemaakt van een soort hout dat in de loop van de tijd grijs was geworden en dat schreeuwde om een likje verf. Voor de vensters van de bovenste verdieping waren wat planken getimmerd en de toegangsdeur werd beschermd door een hor die zo kapot was dat je je kon afvragen of die nog enig nut had. Er was geen deurbel of bel met klepel, er was niets om aan te bellen, en daarom ging Reina gewoon naar binnen. Van het grote, oude herenhuis dat ooit een heel gezin had gehuisvest in alle beschikbare ruimte, was nog maar één enkel vertrek in gebruik, en alle overige vertrekken waren definitief afgesloten. In dat ene vertrek bevond zich de keuken met een gasstel met slechts twee pitten dat was aangesloten op een gasfles, alles heel erg in het zicht, en op de vloer een plastic wasbak die op gezette tijden ook dienstdeed als afwasbak; in de slaapkamer stond in een hoek een smal bed met veel dekens erop, ruwe, oude dekens. Maar wat het meest verbaasde was het aantal katten dat in de kamer rondliep. Reina zei dat het haar nooit gelukt was ze te tellen, maar dat het er een stuk of twintig moesten zijn. De stank was onverdraaglijk, de kattenbak met zand in de keuken van Reina zou hier een buitengewone luxe zijn geweest. De televisie midden in de kamer stond aan en het geluid ervan kon je onmogelijk zacht noemen. Later hoorde ze dat deze nooit uitging, hoe laat het ook was. Ze zag een vrouw met heel wit haar, gekleed in talrijke, donkere kleren, het ene vest over het andere en met rokken die tot op de grond reikten. Ondanks haar omgeving kon ik in de gelaatstrekken van de oude vrouw een zekere vroegere elegantie onderscheiden, alsof haar teint en de bouw van haar botten haar verraadden.

'Ben je journalist?' was alles wat ze ter verwelkoming zei.

Reina voelde zich verplicht eens temeer haar situatie uiteen te zetten, maar de oude vrouw toonde zich totaal niet verbaasd.

'Wil je hier slapen? Kun je betalen? Praat maar met Barbara, die is in de werkplaats, hierachter.'

Reina kon bijna niet geloven wat ze had ontdekt. Het duurde vele minuten voor ze ervan overtuigd raakte dat het geen vergissing was en dat zij inderdaad te midden van dit verval Amaya Zambrano had aangetroffen.

Het was de tijd die alles kapotmaakte, tijd en nog eens tijd.

Amaya Zambrano was een groot schilderes, Reina had een werkstuk over haar gemaakt in haar laatste schooljaar, ze kende haar werk. Ze was getrouwd met de belangrijkste schilder van haar generatie en in de jaren veertig en vijftig waren ze het toonaangevende stel van de beeldende kunst geweest. Ze waren voorbestemd om een volmaakte levensweg af te leggen: ze hadden talent, klasse, schoonheid in hun jeugd, geld en aanzien op hun oude dag. Maar zo niet Amaya. Toen haar man hun land vertegenwoordigde als ambassadeur in Rome en zij samen stralend opgingen in het bohémienleven van die jaren, werd hij verliefd op een andere vrouw, de echtgenote van de Argentijnse consul. De kleine Barbara was het oogappeltje van de schilders en was de vergulde afspiegeling van haar moeder, maar alles liep mis en zij werden de ambassade uitgezet. Toen er een regeringswisseling kwam en het heel duur werd voor de ex-echtgenoot om hen te onderhouden, moesten ze geruïneerd naar hun land terug. De grote schilder keerde nooit meer terug, werd steeds beroemder en populairder in den vreemde, terwijl verbittering en wrok de motor werd die Amaya en haar dochter voortdreef. Tot haar verdriet gaf Chili haar niet de erkenning die ze verdiende, ging alle lof naar haar echtgenoot en gaf de staat haar niet het minimum dat ze nodig had om door te kunnen gaan met schilderen. Onnodig te zeggen dat in Chili zulke dingen niet gebeurden, noch gebeuren, zodat Amaya Zambrano langzaam maar zeker steeds meer geldproblemen kreeg. Niemand kwam op het idee dat Barbara, die nu in de veertig was, werk had kunnen zoeken, nee. Ze leefde in de schaduw van haar moeder, hield zich bezig met het verkopen van haar schilderijen en af en toe ook een van haar vader, waarvoor ze meer geld kreeg. De dag dat Amaya openlijk verklaarde dat ze geen geld meer had, gaf haar neef, die een paar jaar later zou overlijden, haar dit huis om in te wonen, maar tegenwoordig heeft ze drie neven die proberen haar eruit te werken, het landgoed op te knappen en te verkopen. De grote schilder zwoer de pers dat hij al deze jaren geld had gestuurd aan zijn vrouw en hun dochter, maar niemand kan dat bewijzen. Ik had nauwelijks genoeg geld om de katten te voeren, was de lezing van Amaya. Barbara blijft de werkplaats doorzoeken – de vroegere stal van het huis, toen die nog onderdeel was van een landgoed – op zoek naar oorspronkelijk werk van haar moeder, of bij gebrek daaraan, naar een namaak dat zijzelf heeft gemaakt.

Reina concludeerde dat de opmerkelijkste eigenschap van Amaya haar lusteloosheid was. Op een dag vroeg ze haar of lusteloosheid en depressie uiteindelijk niet hetzelfde waren. Nee, antwoordde Amaya met haar hese stem, het verschil zit erin dat bij de laatste de wil verdwijnt.

Op een andere dag vroeg zij haar waarom ze zoveel katten had. Iemand moet mij aanraken of likken, op deze leeftijd doet niemand dat meer.

Zo bracht Reina de twee maanden van haar verbanning door, slapend in de stal-werkplaats bereidde ze Barbara voor op de dag dat haar moeder zou sterven (wat jammer, ze las nooit *De tweede sekse*) en voerde de katten, wat zij zag als haar belangrijkste taak.

Ze verzekert dat zij de gevoelens die Amaya Zambrano in haar zaaide, of ze nu langzaam of plotseling opkomen, niet vergeet. En zeker niet de lusteloosheid.

Ik kom weer terug in het heden, ik herinner mij dat ik Camila ben, en niet Reina, en dat ik onderweg ben naar Ocosingo. De epiloog van het verhaal doet mij nu glimlachen: 'Je gaat me niet vertellen dat jouw katten dezelfde functie hebben als die van Amaya!' merkte ik op toen zij haar verhaal beëindigde. Ten antwoord begon ze hard te lachen.

(*Weet je wel wie haar naait?*)

2

In tegenstelling tot San Cristóbal de las Casas wekte Ocosingo de indruk een geheel van slecht geordende bouwwerken en straten te zijn, een saai aangelegde stad op heuvelachtige grond, met glooiende wegen en ongelijke straten. Elk spoor van schoonheid was afwezig. Het feit dat er niets moois was waarop je je ogen kon richten dwong mij na te denken over de snelheid waarmee iemand gewend raakt aan schoonheid, haar als gegeven aanneemt, alsof San Cristóbal niet een uitzonderlijk cadeau zou zijn maar regel. Het was een makkelijke opdracht om naar de markt te gaan, dat zou het ook zijn geweest voor iemand die totaal geen richtinggevoel had en als het ook nog snel moest gebeuren, omdat niets in het centrum je kon afleiden of je tijd kon doen verliezen, ook niet het centrale plein, dat in Mexicaanse dorpen, zelfs in de heel kleine, verscholen dorpjes, vaak een heel eigen karakter heeft. De hele stad leek ontkleurd, alsof men opdracht had gegeven alle kleur te verwijderen, en tegelijk daarmee het koloniale van de gebouwen en het frisse van de lucht waar ik in San Cristóbal al aan gewend was geraakt – op die hoogte is die altijd verfrissend, alsof de stad altijd een permanent briesje behoudt. Ik trok mijn trui uit en maakte hem vast aan mijn ceintuur, hier moet de hitte serieus worden genomen. Toen ik de grauwe, matte, treurige sfeer van de stad opmerkte, miste ik elk spoor van de Spaanse veroveraars en zonder dat ik de geschiedenis hoefde te kennen, vermoedde ik dat, toen zij ooit deze grond hadden betreden, ze deze verder links hadden laten liggen. Ocosingo betekent 'plek van de donkere man' (later zou ik mij dat herhaaldelijk herinneren). Ik definieerde de plek als een waar Gustavo plotseling zou verdwalen, wat hetzelfde was als zeggen dat de stad klein, lelijk en armoedig was. (In het dorp San Juan Chamula kwam ik een paar dagen geleden een jongetje tegen dat zich voor een paar peso als gids aanbood; toen ik met hem praatte en op de kaart keek, wees hij met zijn donkere vingertje deze stad aan en zei: 'Hier wonen de mensen van Marcos'. Luciano en ik lachten. En nu ben ik zelf hier.) Alleen een begrafenisstoet die ik de kerk zag uitkomen trok mijn aandacht, ik moet niet zo dichtbij komen dat het verdriet me overvalt, zei ik tegen mijzelf want, en dat is geen grapje, toen ik achttien was huilde ik al op alle begrafenissen, ook al kende ik de overledene niet, en daarom vervolgde ik haastig mijn weg. Ik keek op mijn horloge: het was vijf over half twaalf. Bravo, Camila, tot nu toe gaat alles goed. Ik moet erbij zeggen, op gevaar af dat ik in herhaling verval, hoezeer het doosje dat ik in mijn tas verstopt bij me droeg, me obsessief bezighield en hoe groot mijn verlangen was om mij er zo snel mogelijk van te ontdoen. Onderweg betastte ik het duizend-en-een keer om mij ervan te vergewissen dat het er nog steeds was, bang als ik was dat het een eigen leven zou gaan leiden, dat het aan mijn wakend oog zou ontsnappen.

Om tussen de eettentjes dat tentje te ontdekken dat 'Chato' heette, bleek wat moeilijker te zijn dan ik had gedacht, omdat de markt zo groot was en er zoveel eettentjes waren! Terwijl ik mijn best deed om elke naam te lezen voelde ik mij bekeken, ik moet zeggen dat mijn lengte en mijn haarkleur er ook niet direct toe bijdroegen om daar onopgemerkt rond te lopen, ook al omdat alle mensen om mij heen indianen waren, iedereen behalve ik. Terwijl ik over de markt liep raakte ik van streek door het beeld van Paulina die in dat wrede gevecht gewond was geraakt, maar het plein lag er nu zo vreedzaam en onschuldig bij, het was alsof het een onechte ruimte was, bijna een leugen. Nadat ik langs alle mogelijke eethuisjes was gelopen, kreeg ik ten slotte de op een na laatste van een lange rij in het oog, el Chato. Mijn knieën knikten een beetje, ik was er. Binnen zag ik twee mannen van de bediening en geen enkele klant. Je kon er frisdranken krijgen, taco's en kaasbroodjes en ook was er de warme plaat die klaarstond om er tortilla's op te bakken.

'Wat wilt u eten, mevrouw? vroeg de oudste van de twee mannen mij, degene die mij de baas leek te zijn.

Ik ging zitten op een gammel bankje aan een vierkante formica-tafel, die begon te wankelen toen ik mijn arm erop legde. Het ontbijt dat ik 's ochtends vroeg had genomen in het huis van Luciano verdiende die naam niet. Bang om hem wakker te maken, ging ik maar even de keuken in en warmde alleen een kop koffie op die daar nog lauw stond, achtergelaten door iemand, Jim, denk ik, de huisgenoot die ik nog niet kende, die hem daar waarschijnlijk had klaargezet. Maar ik had niets gegeten. Op de ontbijttafel stond een mandje met zoete broodjes waar ik best trek in gehad zou hebben, ik kon de *garibaldi's* en de *concha's* erin zien liggen, maar ik was zo bezig ervoor te zorgen dat Luciano, in de woonkamer, niet wakker zou worden zodat ik dan gedwongen zou zijn te liegen over wat ik ging doen, dat ik er niet aankwam. Nu was ik flauw van de honger en leek het mij een goed idee een paar taco's met geroosterd varkensvlees te eten, op die manier zou het wachten korter lijken. Ik herinnerde mij dat Gustavo nooit iets at op markten, op de een of andere manier boezemden zij hem geen vertrouwen in. Maar het eethuisje 'Chato', hoewel het er arm uitzag, maakte op mij toch een hele schone indruk en ik wantrouwde het niet.

Elf uur vijfenvijftig: er is niemand in het eethuisje. De twee mannen praten met elkaar, weer in een taal die ik niet ken, maar niemand komt op mij af. Ik laat niet merken dat ik zit te wachten en bestel nog een appelsap, want de eerste heeft ervoor gezorgd dat ik mijn lichaam weer voel, maar als ze me die brengen begrijp ik dat het al te veel is. Ik laat mijn blik over de markt gaan, voorzover ik die kan zien.

Twaalf uur 's middags: ik voel mij steeds ongemakkelijker, ik schat dat wanneer Reina zelf naar Ocosingo gaat om contact te hebben met de Zapatista's en hun te overhandigen wat ze moet overhandigen, zij dat wel zal beleven als een routinehandeling, zoals er zoveel in haar agenda staan, zonder dat ze daarvan overstuur raakt zoals ik: het is háár engagement, zij weet hoe ze ermee om moet gaan, niet voor niets heb ik het mijn hele leven vermeden. Ik stel me haar voor zoals ze hier zou zitten en rustig zou praten met de eigenaren van de Chato, ondertussen speels vlechten in het haar zou draaien en zou wachten op haar contact of het de gewoonste zaak van de wereld was, net zoals zij soms op mij zat te wachten in een café. Dat wil zeggen, in het geval dat ze naar Ocosingo zou gaan, en niet direct het oerwoud in om naar het kampement La Realidad te gaan, het hoofdkwartier van de Zapatista-commandanten. Je zou er wel heel goed over moeten nadenken: wat moet dié reis ver en zwaar zijn!

Vijf over twaalf: Dolores trekt vanaf een afstand.

Tien over twaalf: op het moment dat mijn emoties – onvermijdelijke wanhoop, naast beginnende agressiviteit – zich in mij hebben genesteld en zich meester hebben gemaakt van een groot gedeelte van mijzelf, komt er een jongetje het eethuisje binnen, broodmager, op blote voeten, in lompen gehuld maar met een open, levendige blik, dat mij vrijmoedig vraagt of ik de kerk op het plein wil zien, want dat die open is. De twee mannen zeggen hem dat hij mij met rust moet laten, ze zeggen dat terloops, zonder hem echt op zijn kop te geven. Een lichtstraaltje, gezonden door een goede geest, maakt snel een eind aan mijn verwarring en doet mij begrijpen dat het kind mij komt halen. Ik betaal mijn consumpties en vertrek met hem, of liever gezegd, ik loop achter hem aan, want hij loopt lichter en sneller dan ik. Niet één keer blijft hij onderweg staan, niet één keer praat hij tegen mij of kijkt naar mij.

Twintig over twaalf: voor de deur van de kerk is het kind zonder enige uitleg verdwenen, hij gebaarde mij alleen dat er binnen iemand op mij wachtte.

Twaalf uur vijfentwintig: ik ga zitten op een bank in het middenschip. (De begrafenis is afgelopen zonder dat er nog iets van is te merken, wat doet de familie op dit ogenblik?) Ik probeer mij zonder succes te concentreren op de beelden. Plotseling gaat er een man naast mij zitten. Van opzij kijk ik tersluiks naar hem, terwijl ik doe alsof ik niet kijk. Ik zie zijn katoenen broek en zijn sandalen, maar niet zijn gezicht. Zonder tijd te verliezen spreekt hij mij aan:

Hebt u het pakje bij u? Dat was het enige wat hij zei. Niemand had iets gezegd over een wachtwoord of over een mogelijke controle, en daarom stak ik mijn hand zonder enige aarzeling in mijn tas en overhandigde hem het fameuze rode doosje, dat hij onmiddellijk in zijn schoudertas stak.

Twaalf uur zevenentwintig: de man is vertrokken en het doosje ten slotte afgegeven, ik heb voldaan aan de opdracht van een vrouw die ze geprobeerd hebben te vermoorden. Er komt een grote vermoeidheid over me die het heerlijke gevoel van opluchting dat mijn opdracht volbracht is niet kan verlichten. Terug naar huis gaan is mijn enige verlangen, alsof San Cristóbal altijd al mijn thuis was en ik alleen daar rust en veiligheid kan vinden.

Twaalf uur tweeëndertig: ik sta op van de bank, bijgekomen van het trillen van mijn handen en voeten en loop naar de deur. Ik heb niet gemerkt dat het kind van het eethuisje me achterna is gekomen. Ga niet weg! Beduusd pak ik hem bij zijn schouders en vraag hem wat er gebeurt. Ga nog niet weg, want ze wachten op je! Wie wacht op mij? Zij, de slechteriken.

Dat ontbrak er nog maar aan.

Ik probeer mijzelf te kalmeren, niet van de kaart te raken. Ik pak het kind bij de hand, loop met hem naar de bank waar ik zojuist van was opgestaan en laat hem naast mij zitten. Er zijn heel weinig mensen in de kerk en niemand is in de buurt, ik kan praten zonder te hoeven fluisteren. Deze keer is het een rode auto, een bestelauto, vertelt hij mij, als ik even aandring, met slechts twee mannen erin (niet drie, alsof het filiaal Ocosingo minder middelen zou hebben). Ik vraag hem op mij te wachten, daar te blijven zitten en loop naar de deur, open hem op een kier om te kijken. Het klopt, de jongen liegt niet, de bestelauto is rood, oud en krakkemikkig (de mannen zijn niet in het zwart gekleed, zoals in San Cristóbal), een zit er achter het stuur en de ander loopt op de stoep voor de kerk heen en weer; deze man, die heel donker is, ziet er nogal armoedig en onverzorgd uit, ja zelfs bijna smerig, met een donkere broek en een wit overhemd over een dikke buik, de mouwen opgestroopt en een rode zakdoek om zijn hals. De donkere man. Hij kijkt niet naar de kerk, hij wacht tot ik naar buiten kom, zonder te vermoeden dat ik gewaarschuwd ben. Mijn hartslag is snel en heel onregelmatig geworden; ik doe de deur dicht en ga terug naar de bank en het kind dat met gespannen, een beetje uitpuilende ogen op mij zit te wachten. Laten we gaan, zegt hij tegen me. Waarheen, als wij er niet uit kunnen? Pastoortje helpt ons, antwoordt hij en trekt mij aan mijn arm mee. Ik volg hem. Ik zou hem met mijn ogen dicht naar het einde van de wereld zijn gevolgd, een inheems jongetje dat veel beter weet wat hij moet doen dan ik en hoewel zijn magere lichaam getuigt van schaarse oogsten, beweegt hij zich veel soepeler dan ik. Halverwege de deur en de sacristie – die zich achter in de kerk bevindt – draait het kind zijn hoofd om en zijn gezicht wordt asgrauw. Hij laat mijn arm los en fluistert: Hollen, hollen! Ik kijk ook en zie een rode zakdoek en een wit overhemd door de grote deur van de kerk binnenkomen. Mijn begeleider en helper verdwijnt als bij toverslag. Dan doe ik wat hij mij heeft gezegd: hollen. Zonder te kloppen open ik de deur van de sacristie, ga pijlsnel en hijgend naar binnen en sluit haar achter mij, en ga er met mijn eigen lichaam voor staan, om hem te blokkeren.

'Kan ik u ergens mee helpen, mevrouw?' vroeg een man me die aan een schrijftafel gezeten zijn hoofd ophief, duidelijk verbaasd door mijn ongebruikelijke, onbehoorlijke manier van binnenkomen.

Hij zag er niet uit als een priester en ik moest denken aan de man die in het vliegtuig naar San Cristóbal naast mij zat, degene die ik in gedachten had bestempeld als de assistent van don Samuel Ruiz, hij was het, of zijn volle neef.

'Ja… alstublieft…' de woorden kwamen er maar moeizaam uit en ik kon er niet toe komen om mijn lichaam te verplaatsen, om mijn post op te geven als bewaker van die wonderbaarlijke deur die mij scheidde van de man met de rode zakdoek, van de donkere man, zoals de naam van de stad luidde.

De goede man, zo noemde ik hem in stilte, stopte, zichtbaar onthutst, en kwam op mij toelopen.

'Wat hebt u? Bent u misschien ziek?'

'Ja, ik ben ziek… helpt u mij.'

Op dat ogenblik deed een zesde zintuig, dat alleen werkt als er gevaar dreigt, mij door de deur heen luisteren naar een paar passen, die stilhielden op een paar centimeter afstand van mij. Mijn hart leek gek van angst te worden, alsof het dreigde mij in de steek te laten om elders op eigen gezag verder te gaan. De goede man probeerde mij opzij te duwen om bij de deurkruk te kunnen en de deur te openen, maar ik stond dat niet toe.

'Nee, doe niet open,' vroeg ik hem, op smekende toon.

De uitdrukking op zijn gezicht ging van verontrusting naar grote ongerustheid en die scheen elke seconde groter te worden. Hij pakte mij bij mijn schouders, stevig, maar ook vriendelijk vast, voerde mij naar een kamer ernaast, vroeg me op hem te wachten, en liep toen terug om die vervloekte deur te openen en te zien wat er gebeurde. Wat ik hoorde was alleen gemompel (mensen hebben de neiging in het huis van God zachter te praten), ik kon de woorden niet goed onderscheiden, omdat ik door enorme muren werd omgeven. Toen hij terugkwam was er in zijn ogen ook een zeker medelijden te lezen dat zich voegde bij de aanvankelijke verontrusting. Gelukkig, hij kwam alleen terug.

'Maakt u zich geen zorgen, ik heb hem gezegd dat u hier niet was.'

'Tegen wie?'

'Hoe bedoelt u, tegen wie? Probeert u niet te ontkomen aan die man die u zocht?'

'Ja, ja… maar hoe had hij het over mij? Ik ken hem namelijk niet…'

'Hij had het over niemand, hij zei niet dat hij u zocht. Ik denk wel dat u mij een verklaring schuldig bent, vindt u niet?'

'Ja zeker, ik zal alles uitleggen. Maar wilt u mij alstublieft helpen, want ik moet iemand opbellen.'

'Waarnaartoe?'

'Naar San Cristóbal. Ik zal het u betalen, ik zal het u onmiddellijk betalen, maar alstublieft, leen mij uw telefoon.'

3

'*Ma, ché cazzo fai lì?*'

'Praat tegen me in het Spaans, alsjeblieft, ik begrijp je niet.'

'Ik wil weten wat je verdomme doet in Ocosingo!'

'Ik zal het je uitleggen, Luciano, maar alsjeblieft, haast je. Ik ga niet weg uit de sacristie tot jij er bent, ik zweer je dat ik geen vin zal verroeren.'

De goede man bleek Adolfo Sánchez te heten, Sánchez, zoals ik ook heet, en toen ik hem dat zei leek hij zich wat te ontspannen, er kwam tenminste voor het eerst een glimlach op zijn gezicht. In de kamer waar de telefoon was, stonden een tafel, een stoel en een bankje. Hij wilde dat ik daarop wat zou rusten terwijl hij koffie voor ons ging zetten. God weet hoe ik daaraan toe was.

Fantastisch is dat men op deze breedtegraad nog steeds geen enkel besef van tijd heeft. Adolfo Sánchez was in zijn werk gestoord door een vrouw die er eigenaardig uitzag, die hij niet kende, en daar zat hij nu tegenover, genietend van zijn buitensporig grote kop koffie, klaar om een sigaret op te steken in alle rust van de wereld.

'Zoals die man eruitzag, dat beviel me niet... waarom wachtte hij op u?'

'Hij achtervolgde mij.'

'Maar, wie is hij?'

'Een paramilitair, denk ik.'

Zijn ogen werden kleiner, maar de uitdrukking op zijn gezicht werd niet harder.

'Bent u Zapatista?'

'Eh, nee... nee...' de vraag klonk mij zo raar in de oren, die was mij nog nooit gesteld, nog nooit had ik die hoeven beantwoorden.

Zijn ogen werden nog kleiner.

'Ik ben journaliste,' ik loog om het gemakkelijker te maken. 'Ik maak een reportage over hen voor een Noord-Amerikaans tijdschrift.'

'Wat vreemd... de paramilitairen laten zich niet in met verslaggevers. Er zijn er velen geweest in dit gebied, wanneer ze lastig worden gevallen bemoeit alleen de politie zich ermee, niet de paramilitairen.'

'Ja, u hebt gelijk, het is inderdaad vreemd.'

(Marcos en de Zapatista's zijn een Mexicaanse verschrikking, een sprookje, een grootheidswaan, was het strenge oordeel van de specialist Luis Vicente Lopez, die avond in mijn appartement in Maryland, vlak voordat ik vertrok.)

Hij keek mij opnieuw onderzoekend aan, het was duidelijk dat hij mij niet geloofde maar hij was zo tactvol om niet aan te dringen. In plaats daarvan vroeg hij naar mijn nationaliteit en voor de zoveelste keer kwam ik ten slotte weer uit op Pinochet en de Chileense situatie. Plotseling onderbrak hij mij.

'Is het u al gelukt om de Subcomandante te interviewen?'

'Marcos? Nee, zover ben ik nog niet gekomen... dat schijnt ook geen makkelijke zaak te zijn.'

'Bent u er niet in geïnteresseerd om hem te leren kennen?'

'Ja, zeker. Maar misschien is het interessanter als hij er niet bij is. Wat vindt u van hem? Wat voor oordeel verdient hij?'

Hij trok zijn wenkbrauwen op, wat duidde op een complex antwoord, en hij hief zijn handen omhoog.

'Marcos en de godheid,' verzuchtte hij.

'De godheid? Wat wilt u daarmee zeggen?'

'U weet dat in de primitieve culturen de godheden niet door zichzelf waren uitgevonden, maar door de mensen, ze ontstonden vanuit het collectief.'

'Ja, dat kan ik mij voorstellen...'

'Het masker,' zei hij peinzend. 'Van de Azteekse keizers kon je nooit

178

het gelaat zien, nooit kon je ze in het gezicht kijken. Marcos ook niet. Natuurlijk vanwege de illegaliteit, maar zijn masker – de bivakmuts – bereikte de media. En de werkelijkheid begon te bestaan via de mythe. Dan heb je nog zijn naam. Van de Azteekse keizers mocht je de naam niet uitspreken, van God ook niet, nietwaar, dat komt terug in onze joods-christelijke cultuur. God heeft geen naam. Het is blasfemie om de naam te noemen, vergeef mij de redundantie. Toen de regering Marcos bij zijn echte naam noemde, schrokken velen hevig, alsof het noemen van zijn naam blasfemie was, hij alleen is Marcos, zijn volgelingen willen alleen die naam kennen.'

'Het klinkt nogal religieus.'

'Zeker, dat is het ook. Een masker en een betoog, gebaseerd op hoogmoed. Ik analyseerde zijn woorden: Marcos verkondigt steeds verschillende evangeliën. Hij publiceert brieven, hij doet een beroep op het gevoel voor de bijbel met de elementen van de godheid.'

Hij maakte zijn sigaret uit, zette zijn koffiekom op tafel en keek mij aan.

'Ik geloof niet dat Marcos dit allemaal zo had gepland, maar daar kwam het uiteindelijk op neer. Welnu, vriendin van me, ik denk dat ik mijn werk moet afmaken. Doe alsof u thuis bent, onder dit dak zal u niets gebeuren. Ik zal zelf de deur opendoen wanneer men u komt halen. Het zou goed zijn als u nu wat zou rusten.'

'Ja, ik zal wat gaan rusten. Veel dank.'

Ik sloot mijn ogen en voor het eerst op deze turbulente dag kwam het beeld van die ochtend weer in mij op, het beeld van iemand die, zonder dat ik het besefte, mij had begeleid op mijn weg naar Ocosingo en in het busje naast mij was gaan zitten en mij in slaap had gewiegd: Luciano, slapend op de bank in de woonkamer, zijn rust, het vertrouwen en de absolute overgave van zijn lichaam aan datgene waar hij mee bezig was, de schoonheid van zijn gelaatstrekken in rust. Ik concentreerde mij een ogenblik op het kuiltje in zijn kin en vroeg mij af of een lichaam zou kunnen zijn als een lapje grond, een veld, of zijn vruchtbaarheid alleen afhankelijk was van de zachtheid van de lucht en de kwaliteit van de mest.

'Heb je in de bus geen enkele keer achteromgekeken om te zien of je werd gevolgd?'

'Nee, dat is niet in me opgekomen.'

De houding van Luciano liet duidelijk ongeduld zien en ook al probeerde hij dat te verhullen door zijn ogen op de slingerende weg gericht te houden, nee, het was uiterlijk goed zichtbaar, hij probeerde zijn immense ongerustheid te verhullen, die mij duidelijk was geworden vanaf het ogenblik dat hij de drempel van de sacristie overschreed.

'Dat alles is een grote fout geweest, een enorme fout...'

'Je lijkt zo kwaad! Wat is er fout?'

'Dat ik je heb gevraagd te blijven, dat ik wilde dat je voor Reina zou zorgen, zonder dat er enige zekerheid was wanneer ze uit het ziekenhuis zou komen, zonder dat ik dacht aan het risico dat jij zou gaan lopen.'

'Dat konden we ook niet weten...'

'Zeker wel, dat lieten de feiten de nacht van het ongeluk zelf al zien, met dat eerste telefoontje. Ze waarschuwden verscheidene keren en op verschillende manieren. Je was er doof voor en vertrok naar Ocosingo alsof er niets aan de hand was. Zij weten absoluut zeker wie Reina is en waar ze mee bezig is.'

'Weet jij het ook?'

Voor het eerst draaide hij nu zijn hoofd naar mij toe om mij te zien, en hij deed dat ontsteld, geschokt.

'Wat ik weet is van geen enkel belang. Het punt is dat jij met haar werk bent doorgegaan; dat was alle informatie die zij nodig hadden, of jij wilde optreden als haar vervangster. En dat antwoord heb je ze al gegeven. Het is duidelijk dat ze je vanmorgen vroeg hebben gevolgd vanaf mijn huis en dat ze de kameraden van Ocosingo op de hoogte hebben gebracht van je reis. Ze hadden je ook al kunnen aanhouden, ze hebben bewijzen genoeg. Om de een of andere reden deden ze dat niet in San Cristóbal. Toen je mij 's nachts zo geschrokken vanuit het hotel belde, weet je wel hoe weinig moeite het hun zou hebben gekost om je te ontvoeren? Ze hebben je toen alleen maar willen waarschuwen... Wat heb je een fout gemaakt door naar Ocosingo te gaan, Camila!'

Ik zweeg. Het woord *ontvoering* vervulde mij met verbijstering, wat bewijst dat de voorstelling die wij ons maken bij bepaalde woorden soms heel willekeurig kan zijn. Ik zei het niet tegen hem, maar eigenlijk schenen zijn woorden mij nogal fantastisch toe, zoals zoveel andere woorden die ik in dit gebied heb moeten aanhoren. We reden minstens tien kilometer zonder dat we onze mond opendeden, met opzet keek ik steeds uit het raampje naar het landschap dat ik 's ochtends al had gezien, hetzelfde dat ik eerst alleen had bekeken en dat nu anders was omdat het zich ontrolde voor de ogen van Luciano. Voor mijn verbaasde, subjectieve blik veranderde het landschap, deed het zich anders voor, scheen het mij vrijer, krachtiger toe – indien mogelijk – de bomen schenen bedekt met nieuw, hernieuwd fris groen, met mijn handen had ik de lucht met het koude blauw kunnen aanraken. Ogen die zien wat ze willen zien, daaraan is geen twijfel mogelijk. Toen Luciano weer zijn mond opende was de toon van zijn stem anders.

'Onderweg vanuit San Cristóbal bedacht ik het volgende. Morgen nog moet je weg uit Chiapas, je moet je hier geen minuut langer aan dit gevaar blootstellen.'

'Morgen nog?' Het was alsof er een emmer koud water over mij werd uitgestort. 'Maar Luciano...'

'Wacht. Ik kwam op een idee, wat zou je ervan zeggen om...'

'Wat?'

Zijn stem kreeg iets welluidends, geestdriftigs.

'Misschien vind je het enigszins geforceerd om morgen naar Washington af te reizen, wanneer je dat idee al van je had afgezet,' – ik vond het fijngevoelig van hem, om het zo te stellen. 'Waarom gaan we niet naar zee? Ik nodig je uit voor een korte vakantie, zodat je even bij kunt komen. Je weet, ik ben geboren in Calabrië, ik heb er zo nu en dan behoefte aan een duik in de oceaan te nemen. Daarna keren we allebei terug naar ons normale leven, maar met onze zenuwen in uitstekende conditie. *Ti pare?*'

'Je ontroert me, echt... maar...'

'Moeten er nu *maren* zijn?'

Toen begon hij aan een soort lofzang waarmee hij pas ophield toen we in de stad waren aangekomen, de groene velden vol palmbomen waren er getuige van, vervolgens de immense bossen met dennenbomen: het deed mij zelfs pijn te voelen hoe de conventionele vrouw die ik ben de strijd aanbond met die andere, die de genen van Dolores te voorschijn moest brengen. De vrouw die in haar hartstocht om elke morgen het volle leven weer in te ademen, het nooit zou laten gebeuren dat iets zou wegkwijnen alsof het niet had bestaan. Ik vond het moeilijk me een ander, even helder ogenblik te herinneren dat beter mijn eigen tegenstellingen weergaf. Ik voelde mijn bloed stromen, borrelen, bruisen, wanhopig zoekend naar een uitweg, terwijl ik zelf de deuren sloot, het was alsof mijn beenspieren gereed waren om te rennen, warm waren, ervoor klaar, maar dat ikzelf degene was die het rennen tegenhield. Plotseling bedacht ik: dat is onbeweeglijkheid, op ieder willekeurig moment kan ik weer verstijven om niet te hoeven bewegen en kan ik vervolgens weer een blok ijs worden. En daar is geen remedie tegen.

'Vind je, met Reina die er zo slecht aan toe is, dat wij ons in een situatie bevinden die zich daartoe leent? Is het niet een beetje ongepast?'

'Laat Reina erbuiten, het is heel onwaarschijnlijk dat zij gauw naar huis komt en wat er gedaan moet worden, dat doen de anderen. Maar geef me antwoord op de volgende vraag: vind jij het zelf ongepast, Camila? Dat is het enige wat telt.'

'Wel, om de waarheid te zeggen, wel een beetje…'

'Heb je een soort overgangsperiode nodig… iets van evenwicht tussen de paramilitairen en de piña colada?'

Ik denk dat mijn zwijgen een bevestiging was. Want het was precies op dit moment dat de meest irrationele, impulsieve angst mij overviel: niet de angst die ik vandaag had beleefd in de kerk van Ocosingo, maar een andere, veel minder pure, zonder enige grootheid: de eenvoudige, simpele angst om lief te hebben.

'*Dai*, Camila, *dai*. Niet voor niets leerden ze ons dat er een tijd is om af te breken en een tijd om te bouwen, het is wijsheid om te kunnen herkennen wanneer welke tijd zich voordoet.'

'Geef mij een paar uur om erover na te denken,' was alles wat mijn povere verbeelding mij ingaf. Ik moest hem een moeilijke vrouw toeschijnen, wat ik helemaal niet ben, maar als de angst zich verborg achter dat masker, was dit zo slecht nog niet. Immers, hoeveel mogelijkheden heeft iemand om zich interessant te maken?

Luciano pakte mijn hoofd en legde het tegen zijn schouder. Luchtigjes, met een uitdagende glimlach, zei hij tegen mij, als afsluiting van het gesprek: 'Denk aan Beauvoir, je wordt niet als vrouw geboren, je wordt tot vrouw gemaakt.'

'Als je eens wist hoeveel moeite me dat kost! Als je dat eens wist...'

Toen ik mijn hoofd verborg in het zachte gemzenleer van zijn jack, een imitatie van zijn huid, voelde ik mij alleen hierdoor verbonden met de wereld. Alleen hierdoor.

Terwijl de van Jim geleende auto gulzig kilometer na kilometer van de bochtige weg verslond en Luciano in stilte reed, mijn hoofd alleen loslatend als hij moest manoeuvreren, dacht ik aan het voorbije jaar, alsof de warmte van mijn schuilplaats gedachten in mij opriep waarvoor ik niet bang hoefde te zijn dat ze me mijn bescherming zouden afnemen. En ik overdacht dat in het verste gedeelte van elke geest een ruimte bestaat waar wij achterlaten wat wij niet kunnen gebruiken, zodat wij ons kunnen ontdoen van wat ons niet bevalt en zo de illusie beleven alleen in het heden te leven: de kracht van het heden doet ons een verleden naar eigen inzicht bedenken, geeft ons de illusie dat wat wij naar de achterkamer hebben verbannen niet meer bestaat, en doet het ons misschien wel indelen bij het rijk der dromen. Maar de zaken die niet zijn afgesloten zijn over het algemeen destructief omdat zij macht houden over het hele leven zolang er geen conclusie is getrokken. Het is dat niet afsluiten dat ze macht geeft. Door een jaar lang in het niets op mijn bed te blijven liggen was ik misschien onbewust deze macht gaan ontkrachten, om hem later te overwinnen.

Nu het nog steeds winter was, was het licht in San Cristóbal de las Casas al vroeg verdwenen; als opgejaagd wild was het plotseling aan zijn eind gekomen toen wij die avond de stad binnenreden.

4

'Dineren, daar komt niets van in, zelfs niet bij Jean Jacques, jij gaat dit huis niet uit, alleen maar met mij, op weg naar het vliegveld. We nemen geen enkel risico meer, heb je het goed begrepen? Denk eraan dat misdadigers, mysterieus genoeg, altijd de wens hebben om ontdekt te worden.'

'Komt Jim eten?'

'Jim is naar Tuxtla gegaan, die komt niet voor morgen terug. Daarom kon ik zo makkelijk zijn auto pakken toen je me belde. Geef toe, Camila, zelfs Superman zou je niet zo snel hebben kunnen redden.'

Luciano's luchtigheid vond ik verrukkelijk.

Hij bood aan om *spaghetti al pesto* voor me te koken, hij had de basilicumsaus al, die hij samen met zijn Italiaanse vriend van La Trattoria had bereid. Terwijl we wachtten tot het water kookte, en we tegen de koningsblauwe planken in de keuken aanleunden, kwam het beeld van die andere, minder mooie keuken weer in mij op, die van Reina. Die eerste dag van het ongeluk, toen ik de afwas deed die was blijven staan: de groene kleur van de etensresten was die van basilicum. Eindelijk werd mij openlijk verteld met wie zij die laatste middag had doorgebracht.

'Dat kookte je ook voor Reina op donderdag, niet?'

De gelaatsuitdrukking van Luciano was eerst perplex, toen geërgerd, zoals alleen een liberale Europeaan zich kon ergeren aan de vage, halfzachte angsten van een Latijns-Amerikaanse, enigszins conservatieve vrouw.

'En wat is daar mis mee?'

'Vandaag is het maandag, Luciano, pas maandag. Je nodigt me uit om naar zee te gaan, je neemt de zorg voor mij op je, maar ik weet niet hoe het met jou zit… ik vind het moeilijk…'

'Ben je jaloers, Camila?'

'Ben jij nooit jaloers?'

'Ja, natuurlijk…'

'En op wie? Op een of andere Zapatista-commandant? Of op Marcos zelf?'

'Laat Reina erbuiten, zij staat er helemaal buiten, misschien wordt het tijd dat je dat eens begrijpt.'

Mijn geest werd ondoorzichtig als mist; zijn hardheid was zo radicaal als zijn eigen loyaliteit. Maar de hardheid was voor mij, de loyaliteit voor de ander. Ik boog mijn hoofd, en was een ogenblik bang dat ik als een imbeciel zou gaan huilen. Maar met Luciano zijn de dingen nooit wat ze lijken: hij liet zijn pan met kokend water in de steek en kwam op mij af, terwijl ik nog steeds met een glas rode wijn in de hand tegen de planken geleund stond.

'Vannacht ben ik jaloers op een televisiejournalist die half gringo, half Chileens is en die in Washington woont. Dat is de waarheid, ben je er klaar voor om die aan te horen?'

Grote god.

Ik ben er niet zeker van hoeveel mij werd meegegeven met mijn lichaam, noch hoeveel geestelijke gaven de goden mij bij mijn schepping toebedeelden. Maar zeker is dat zij iets deden waardoor ik die nacht veranderde in de vrouw die ik was. In die heel bijzondere vrouw. En omdat ik – misschien – op de helft van mijn leven ben, heb ik het gevoel dat ik het recht heb om betrekkelijk optimistisch te zijn. Dat was mijn gemoedsgesteldheid toen we klaar waren met de afwas, na het eten. Ik keek naar Luciano's snelle manier van doen in de keuken en herinnerde mij dat ik vroeger meestal verklaarde dat als bij een paar de gelijkheid zich uitte in intellectuele gelijkheid, de strijd was gewonnen, waarbij ik het huishoudelijke terugdrong naar het tweede plan, bijna als een secundair detail, product van de obsessie van de eerste feministes. De tijd heeft mij geleerd dat ik fout zat; als de wereld van het huishoudelijke niet wordt gedeeld, zal de kloof tussen wat publiek en wat privé is nooit worden gedicht. Kortom, laten we teruggaan naar het begin, naar de ogenschijnlijk onbelangrijke strijd die werd gezien als schermutseling, of, zoals het woord het goed zegt, naar de strijd om het huishoudelijke: als je man niet samen met jou de afwas doet, blijft de eeuwige vloek bestaan. Ik vond vervolgens dat Luciano een goede levensgezel zou zijn. Zou die snelheid op den duur gaan vervelen? Ik ken zoveel vrouwen die de goede eigenschappen van een man op wie ze verliefd waren geworden in de loop van de tijd hadden omgezet in lelijke gebreken; dat wat zij aanvankelijk fantastisch vonden in hem, eindigde ermee een *handicap* te zijn. Zoals een Argentijnse cabaretière eens zei, eerst worden ze verliefd op Che en dan willen ze zijn baard afknippen.

Een fatsoenlijk man praat nooit zacht, zei John Huston. Maar toch, sommige dingen werden bedacht om ze vrij zacht te zeggen, zoals ze gezegd hoorden te worden. En zo gaf hij de nacht een naam.

'Er bestaat een oude mythe die zegt dat verhalen vertellen ziekten kan genezen of mensen kan redden; zonder verhalen zouden we een oud heden beleven. Geef mij je hand, Camila, kom met mij mee, dan zal ik je er een vertellen.'

Beiden met een glas tequila in de hand gingen we liggen op de dekens van het bed in de kloosterkamer, met de kleurentoekan tegen het plafond en ik luisterde naar mooie verhalen, fabels, mythologieën, verteld met het doel om mij te genezen van de klap van deze zo vreemde, zware dag. De tequila ging direct naar de ziel en naar het gevoel voor intimiteit van wie ik het drankje dronk.

'Ik kom weer terug naar het land van de onschuld,' zei ik dankbaar tegen hem.

'Wat is dat voor land?' vroeg hij mij.

'Dat is, eerder dan het land van de verstrooiing, het land van de innerlijke vreugde…'

Hij ging met zijn hand door mijn rode haar, begon ermee te spelen en volgde toen daarvandaan met een lange, langzame vinger de lijn van mijn profiel. Toen hij bij mijn mond kwam, hield ik hem instinctief met mijn tanden tegen en begon erop te bijten. Zijn antwoord volgde onmiddellijk: hij bracht zijn vinger in mijn mond, waar hij vochtig werd door mijn speeksel, alsof daarmee een begin was gemaakt met het wegwerken van onze aarzelingen. Onze koortsachtige verwachting deed de nacht ontvlammen en we wisten niet hoe het ons ging duizelen, noch op welk ogenblik wij elkaar begonnen te kussen als twee onvermoeibare bezetenen die om ons heen een onbekend goud verspreidden. De lucht, de nacht, de stad, het hele universum, alles was ondergeschikt aan onze lichamen, aan een vitale levenslust die even gretig was als verblindend en totaal.

'Je trilt,' zei hij tegen mij tussen twee kussen in.

Ik antwoordde niet.

'Hier houdt de kou op, *bella*, geloof mij op mijn woord, je zult het niet langer koud hebben…'

Over een ontmoeting met de liefde kun je alleen maar overbekende zinnen zeggen, dezelfde die alle minnaars door de eeuwen heen hebben herhaald, hoewel ieder van hen, net als ik, zijn beleving als uitzonderlijk zou beschrijven. Toch is dat voor mij als argument onvoldoende om er niets over te zeggen.

De nacht was even groot als heel San Cristóbal de las Casas en ik was een klein meisje dat tegen hem aangerold lag. Onze ademhalingen een zacht geluid als van regen. Luciano dwong me om in mijzelf te keren en radicaal een eind te maken aan mijn eigen gebieden, alsof daar geen ruimte meer voor was en de schuilplaatsen waren dichtgegaan, zodat nu, hier de schaamte zichtbaar werd, daar de hartkloppingen, hier de dorst. Het was onmogelijk je terug te trekken. Het was niet goed mogelijk hem te vragen wat er in de lucht zweefde rondom zijn geest, maar om mij heen bleef steeds iets hangen: regelmatig terugkerende angst. Alsof heel het blauwachtige firmament met mij mee herhaalde, in golvende kleuren die kwamen en gingen: vervloekte seksuele lust, zo kleinzielig, altijd klaar om op te duiken als je er nog niet aan toe bent en zo karig met herinneringen als hij ten slotte is verzadigd. Hij kleedde mij uit met zijn met verf bevlekte handen, zijn handen, nog eens, hoeveel zouden die handen hebben aangeraakt, nee, het zijn geen oververzadigde handen, helemaal niet, dus, verscholen in zijn omhelzing, vroeg ik hem stotterend, waar, waar we terecht zouden komen na de liefde, wat voor plek dat zou zijn.

'Ben je bang om daar te komen?' vroeg hij mij, en de glans van die bruine ogen zou de zon met schaamte hebben vervuld.

'Het is daar niet altijd warm, niet altijd ben je welkom, antwoordde ik met een dun stemmetje.'

'Wees niet bang, wij zijn het, jij en ik, het ligt in onze handen,' zei hij.

En alsof zijn huid zijn woorden kracht bijzette, deed een ogenblik van intense schittering de duisternis en het lijden dat door het donker zweefde, het mijne en het zijne, verdwijnen. Ik rook weer terpentine en citroen en ik wist dat alles buiten deze armen onzeker was.

Zo begon de liefde. Een wandeling door verschillende, uiteenlopende gebieden, een dialoog tussen onheil en geluk, tussen het hogere en de aarde, en daarna, alsof Mexico ons een ogenblik alle tegengestelde krachten gaf die het hebben beheerst, gingen wij door nacht en dag, zon en duisternis, onweersbui en droogte, volksopstand en vernietiging, eenzaamheid en volmaakt samenzijn.

Er zijn mannen die de ogen sluiten en zwijgen als zij de liefde bedrijven. Luciano bleef steeds naar mij kijken en met mij praten zodat behalve zijn lichaam zijn geest ook bij mij was. Hij praatte tegen mij in zijn eigen taal, in zijn schitterende taal, met die heel aparte intonatie, die je op geen enkele manier zou kunnen beschrijven, alleen in notenschrift. Ik bedacht dat hij praatte zoals wij allen ons soms hebben voorgesteld dat God zou praten.

Wat hij aantoonde was dat ik een wellust had bewaard die ik, van buitenaf gezien, niet zou hebben herkend als zijnde van mij en die wachtte op wie weet wat voor prikkels om te voorschijn te komen. Vanaf de vloer van de slaapkamer, tussen de achteloos weggegooide kleren, kwamen de fragmenten van mijn eigen liefdes samen, waarbij elk stukje zich voegde bij het vorige als in een kleurloze caleidoscoop, en ze ten slotte een nogal pover schilderij vormden.

Daar deze poverheid onweerlegbaar was, werd door de constante aanwezigheid ervan de nacht, die werkte als wachter en die getuige was van mijn emoties en ze koesterde en bewaarde, uitvergroot; wat voor kracht zouden deze emoties kunnen hebben om mij te verkwikken in komende tijden van langdurige droogte, hoeveel lappen kalkachtige, rotsachtige grond zouden ze wel niet kunnen bevloeien door ze alleen al op te roepen.

En dan, de hartstocht. Die overweldigende, vervloekte dame met haar onbuigzame behoeftes. Zij sloop naar binnen door een kiertje, een bresje, een openingetje, als een lichtstraal van de dageraad die door de luiken filtert tot ze worden geopend en daarbij iets wat privé en fundamenteel is losmaakt. Ik loste op in iets wat enorm was en compleet. Geknal. Iets wat zomaar doodt. Trompetten en citers. Citers en trompetten. Harpen, tamboeren en dansen. (De boot voer over het water bij de watervallen van de Niagara en naderde gevaarlijk dicht de hoefijzervormige val waar het water verpulvert, de boot voert een laatste manoeuvre uit die door de waterval onomkeerbaar is, en een Engelse vrouw aan mijn zijde schreeuwde met een vleugje orgasme in haar stem: *It's like dying!*) Wanneer minuten later Luciano en ik door parallelle dromen lopen, roepen wij plotseling het wonder op en maken ze kapot, snijden de lange serie af, en ten slotte laten de lijnen een ogenblik hun rechtlijnigheid varen en vallen samen. Eén enkele droom. *It's like dying.*

Het melkachtige licht van de dageraad trof ons al wakker aan.

'De buitenwereld is gevaarlijk geworden, *amore*. Verberg je hier.

Ik bevrijdde mijn hand uit zijn innige omhelzing en streelde het kuiltje in zijn kin dat gedrenkt was in puur genot. Niets riep mij, niets was voor mij belangrijk op die wereld waar hij het over had. Zelfs Gustavo was verdwenen. Met Reina erbij. Luciano deed iets wat niemand in lange tijd voor mij had gedaan: hij verbond de zichtbare ruimte met de onzichtbare, trok mij weg van dat kerkhof voor levenden waar mijn hart rondzwierf. Met die gedachte dommelde ik in, gewiegd door een waanzinnig vredig gevoel, als vredig dat kan zijn.

Dinsdag

1

Shakespeare: *How quick bright things come to confusion.*

De ochtenden in San Cristóbal zijn heel koud. Loom en uitgeput probeerde mijn lichaam zich te verbergen in dat van Luciano, toen ik gewekt werd door enkele klopjes op de deur, ze klonken ver weg, een geluid dat bijna verloren ging in de solide muren van het huisje in de wijk Santo Domingo. Ik opende mijn ogen en door het venster zag ik de dikke ochtendnevel, ver weg, hij raakte mij niet, ik moest erom lachen, weggedoken als ik was in het stukje warmte dat ik eindelijk had veroverd. Ik keek naar zijn slapende lichaam en ik vroeg mij af wie deze man was. De slaap beschermde zijn waarheden die ik nooit zou bereiken, zoals de slaap iedereen beschermt die anders is, die een vreemde is voor zichzelf; ik bedacht dat uiteindelijk niemand echt weet wie een ander is, zelfs niet wie de man is met wie je elke nacht het bed deelt. Ik drukte mij nog meer tegen hem aan, terwijl ik het beste wat ik hem als mens te bieden had samenperste, uit mij perste, tegen het zijne aanperste, en ik lette niet op de klopjes op de deur; in dit huis was ik een buitenstaander, er was geen enkele reden om te reageren op het verzoek. Terwijl ik nog maar half wakker was, herkende ik een gedachte die al herhaaldelijk bij mij was opgekomen van ver, van de grenzen van mijn geheugen: het kenmerkende van mijn leven in de Verenigde Staten was dat ik er een outsider was, dit kenmerk had bij mij de balans doen doorslaan naar het verlaten van mijn land en het gaan wonen op een plek die niet de mijne was, die voor mij niet echt belangrijk was, als de toeschouwster van een levensruimte waaruit je je kunt losmaken wanneer je maar wilt, zonder dat je er ooit bij betrokken raakt, als een vreemde te staan tegenover dat wat je overkomt: het er niet bij horen ervaren als een opluchting, niet als een vorm van marginalisatie. Samengevat, een plek waarvoor je geen verantwoordelijkheid draagt, waar je elke ochtend het nieuws kunt lezen met al je adrenaline onder controle, want per slot van rekening hield mijn vreemdelingenziel mij verre van de consequenties. Prachtige situatie voor een vrouw die neigt naar slapheid en gemakzucht.

Het *onvolkomen genot*, zoals ze de fysieke liefde in de achttiende eeuw noemden, hield mij gevangen in een slaperigheid die ik van mij moest afschudden om uit bed te stappen toen ik opnieuw de klopjes hoorde. Ervoor zorgen dat dit ophield leek mij de kortste weg om te kunnen blijven genieten van de staat van verlossing waarin ik mij deze nacht had gestort. Met kalmte bedekte ik mijn naaktheid, ik was niet bereid toe te staan dat iets of iemand mijn stemming zou veranderen, en boven mijn gewone spijkerbroek trok ik het blauwgeruite overhemd van Luciano over mijn hoofd aan. Blootsvoets liep ik door de kamer en langzaam naar de deur. Het lukte me bijna niet om hem te openen: zonder te begrijpen hoe dat kon voelde ik ineens een scherpe kou in mijn linkerzijde en zag ik, als in een mistige scène van een film die je maar half bekijkt, dat een hand mijn arm pakte, me door de deuropening trok en me dwong in te stappen in een auto die met draaiende motor stond te wachten op de smalle stoep, op een paar meter afstand van onze deur. Als je schreeuwt, schiet ik, kutwijf! En toen, een harde klap.

2

Ik weet niet hoeveel tijd er is verlopen tot ik weer bij bewustzijn kwam. Een verschrikkelijke pijn in mijn hoofd, duidelijk voelbaar boven mijn rechterslaap, herinnerde mij aan de klap: ik kon zijn gezicht niet zien, ik kon niets zien; toen ik eenmaal in de auto zat, op de achterbank, sloeg hij mij met de kolf van een pistool of een revolver, meer wist ik niet. De enige herinnering die ik heb, en die is ook nog behoorlijk vaag, is de kou die ik voelde toen zij de loop in mijn linkerzij porden en hoe zij mij haastig de auto induwden en mij toen een klap op mijn hoofd gaven, meer niet, hoewel ik een beeld heb onthouden van iemand, van een bepaalde hand (dezelfde die mij bij de arm nam?) die zorgvuldig de deur van het huis van Luciano sloot, een vreemd detail, wanneer sloot hij die en waarom? om geen aandacht te trekken? Een gesloten deur is een garantie dat er niets is gebeurd. Daarna werd alles totaal zwart.

Mijn ogen zijn geblinddoekt. Ik zie niets en daardoor weet ik niet waar ik ben. Ik raak de doek aan in de hoop dat ik hem van mij af kan trekken, maar dat lukt niet, degene die de knoop legde wist wat hij deed. Het voorste gedeelte hebben ze versterkt met een groot stuk plakband dat mijn voorhoofd, mijn slapen en een deel van mijn wangen bedekt. Zelfs niet een heel klein gaatje, niets. Ik wacht om het later nog eens te proberen. Op dit ogenblik zijn er veel prikkels die mijn aandacht vragen, bijna allemaal zijn ze fysiek. Ze hebben mij mijn horloge afgenomen, ik betast mijn linkerarm tot de pols, het is er niet. Ook al had ik vrij kunnen kijken, dan nog zou ik niet hebben geweten of er een uur of een eeuwigheid was verlopen.

Ik ben alle gevoel voor tijd volledig kwijt.

Met mijn stijve vingers voel ik bij mijn rechterslaap, onder het plakband een blauwe plek die veel pijn doet.

Ik draag nog steeds de spijkerbroek die ik half slapend heb aangetrokken toen ik de klop op de deur hoorde. Door het te voelen en te ruiken, herken ik het overhemd van Luciano. Op welk ogenblik trok ik het aan? En waarom? Ik heb geen schoenen aan, ik hoef het niet met mijn handen te voelen om het zeker te weten, de enorme koude die van mijn voeten bezit heeft genomen vertelt het me. Ik ben bang dat mijn tenen zullen bevriezen, zo gevoelloos zijn ze.

Ik zou de immense kuil in mijn maag kunnen isoleren en dan uittekenen, zo zichtbaar is hij voor mij. Het laatste wat ik at, na de spaghetti, was een mango, zoet, vlezig, geurig. Na de laatste tequila heb ik niets meer gedronken, ik moet ook helemaal niet denken aan die krachtige ochtendkoffie waarmee ik elke dag begin om mij na de slaap terug te geven aan het leven, nee, in deze situatie lijkt het een bovenmatige luxe, ik denk alleen maar aan een eenvoudige kan water. Ik heb dorst, ik heb erge dorst.

Het is een tegelvloer, de structuur maakt mij dit duidelijk, maar meer nog dan dat, de temperatuur ervan. Ik zit op de vloer. Ik sta moeizaam op en, alsof ik het spelletje speel van het blinde haantje uit mijn kinderjaren, doe een paar pasjes vooruit met gestrekte armen, en probeer de ruimte te omvatten en te begrijpen. Ik concludeer dat de kamer klein is, niet meer dan drie bij vier meter, en totaal leeg op een ding na dat tegen een muur staat en waartegen ik opbotste. Door met mijn vingers de omtrek te volgen begrijp ik dat het een plastic emmer is. Er zijn geen vensters, ik kan alleen een nogal kleine deur vinden. Het materiaal van de muren zal wel leem zijn, ik voel dat ze een beetje koud zijn.

Ik hoor niets. Ik probeer extra scherp te luisteren en uit de geluiden af te leiden waar ik ben, maar mij bereikt geen enkel geluid. Als ik in de stad zou zijn, dan zou ik mij in de achterkamer van een huis bevinden, een van die typische huizen uit dit gebied, van die huizen waar het leven ver van de voorgevels wordt geleefd. Als ik op het platteland ben, dan is de stilte bijpassend. Geen enkel menselijk geluid.

Ik ruik zelfs geen maïs.

Luciano!

Ik moet plassen. Wie weet hoeveel uren er al verstreken zijn sinds ik voor het laatst heb geplast. Mijn blaas doet pijn, hij doet me dubbelvouwen. Ik schreeuw. Ik wacht. Niets. Ik schreeuw weer. Ik krijg de indruk dat ze mij alleen hebben achtergelaten. Ik kan niet meer. Ik sta op en zoek de plastic emmer. Alsof het een wc is. Ik zie niets en plas op mijn voeten op die ijskoude vloer. Zo begint de aftakeling van een menselijk wezen.

Wanneer er voldoende tijd is verlopen om mijn lichamelijke gesteldheid na te gaan, slaag ik erin mijn gedachten op een rijtje te zetten. Het eerste wat in mij opkomt is het toeval, oftewel, het toevallige van alles wat er is gebeurd. Als Jim thuis was geweest (ik was nog wel zo dankbaar voor zijn afwezigheid, vannacht), had hij waarschijnlijk de deur geopend, ik denk niet dat de mannen die mij hier opgesloten houden, ervan op de hoogte waren dat hij in Tuxtla was; ook al zijn ze steeds aanwezig, daarom weten ze nog niet alles. Of misschien oordeel ik opnieuw verkeerd en bewaakten zij het huis van Luciano en wisten zij wie er thuis waren. En dan, als Luciano zelf had opengedaan, wat zouden ze dan hebben gedaan? Hem overweldigen om bij mij te komen of ons alle twee meenemen? Het was hun zo makkelijk gelukt. Of zijn ze zo subtiel om te begrijpen dat een vrouw geluiden waarneemt die mannen praktisch niet kunnen horen? Want ik vraag mij zelfs niet af waarom die kleine maar dwingende klopjes op de deur Luciano niet hebben gewekt, het is niet zo dat ik probeer hem te verdedigen, maar wel probeer ik objectief te zijn: niemand ter wereld heeft het gehoor van een vrouw die heeft gebaard, niemand heeft een scherper gehoor dan zij, nog meer als zij heeft moeten zorgen voor een ziek kind, oren die getraind zijn om het geringste teken, een klacht, iets onrustbarends, op te vangen zelfs midden in haar diepste slaap.

Wanneer ik mijn broekzakken naloop met ik weet niet wat voor verborgen hoop, vind ik een klein, hard voorwerp. Het is van metaal. Ik haal het uit mijn zak en voel dat het de zilveren oorhanger is van Reina die ik, alweer een hele tijd geleden, oppakte in de straat van het ongeluk. Het is het enige voorwerp dat mijn handen kunnen voelen, verder is er niets in dit vacuüm, geen enkel voorwerp, niets wat komt van de wereld die ik zo kortgeleden heb verlaten. Opgesloten als ik ben, besluit ik er mijn amulet van te maken, iets om mij aan vast te klampen. Ik houd het stevig vast en bal mijn hand tot een vuist, alsof in dit gebaar mijn hele leven samenkomt.

Ach, Reina, zoals het lied zegt, ik weet niet of ik je moet vervloeken of voor je moet bidden.

Wat je je later herinnert van een verschrikking heeft nooit betrekking op het meest voor de hand liggende, overweldigende, zichtbare. De grootste verschrikking ligt in het detail, in het kleine, onopvallende gebaar dat alleen de enkeling pijn doet, niet in wat iedereen treft. Ik hoef niet te bewijzen dat wat ik zeg waar is, maar wil eenvoudigweg vertellen wat mij de grootste angst bezorgt: blootsvoets zijn. Daarin zit mijn verschrikking. Ik voel steeds aan mijn tenen, ik ben ervan overtuigd dat ze zullen ophouden deel van mij te zijn, dat zij als ik beweeg van mijn lichaam zullen vallen, op de vloertegels zullen achterblijven en niet meer bij mij zullen horen, stukjes van een armzalig lichaamsonderdeel die nergens meer toe dienen. Het komt door de kou. Als je niet meer kunt zien is het angstaanjagend om geen schoenen aan te hebben, je hebt geen idee waar je volgende stap terechtkomt. Dat martelt mij meer dan hoofdpijn, dan plassen in een emmer, dan honger en dorst. En dan de onzekerheid. Alles kun je leren, aan alles kun je wennen, zelfs aan leven met schaamtegevoelens. Maar je went niet aan lopen zonder dat je weet waarop, of het kleverig, vochtig of nat zal zijn, of je zult uitglijden, of er ongedierte of een beest op je wacht bij de volgende stap. Het onbekende is angstaanjagend.

Toen, in Washington, was het enige wat ertoe deed, het kijken naar de nagel van mijn grote teen... ik bleef maar staren naar de bovenste boog van de nagel, naar de plek waar de rechte lijn rond begint te worden, waar de huid donkerder wordt op de grens van nagel en huid, naar de volgende teen, die, in millimeters gerekend, onderdoet voor de bekeken teen, want de nagel is vijf keer zo klein en onbeduidend als de vorige. Als je maar zeggenschap zou hebben over je ogen... of die nu dom, of zacht en dom zijn, als je maar ogen hebt die je bevroren tenen zouden kunnen zien.

Hier houdt de kou op, schoonheid, geloof mijn woorden, je zult het niet meer koud hebben.

Een groot gevoel van onwerkelijkheid over de afgelopen gebeurtenissen overvalt mij.

Ik ben erg bang.

Ik heb zo'n honger dat het pijn doet. Ik wil wanhopig graag weten of het dag of nacht is, alsof dat iets aan de situatie zou veranderen. Dit kan niet zomaar gewoon de werkelijkheid zijn; het moet een verbeelde werkelijkheid zijn. Toch, je kunt haar niet je rug toekeren, hoe angstaanjagend die werkelijkheid je ook lijkt. Nee, je kunt je ogen er niet voor sluiten, hoewel ze helemaal dicht zijn. Ik ben slachtoffer van een oorlog die niet de mijne is. (Waarom streed ik in Chili niet tegen de dictatuur? Waarom werd ik niet de kameraad van Dolores?)

Ik moet overgeven.

Misschien om mij te sterken komen mij gezichten voor de geest die ik in de loop der dagen hier en daar in San Cristóbal ben tegengekomen, het gezicht van zomaar een indiaan, van een van hen die het leven ervaren als een imitatie, die een kopie van het leven beleven en niet het leven zelf: wij allen, zij en ik, wij bestaan uit bittere boosheid.

Ik voel mij zo moe. Ik heb slaap.

3

Ik moet diep hebben geslapen want ik heb geen enkel geluid gehoord, behalve dat van een deur die openging. Toen ik mijn arm uitstrekte voelde ik iets waarvan ik kon zweren dat het er daarvoor niet was. Dat maakte mij klaarwakker, ieder nieuw element in deze lege ruimte is een geweldige prikkel. Mijn handen raakten een bord aan: gezien het gewicht zal het wel van aardewerk zijn, er zit iets vloeibaars in dat ik er gedeeltelijk overheen morste toen ik het probeerde vast te pakken, ik stak er een vinger in en die kwam er lauwwarm en nat weer uit, ik likte eraan en proefde een zoute smaak. Daarnaast een maïstortilla, zonder bord of iets. Ik tastte de vloer af om te voelen of er nog meer verrassingen waren en vergrootte zo de actieradius van degene die mij het eten had gebracht, maar nee, mijn maaltijd bestond uit deze soep en deze tortilla, beide zijn gezegend. Dat de tortilla droog en hard was vond ik totaal onbelangrijk, zoveel honger had ik. Als ik de smaak van de soep zou moeten benoemen dan zou ik dat niet kunnen, maar het leek op de maïsdrank die de indianen elke dag eten. Mijn ziel keerde terug in mijn lichaam, ik was weer iemand, wat bewijst dat niets zo afstompt als honger.

De blinde, onbeheerste haat die ik voel sinds ik hier ben maakt plaats voor een rustig gevoel van dankbaarheid, ze hebben mij niet echt aan mijn lot overgelaten, iemand bracht mij eten. Ik ben bang, maar iemand bracht mij eten. Ik denk aan de concentratiekampen van de nazi's. In mijn leven heb ik hierover, zoals wij allen, duizenden films gezien; hoeveel ik er ook heb gezien, elk ervan veroorzaakte opnieuw verontwaardiging, alsof dat gevoel nooit uitgeput raakte. Als kind al droomde ik ervan dat ik mijzelf onzichtbaar zou maken en door tijd en ruimte zou reizen om zo'n kamp binnen te komen en de gevangenen te helpen. Ik stelde mij voor hoe ik de dikke Duitse vrouw van de ss zou slaan en haar zou knijpen op het ogenblik dat zij de joodse vrouwen bevelen gaf. Maar meer dan wat ook fantaseerde ik erover hoe ik het eten van de commandanten van het kamp zou stelen en het dan zou uitdelen onder hen die honger leden. Want altijd al had ik het idee dat de ergste onwaardigheid die een mens kan overkomen te maken heeft met honger.

Mijn dankbaarheid duurde niet lang, ik kan mijn trots die zo gekwetst is, bijna aanraken. Op dat moment begreep ik heel goed dat haat niet minder wordt. Haat slaapt nooit.

Het voedsel heeft mij weer levenskracht gegeven. Ik geef er de voorkeur aan mij niets af te vragen, omdat dat tot niets zou kunnen leiden en mij dan in grote droefenis zou storten. De enige vraag die ik mij wil stellen is: zullen ze me verhoren?

… ik ben nooit veel te weten gekomen over het verblijf van Dolores in de cel, het was geen onderwerp dat zij uit zichzelf zou aansnijden… ik denk dat ze aan mijn vader details heeft verteld, maar niet aan ons… maar ik herinner mij dat voordat zij de cel inging, waar zij Reina leerde kennen, wat mij doet bedenken dat ik daardoor hier ben, maar laat ik niet afdwalen, voordat zij de cel inging, zij in een clandestien concentratiecentrum was, waar de Intelligence Service bezig was… daar hielden zij haar dagenlang vast onder omstandigheden die gelijk waren aan de mijne nu, ze kwam alleen de cel uit om te worden verhoord… het martelen begon met het verhoor, niet in de cel, zodat je zou kunnen zeggen dat wat er nu nog maar aan ontbreekt, dat is *het martelen*.

Plotseling heb ik zin om te lachen, ongetwijfeld een rauwe, bittere lach, maar toch, een lach, of zin om te lachen: ten slotte beleef ik toch iets op het niveau van mijn moeder.

Gustavo. Koester mijn voeten. Wees lief. Zoals zo vaak.

Ik zou willen dat iemand tegen mij praatte, al was het maar mijn eigen ontvoerder. Maar dit ontbreken van menselijke geluiden maakt mij kapot. Ik voel hevige angst. Als iemand maar iets tegen mij zou zeggen, mij zou bevestigen, mij zou zeggen dat ik ik ben en niet het insect waarin ik kortgeleden bang was te veranderen. Als ik zelfs niet op mijn ogen kan rekenen, waar kan ik dan wel zeker van zijn?

Misschien zou een geluid dat ik kan herkennen helpen, ook al was het geen menselijk geluid. Regen, bijvoorbeeld. Luciano verzekert mij dat de regen in Mexico nooit slechte bedoelingen heeft. Misschien zou die zelfs wel als redder hebben kunnen dienen, zouden ze mij hebben losgelaten als het was gaan regenen? Ik ben gek. Dat komt omdat, volgens hem, de vochtige grond voor de boeren als een loopse hond is. Ze laten alles vallen en ze gaan zaaien, op zoek naar maïs, wat is als het zoeken van de goden en van het leven. Een boer zou zeggen: van de regen eet jij en wanneer die komt, is het alsof de hoop komt. Daarom, waar ze ook zijn, ze laten alles vallen en gaan zwoegen op de aarde; wanneer de regen komt houden ruzies, conflicten, botsingen op. Tijdens de Guerra de Castas, anderhalve eeuw geleden, hadden de indianen Yucatán omsloten en zij hadden de oorlog bijna gewonnen, maar toen kwam er regen en dus braken ze het beleg van Mérida op. Omdat de grond vochtig was geworden en ze niet langer konden blijven.

Maar wij bevinden ons in het droge seizoen. Mijn hartje, je vergiste je!

De angst dat mijn verstand mij in de steek zal laten overvalt mij in deze angstaanjagende duisternis… ik heb een wijde blik nodig waarin de dag en de nacht te lezen zijn: die van mijn ouders, van Gustavo, van Luciano, van Reina en Paulina, van Jacques en Ninoska.

Mijn god, aan hen had ik niet gedacht! Ik stel mij voor dat Jean Jacques onbeheerst zal reageren en zal roepen: De klootzakken!

En nog dichterbij, Luciano.

Die moet wakker zijn geworden in een leeg bed, ik stel me hem voor zoals hij Camila! roepend door het huis moet zijn gegaan, maar dat alleen de echo antwoordde. Misschien dacht hij dat ik, ondanks zijn waarschuwingen, toch naar buiten was gegaan. Maar als ik er goed over nadenk: hij is een goed waarnemer en hij moet mijn tas hebben gezien, hij weet dat ik nooit zonder die oude, leren tas op stap ga en misschien merkte hij ook dat zijn blauwgeruite hemd was verdwenen. Maar ik praat onzin: mijn ondergoed, wat is er duidelijker dan dat? Een slip en een beha, op de stoel gesmeten, of op de grond, dat herinner ik mij niet, dus niemand kan denken dat ik die aangetrokken heb om 's ochtends vroeg een deur te openen, de veelzeggendheid van die kledingstukken zijn voldoende om het iedereen duidelijk te maken. Ik zie voor me dat hij onmiddellijk naar Jean Jacques gaat, ik stel me hen voor, overleggend of ze al of niet naar de politie moeten gaan (iedereen weet hoe nauw die is verbonden met de paramilitairen), of naar de Mensenrechtencommissie, of naar de Chileense of Noord-Amerikaanse ambassade, of ze een schandaal zullen ontketenen of gewoon afwachten, voor mijn eigen welzijn.

Mijn zoon, mijn zoon, als jij mij eens kwam redden? Met een leger engelen?

Zou Luciano, net als ik, hebben gefantaseerd, in de roes van het eerste uur, over de oneindige mogelijkheden van de liefde die op ons wachtten aan zee? Misschien had hij dan weer iets moois te zeggen gehad… ik viel gisteravond na hem in slaap, verlangend naar de dageraad, dromend over wat hij tegen mij zou gaan zeggen, ik zal je morgen wakker maken en je omhelzen om al je angsten weg te nemen, de echte en de denkbeeldige, je ademhaling zal niet meer zo langzaam gaan en je schoot zal niet meer zo koud zijn… maar ik zonk weg in het kussen in de zekerheid dat mannen zulke dingen niet zeggen, dat ze nooit verwoorden wat wij willen horen…

… toch, hoewel ik het gevoel heb dat mijn helderheid het af en toe laat afweten, het oudste gedeelte van mij, dat aan de taal voorafgaat, weet ik dat het de afgelopen nacht met hem is die verhindert dat ik instort op de tegelvloer, als een dode waar al alle bloed uit is gelopen…

… hij zei afgelopen nacht tegen mij dat schoonheid sterker maakt, dat wie zich daarvan verwijdert, zwakker wordt…

… ik denk aan de houtgravure, aan mijn zwarte doodskoppen…

En als ze me doden? De grote hoer, noemde Hemingway de dood.

Ik ben vuil. Ik ben smerig.

Vanochtend heb ik mijn gezicht gewassen noch mijn tanden gepoetst. Tot nu toe dacht ik dat er geen zelfwaardering mogelijk was zonder properheid, maar toch, zou dat zo cruciaal zijn? Toen Luciano en ik terugreden van Ocosingo naar San Cristóbal de las Casas, kwam ik oog in oog met mijzelf te staan: een conventionele vrouw met angstig samengeknepen lippen. Nu denk ik aan hygiëne: bij die angstig samengeknepen lippen onder een gefronst voorhoofd voegen zich een paar onbeweeglijke ogen. Helder maar blind.

Elke cel van mijn lichaam doet pijn.

Dolores zou zeggen dat ik van deze omstandigheden gebruik moet maken om de waarheden van deze wereld te evalueren. Maar, welke waarheden? Zijn die er? Het enige wat op dit moment zeker is, is mijn afkeer van deze mannen die mij hebben ontvoerd. Niet als iemand die achter een zaak gaat staan, niet als iemand die oordeelt, ik denk alleen maar aan hen als vrouw.

Ik stuur naar de vrouw die ik ben, naar haar hersens, disciplinaire bevelen – armzalige bevelen, als je je in zo'n toestand bevindt! – Toch, het brein antwoordt, alsof het niets anders te doen heeft.

Als ik intensief blijf nadenken, breng ik de angst tot bedaren. Ik zal het proberen.

En dan… mijn ontvoerders.

Als ze niet hebben geaarzeld om te proberen Reina te doden, als ze mij hebben geslagen en opgesloten, welk gegil, welke moerassen, welk stekelig struikgewas zullen hun eigen vrouwen dan wel niet tegenkomen? De manhaftigheid van de macho in zijn uiterste consequentie: applaus voor de sterke, stokslagen voor de zwakke man. Het kost mij weinig moeite mij de echtgenote voor te stellen van degene die de kolf van zijn wapen tegen mij gebruikte, zou ze Carmen, of misschien María heten? Elke zucht van hem wordt omgezet in aandacht voor hem en zijn huis, en ze is er zeker van dat hij door een beetje brandewijn zal veranderen in haar beul, en zonder protesten zal ze aanvaarden dat hij andere vrouwen heeft, terwijl zij gedwongen is van de vroege ochtend tot de late avond te werken voor zijn welzijn, met een altijd vage of juist strakke blik, zichzelf aanvaardend als het uitschot van de wereld, buitenspel gezet, vernederd, opgelost in het niets. Het lijkt mij vanzelfsprekend, zelfs dringend gewenst dat de Zapatista-vrouwen een speciale wet hebben aangevraagd voor vrouwen; als je alleen al kijkt naar de dagelijkse zaken, dan stel je je vragen over de geschiedenis, of die hollende door deze gebieden trok zonder stil te staan, met gesloten ogen. Wat de *enmontadas** hebben gedaan is afscheid nemen van hun wereld.

We wilden beginnen te leven met hoofdletters, zei Paulina. Met zachte stem vertelt zij mij over de veranderingen die zich al aftekenden sinds de opstand van 1994, feitjes zoals: voor het eerst met een broek aan naar je werk gaan, of dat de mannen ten slotte de zorg voor het eten op zich namen tijdens de rituele feesten, het eten voorbereidden, uitdeelden, (ze koken eenvoudiger, zei ze geamuseerd, bouillon met vlees, ze doden het beest en snijden het in stukjes) tot en met belangrijker feiten, bijvoorbeeld dat vrouwen niet meer tegengewerkt worden als ze willen meedoen, dat ze mogen studeren en zich ontwikkelen, dat ze het recht hebben over zwan-

---

* enmontadas – vrouwen die zich uit hun gemeenschappen hebben teruggetrokken om zich bij de guerrillero's in de bergen te voegen

gerschappen zelf te beslissen, dat ze niet worden veroordeeld als ze alleenstaand blijven (de stemmen die 'nee, ik trouw niet' zeiden, braken met de eeuwenoude traditionele statistieken en vanuit de bijzonder fraaie natuur van de Blauwe Bergen hoorde je veelvuldig NEE zeggen tegen gedwongen huwelijken). Paulina ziet geen films, gelooft niet dat het leven is veranderd maar is enthousiast geworden: de vrouw die deel uitmaakt van een organisatie is een krachtige vrouw. Niet tevergeefs stelde Comandante Ramona het leger dat het oerwoud binnentrok aan de kaak, het was de Mayor Ana María die het militaire beleg brak en erin slaagde een boodschap door het hele land te doen gaan (wat niemand verraste was dat zij de leiding had bij de inname van San Cristóbal, de eerste januari 1994, zij, een vrouw). In het gevecht om Ocosingo was het Isadora, gewond aan haar wervelkolom, die, toen haar kameraad die belast was met de operatie zich terugtrok, het bevel overnam, het vuur beantwoordde en het verzet organiseerde. Het hoeft niet zo te zijn dat al die vrouwen in de bergen wonen, Ramona en Comandante Susana leven in hun eigen gemeenschappen, kleden zich als de andere vrouwen en als ze niet met acties bezig zijn, leiden ze gewone levens, hebben kinderen, kleinkinderen en maken dagelijks tortilla's. De jongsten wonen in de bergen bij de troepen, de andere vrouwen werken vanuit hun gemeenschappen in de oerwouden. De bases, overal verspreid, bestaan voor een derde uit vrouwen. Als ik naar ze kijk, vind ik het onzin te verklaren dat er nog nooit zo weinig ruimte voor hoop is geweest als in de eeuw die nu begint. Elke vrouw die zich bevrijdt van de slavernij zoals die er altijd is geweest in Chiapas, vertegenwoordigt veel hoop als ze erin is geslaagd het verstikkende juk van honderden en honderden jaren her van zich af te schudden. Maar de echtgenotes van deze criminelen hebben zoveel moed niet gehad, Carmen en María blijven de schandelijke behandeling van hun sekse accepteren, ze staan niet op tegen de onderdrukker zoals Paulina, door te leren schrijven, zij zullen het misbruik door hun echtgenoten versterken door ze te eten te geven nadat ze zijn geslagen en ze zullen met open wonden zonen baren en die lijn met hen doen voortzetten.

Hoe verrassend! Het is mij gelukt mij te concentreren op deze gedachten zonder te denken aan de verschrikking waarin ik ben terechtgekomen. De discipline heeft inderdaad bezit genomen van mijn brein, al was het maar voor een tijdje. Hoeveel langer kan dit duren?

Ik ga door. Het is een leugen dat alle vrouwen hetzelfde zijn, Carmen of María is niet Azucena, de moeder van de Chamula-indiaan Abril, die samenwerkt met Ninoska in het restaurant. Azucena verliet haar man, of liever gezegd, hij verliet haar, want zij nam het niet dat hij haar in huis opsloot en haar niet naar buiten liet gaan, zij accepteerde niet dat haar dochters niet naar school gingen en moesten werken terwijl haar zonen studeerden, zij nam het niet dat hij een andere vrouw mee naar huis nam, en ook niet dat hij haar, elke keer als hij dronken was, sloeg. Maar pas op, het leven van Azucena is geen droom, geen enkel paradijsje viel haar in de schoot: hoewel ze tegen Ninoska beweert dat zij liever alle moeilijkheden het hoofd biedt dan haar vrijheid te verliezen, oftewel, dan weer een getrouwde vrouw te zijn, haar dagelijks leven is hard en zwaar als de hoektanden van de majestueuze tijger die deel uitmaakt van haar beeldenrijk. Azucena heeft nog geen stukje grond. Ze staat op als de sterren nog aan de hemel staan, elke ochtend om half vijf. Ze loopt vanuit haar gemeenschap naar San Cristóbal, met voeten die doodmoe zijn, volhardend als een slang in de woestijn, en van zes tot acht maakt ze in kantoren schoon. Ze komt terug naar huis om het ontbijt voor haar kinderen te verzorgen – ze heeft er zeven – en ze naar school te sturen en de lunch klaar te maken. Dan gaat ze naar de molen om haar taak in de bakkerij te vervullen, een ontwikkelingsproject waar ze aan meedoet. 's Avonds van zes tot acht gaat ze andere kantoren schoonmaken. De tortilla's voor de volgende dag laat ze klaar achter. Wanneer ze vergaderingen moet bijwonen – zij is voorstander van participatie, daarom is ze bij alle vergaderingen – spaart ze toerbeurten in de molen op, die ze zo nu en dan moet vervullen. Toen Ninoska, bezorgd om het lot van de moeder van Abril, haar suggereerde deel te nemen aan een nieuw project dat zij uitvoerde samen met een NGO, zei Azucena haar heel eerlijk: Nee, alsjeblieft, niet nog meer projecten! Nog meer hulp zou mij nog meer bezwaren. Ze denkt dus dat ze met haar bloed betaalt voor de allergrootste? misdaad, dat zij haar man heeft verstoten: 'Ik haalde mij de duivel op mijn hals omdat ik niet gehoorzaamde.'

Onder de schaduw van de kapokboom, de oudste boom, tooien Paulina en alle andere Paulina's zich met veelkleurige bloemen en zeggen: ik ben een vrouw, ik ben arm, ik ben een indiaanse. We sterven aan ondervoeding en bij bevallingen, de kinderen sterven in onze armen. Het kind en de waterkruik tegen het lichaam aangedrukt.

Het kind en de waterkruik tegen het lichaam aangedrukt. Mijn kind.

In de Ch'ol-taal heet maïs *ixim* en vrouw *'ixik*, afleidingen van eenzelfde woord. Een Ch'ol-indiaan vroeg zich af, kan iemand zonder maïs leven? Misschien alleen blanke mannen die geen maïs eten.

De angst is even weg.

Als ik eens over dit alles had kunnen praten met Reina. Zou zij zich op een ongelukkige ochtend weleens hebben afgevraagd of dit landschap dat de inheemse vrouwen elke dag zien, niet een bron van verlangen op zich zou kunnen zijn? Het is eigenaardig: als goede dochter van mijn generatie schijnen alle grote zaken mij een beetje verdacht toe, maar deze niet. Misschien lopen er onzichtbare verwantschappen door mijn aderen. Al vele dagen, een eeuwigheid, ben ik in Chiapas en geen moment ben ik minder waakzaam geweest bij het waarnemen (hoewel ik mijn waakzaamheid op vele andere gebieden wel heb verminderd), dit alles om uit te komen op het punt dat, om meer te begrijpen, ik minder dan ooit begrijp. Ik blijf lucide om rechtvaardigheid niet met liefdadigheid te verwarren. Maar als ik ergens van overtuigd ben geraakt, dan is het van de wettigheid van de kreet van een vrouw in deze verre uithoek van de wereld, of ze nu Zapatista is of niet. Daar ben ik zeker van.

4

De tijd bepaalt het bestaan; zonder tijd kun je niet bestaan. Daarom denk ik dat ik ga verdwijnen.

Ik ben al bezig te verdwijnen.

Dat wonder dat ik mij herinner. Luciano.

Op mijn knieën kruip ik over de ijskoude tegelvloer, op zoek naar de plastic emmer, wanneer ik door de deur heen het geluid hoor van voetstappen. Ik heb het gevoel dat de tijd voor mij opengaat: een menselijk wezen komt op mij af. Inderdaad, iemand komt de cel binnen.

'Wie is dat?' vraag ik, bang dat hij het eten neer zal zetten en weer zal verdwijnen zonder dat ik zijn stem zal hebben gehoord.

'Ik breng je eten, kutwijf, wees blij dat we je niet laten omkomen van de honger, want dat zou je wel verdienen, buitenlandse.'

(In Chiapas ben je, als je niet uit die streek komt, een buitenlander, ook al zou je uit een andere plek in Mexico komen.)

Het is een mannenstem en ik denk dat ik die eerder heb gehoord, misschien door de telefoon in het hotel of vanochtend (of zou het al een andere dag zijn?) toen ik in de auto stapte met de draaiende motor. Door de manier waarop hij *kutwijf* tegen me zegt denk ik dat hij dezelfde zou kunnen zijn als de man die me met zijn wapen sloeg. Ik stel mij voor dat hij eruitziet als een echte bandiet, vies, met een baard van een paar dagen, waarschijnlijk een beetje dik en met donkere ogen. De beledigingen choqueren mij, ik ben niet gewend aan verbaal geweld, alsof mijn dagen voorbijgegaan zijn in een eeuwig roze wolk. De Mexicanen zijn gewend te bedenken wat degene met wie ze praten graag zou willen horen; ze praten op een omtrekkende manier, bij hen moet je tussen de regels leren lezen, niet voor niets zijn zij meesters in het suggereren en simuleren. Het is niet zo dat ze leugens verkondigen, maar ze kunnen halve, bedrieglijke waarheden vertellen. Hoewel het me moeite heeft gekost mij aan te passen, zou ik op dit ogenblik er alles voor overhebben dat deze man eer zou bewijzen aan zijn Mexicaan-zijn.

'Hoelang houden ze me hier nog vast?' vraag ik zonder echt een antwoord te verwachten.

'Zolang als wij dat nodig vinden, hoerendochter, en stel niet zoveel vragen.'

'Haalt u alstublieft die band van mijn ogen af, alstublieft…'

'Die band is je paspoort, buitenlandse handlangster, als je onze gezichten ziet ben je dood.'

'Breng me dan naar de badkamer, ik heb behoefte aan een bad.'

'Je gaat nergens naartoe tot de baas er is. Begin je geheugen maar liever een beetje op te frissen!'

Vreemd, het is de eerste volledige zin die hij zegt zonder een belediging.

'Hoezo, geheugen? Ik heb niets te vertellen…'

'Wat een onnozele blanke, goeie god!'

'Ik ben serieus, waarom luister je niet naar me? Ik ben een Chileens staatsburger die woont in de Verenigde Staten en ik ben hier voor een reportage, ik heb niets te maken met wat jullie denken.'

'Ga je daarom naar Ocosingo? Denk je dat wij onnozele halzen zijn? Zeg me ook maar dat je die hoerenzoon van een Marcos niet kent, zeg me dat je niets te maken hebt met die hoerenvriendin van je, die andere buitenlandse…'

Zijn stem wordt gevaarlijk veel harder en dat geeft er iets vreemds aan.

'Ik ken Marcos niet, ik heb hem nooit gezien, het is absurd, hij weet zelfs niet dat ik besta. En Reina, die… die is mijn vriendin.'

'Mooie vriendinnen heb je uitgezocht, Chileense handlangster. Vertel dat verhaal maar aan mijn baas wanneer hij komt, dan moet je eens zien wat er gebeurt…'

'U kunt mij niet zomaar opsluiten, meneer, ik heb vrienden in San Cristóbal, twee ambassades staan achter mij...'

Ik praat voor de vuist weg, omdat ik niet wil dat hij weggaat, ik hoor liever zijn beledigingen dan dat ik weer alleen ben in de cel, overgeleverd aan het tijdloze niets. Alsof ik alleen nog maar besta als zij er zijn, buiten zijn fanatieke ogen besta ik niet.

'En dan ook nog een kwebbelaarster, dat superkutwijf. Zo is het genoeg! Pak je eten.'

'Zeg mij ten minste hoe laat het is, welke dag het is... alleen dat.'

'Ik zeg niets, dat is tegen de regels.'

Ik merk dat hij beweegt, zijn voetstappen lijken zich te richten naar de rechterzijkant van de kamer waar de deur is.

'Ze zou Marcos niet kennen, de hoerendochter...' mompelt hij woedend, al lopend.

En alsof hij zich heeft bedacht, komt hij weer op mij af lopen en in mijn totale duisternis merk ik opeens dat hij zijn arm opheft en mij dan slaat, heel hard, met zijn vuist tegen de zijkant van mijn hoofd, tegen mijn kaak.

Vanuit de achterkant van mijn geest slaakt iemand een kreet. Het is niet de mond van deze gevangen vrouw maar van die andere, die soms normale dingen voelde en een zoon had en een man en een huis en die eenvoudige emoties kon laten zien. Alsof die kreet hem razend maakt, draait hij zich om, om mij weer te slaan, deze keer een vuistslag op mijn borst, precies middenin, waardoor ik helemaal dubbelvouw, alsof mijn lichaam voorgoed breekt.

Bij het weggaan botst hij stuntelig tegen het bord met eten op dat hijzelf op de grond heeft gezet. Ik hoor hoe de deur dichtgaat, en voordat ik mij ga bezighouden met mijn pijn en verontwaardiging, komt eerst de honger: ik tast de tegelvloer af op zoek naar de soep. Algauw worden mijn handen nat, ik voel het vette, lege bord, alles ligt op de vloer. Zonder me te bedenken kruip ik er op handen en voeten naartoe en lik het op.

Wanneer iemand went aan verschrikking, laat die zich niet meer zien, en houdt daarom op te bestaan. De verschrikking zelf maakt dat je de afmetingen van de verschrikking kwijtraakt.

De buitenwereld is gevaarlijk geworden, amore, verberg je hier.

Woensdag

1

Nog steeds het donkere kamertje, als in een gekkenhuis...

... ik zou alles overhebben voor een cadeau: een zonnestraaltje...

... ik denk dat het nacht is, koud en vuil moet deze nacht zijn, donkere barricade van helder blauw...

... ik herinner mij wat Sancho Panza zei tegen don Quichot: Heer, droefheid is niet gemaakt voor de beesten, maar voor de mensen, maar als mensen er te veel van voelen, worden ze als beesten.

Ze komen me nog steeds niet halen... ik moet hebben geslapen want toen ik wakker werd vond ik mijn maïssoep en mijn tortilla, ik ben er expert in geworden om ze te ontdekken, ik weet precies op welke plek ik met mijn hand moet voelen, hier naast de deur... hoe lang geleden zou mijn bewaker hier zijn geweest... wanneer ik aan hem denk stel ik mij hem voor als de *man in het zwart* van Ocosingo, hetzelfde morsige, grove uiterlijk... wanneer zou de baas komen... ik voel regelmatig aan mijn tenen, arme ijspegels, ik maak ze warm, ik masseer ze, blootsvoets zijn is het ergste in deze cel... ik weet niet goed hoe lang ik hier al ben, dagen of alleen maar uren... doordat ik niets kan zien raak ik helemaal in de war... de fantasieën over het weghalen van de band voor mijn ogen zijn verdwenen... waarschijnlijk zou het mij zijn gelukt, met zoveel tijd tot mijn beschikking, maar als er een ontvoerder zou binnenkomen terwijl ik ermee bezig ben... of erger nog, als ik hem niet meer om zou hebben, hoe zouden ze mij dan straffen? Is mijn blindheid niet mijn paspoort om aan de dood te ontkomen, zoals hij zegt... misschien is dit weer een teken van mijn enorme lafheid, maar ik houd mij liever aan de regels dan dat ik de gevolgen moet ondergaan als ik mij er niet aan houd... ik zou niet erg belangrijk zijn in de ogen van deze mannen als de baas mij niet alsnog ondervraagt... of proberen ze mij mores te leren, weten ze dat ik niets weet en hebben ze nooit aan een verhoor gedacht?

Ik doe een paar voorzichtige passen om niet stijf te worden, het is een kleine ruimte, ik kom niet ver... wanneer ik probeer te lopen, wankel ik kokhalzend en val op de grond.

Ik betast elke plek van mijn lichaam die pijn doet, mijn borstkas het meest.

Ik denk dat elk menselijk wezen een oneindig, verborgen vermogen heeft om geweld uit te oefenen, of hij dat nu wil of niet. Maskers helpen hiertegen, die schermen af, bedekken, verbergen, maar heffen het niet op. Wat er gebeurt in oorlogen en onder dictaturen is dat de maskers worden afgezet en dat de mogelijkheid tot geweld reëel wordt en de kans krijgt in ongebreidelde pracht aan de oppervlakte te komen; de straffeloosheid staat het toe. In Mexico, in Acatlán, bestaat een oude traditie van een gevecht dat door mensen wordt geleverd om aan God regen te vragen en zo het voedsel veilig te stellen. De leden van de gemeenschap schilderen eigenhandig rituele maskers, tijgerkoppen in zwart en geel. De mannen zetten de maskers op en met gruwelijke zwepen in hun handen storten ze zich op elkaar. Ze slaan elkaar buitengewoon gewelddadig en door de zweepslagen beginnen ze te bloeden, terwijl de mensen onbeschaamd toekijken. In Acatlán is er voor het teveel aan adrenaline een uitlaatklep en dat wordt bewaard voor deze dag: het geweld wordt zo officieel gemaakt, tot norm verheven door het volk zelf.

Ik ben niet nagegaan wat er gebeurt in dit dorp in de loop van het jaar, wanneer ze de hulp van de goden niet hoeven in te roepen, maar ik denk dat ze elkaar dan niet afmaken.

Het lijkt erop dat niet alleen op de wegen van Guanajuato het leven niets waard is, ook hier is het onbelangrijk...

... ik vereenzelvig mij met een gemartelde heilige, een van die oude koloniale heiligen op de muurschilderingen, waarvan de verf door brandplekken of door slijtage kleurloos is geworden en die in de kerken zijn opgeborgen, die geen dienst meer doen, waarschijnlijk worden ze niet weggegooid omdat niemand dat durft...

... waarom komen ze me niet redden...

... wat gebeurt er buiten deze muren...

Ik herinner mij met spijt mijn ontmoeting, kortgeleden, met die functionaris van de Chileense Ambassade in Mexico: tussen de middag dronken Reina en ik koffie in een lunchroom in de Diego de Mazariegosstraat en iemand die mijn accent had opgemerkt, zoals hij later zei, onderbrak ons gesprek... het was een man van middelbare leeftijd, knap, met heel blauwe ogen, in elegante vrijetijdskleding... ik herinner mij dat zijn naam Gabriël was, maar zijn achternaam heb ik niet onthouden... dat komt omdat als wij mensen uit kleine dorpjes elkaar ontmoeten, wij naar elkaar kijken, aan elkaar ruiken als honden en dan onmiddellijk weten waar wij de ander moeten plaatsen... nationale incest noemt Gustavo het, en toen ik hem eenmaal had geplaatst leek mij waar die man vandaan kwam op dat ogenblik heel ver af te staan van wat ikzelf beleefde... als je het zou hebben over de jeugd van zijn zuster, zou je praten over zwarte lakleren schoenen met franje en witte kniekousen van zuiver zijde, over een prinsesje, wat ik nooit ben geweest... ik probeer vandaag te begrijpen waarom ik die man geen enkele aandacht heb geschonken toen hij me liet weten dat ik mij tot hem kon wenden als ik een probleem had... niets stond toen verder van mij af dan het begrip *problemen*... ik verloor zijn visitekaartje en nu denk ik dat ik hem meteen de eerste dag dat de witte auto mij volgde had moeten bellen... zeker is dat het commentaar van Reina ook helemaal niet meewerkte toen de Chileen zich had verwijderd van onze tafel: Jouw landgenoten bevallen mij niet erg. Wat hebben wij op dit continent zeventien jaar lang voor hen in de rotzooi gezeten om vandaag de dag te moeten constateren dat ze toegeeflijk en berekenend zijn geworden, comfortabel geïnstalleerd in hun eigen leventjes, onverschillig tegenover het lijden van anderen hoewel wij hun lijden belangrijk vonden, wat zullen ze moe zijn van zoveel gemakkelijk medelijden!

In gevangenschap duren minuten net zo lang als slapeloze nachten...

... ik denk aan Reina... haar oorhanger is mijn enige gezelschap in dit gigantische niets en ik zorg ervoor dat ik hem in de palm van mijn hand stevig vasthoud... misschien is ze al uit het ziekenhuis en wacht ze nu op mij... ach kon zij mij maar omarmen, haar armen zouden als die van Dolores zijn...

... de armen van mijn kind, als hij die vanuit zijn wieg ophief, strekte hij ze altijd vol verlangen naar mij uit, en dan lachte ik, brutaaltje, zei ik tegen hem en dan pakte ik hem natuurlijk op...

... zou de kou een van de ergste vijanden van de mens zijn?

... ik voel mijn voeten niet meer...

Reina, wie kan beter dan zij, met haar verheerlijking van het heroïsche, met haar wanhopig afzien van zichzelf, zoals ze dat heeft gedaan, met haar keuze van een bescheiden hoekje van de wereld waar haar aanwezigheid onherroepelijk was, wie kan mij beter moed inspreken in een situatie als deze dan zij? Ik zou met haar over zoveel dingen willen praten, in de hoop dat zij mij enkele lichtstraaltjes van haar niet-aflatende rationaliteit zou schenken waarmee ze deze duisternis, deze naargeestige eenzaamheid zou verlichten. *Weet je, Camila, wat het verschil is tussen deze tijd en vroegere tijden? Vroeger was het werk dat gedaan moest worden de vrucht van verplichting; tegenwoordig wordt het gedaan uit overtuiging. En dat laatste gaat samen met genot, met dankbaar willen zorgen voor wat men ons heeft gegeven.* En dan vlecht ze haar zwarte haar, diepzwart als de veren van een ekster, zo zwart dat het een donkerblauwe glans heeft. Ik laat al haar gebaren de revue passeren terwijl ik naga in welk gebaar alle andere samenvallen. Het is haar hand, wanneer zij die opsteekt tijdens het praten: haar hand als een van de gezichten van de hemel. *Eén van mijn angsten is dat ze het woord imperialisme hebben vervangen door globalisering, dat ze ervan profiteerden dat het eerste woord in onbruik is geraakt.* Dat beeld staat mij niet aan, dat zoek ik niet. *Ik ga zo vaak de stad uit, ik zou jouw bezoek hebben kunnen mislopen. Dat zou ik mijzelf niet hebben vergeven, Camila. Waar ik ook zou zijn, Dolores zou voor mij zorgen, hoe zou ik mij dan niet om jou kunnen bekommeren?* Aantrekkelijke persoonlijkheden zijn meestal uitzonderlijk, dat lijdt geen twijfel. En dat zijn ook de mensen die anderen om zich heen verzamelen, alsof ze een geheim bezitten dat de anderen, of ze het nu weten of niet, koesteren. Wat doen Jean Jacques, Ninoska, Luciano, Paulina anders dan de rol spelen van Vestaalse maagden, zorgend voor het heilig vuur van hun tempel? En om bij mijzelf te blijven, hoewel ik niet deel uitmaak van het geheim, heb ik eigenlijk niet hetzelfde gedaan?

Ik ben er al in geslaagd een paar passen te doen zonder te vallen, zonder te kokhalzen, alleen de passen die in dit hok mogelijk zijn. Ik beweeg mijn benen, ik trek mijn knieën op, ik strek en span mijn kuiten. Enige beweging, enige warmte. Het kan mij niet schelen of ik uiteindelijk val en terechtkom op de vloertegels.

Ik kom weer terug bij Reina… wat heb ik anders op dit ogenblik dan mijn herinneringen? Bij haar had ik soms het gevoel dat ik de *gelovigen* bestal om zelf inzicht te krijgen. Soms ook betreurde ik het dat zij geen tekens uitzond waardoor ik gevoelens had kunnen vaststellen, zoals je dat met iedere andere vrouw deed. Ik was eraan gewend dat onze gesprekken mij in het duister lieten; het feit dat het licht steeds op haar viel beviel me wel, want daardoor kon ik op het tweede plan verkeren, waar ik mij op mijn gemak voelde, waar mijn eigenschap van waarneemster goed uitkwam, een situatie zonder leugens.

Wij praatten weinig over onszelf.

Ik had het nooit over mijn kind. (Zou Dolores het haar hebben verteld? En zij aan Luciano? Waarom anders die dodendans, het grote feest?)

In haar streven mij *een paar waarheden* bij te brengen, liet zij veel weg. De laatste keer dat ik met haar praatte was in La Normandie. We zaten een paar chayotetortilla's te eten, klaargemaakt door Ninoska, toen ik haar vroeg: Reina, is die hele geschiedenis met de Zapatista's niet iets waanzinnigs? Haar antwoord liet niet op zich wachten. Kijk, Camila, in Latijns-Amerika is om de zoveel tijd iets mogelijk wat op andere plaatsen waanzinnig zou zijn, dat een handjevol vastberaden mannen de geschiedenis volledig op zijn kop zet. De omvang van de onrechtvaardigheid en de ongelijkheid maken het zo nu en dan mogelijk dat als een aantal mensen iets absoluut wil, dat wordt omgezet in een uitvoerbaar project.

Hernán Cortés, die met slechts zeshonderd mannen en zeventien paarden begon, eindigde met een immens imperium waarvan historici inschatten dat hij meer dan twintig miljoen onderdanen had, onder wie niet veel Spanjaarden, nietwaar? Fidel ging van boord op zijn eiland met tweeëntachtig man en veroverde het eerste garnizoen met dertig man, van wie het grootste gedeelte een maand ervoor was gerekruteerd.

De volgende voorbeelden kwam ik niet te weten, want toen kwam Luciano binnen en Reina's ogen begonnen koket te stralen, ze pakte haar lange gladde haren, begon ermee te spelen en liet zich maar al te graag onderbreken. Dat was mijn laatste gesprek met haar, afgelopen woensdag. Het was haar idee dat Luciano mij zou vergezellen naar San Juan Chamula, de volgende dag, vergeet niet die kerk te gaan bekijken beval ze me aan; zodoende schonk zij mij royaal stukjes van haar wereld. Geen enkele angst dat die wereld haar zou worden afgenomen. Geen greintje angst. Laten we voor morgen afspreken in het Café del Museo en dan zal ik je nog een paar dingen vertellen. Om acht uur, Camila, goed?

Om acht uur, Reina.

Ik zou liever hebben gehad dat ze mij had verteld over haar relatie met Luciano, dat ze mij had verteld over haar liefde in het oerwoud. Samen zouden we een verbond hebben gesmeed met de maan.

Ik denk aan Marcos, ergens in dat dichte oerwoud, waar geen weg meer loopt, waar geen tanks of vliegtuigjes komen, geen sterveling anders dan te voet. Toen het leger het oerwoud introk om hem te zoeken, kwam vanaf de hoofdstad als één luide stem, eenstemmig, gelijktijdig, krachtig: *Wij allen zijn Marcos*. Ik denk aan zijn ogen, het enige wat wij van hem kennen. Aan zijn koffie- en olijfkleurige kleren, zijn bivakmutsen, zijn soldatenkistjes, zijn patroongordel met vakjes om kogels in te doen, zijn radiocommunicatiesysteem dat hij altijd bij zich droeg, zijn onafscheidelijke muts die al behoorlijk versleten was en zijn pijp die hij altijd rookte, hoeveel haat en liefde heeft hij losgemaakt! Velen vragen zich af wie er achter dit personage schuilt, een overbodige vraag, wat belangrijk is, is het personage en niet hijzelf. Zoals de inboorlingen van Acatlán heeft ook hij een masker opgezet tegen het geweld, een bivakmuts in plaats van de tijgerkop, die fungeerde als schakel tussen God en de mens. Ook heeft hij grenzen gesteld aan het geweld, alsof hij het niet wilde. Het is niet makkelijk je dat lachende gezicht voor te stellen bij het doden en ik vraag mij af of het vergoten bloed hem en zijn mensen heeft kunnen bevrijden. Het is alsof ze zeggen, zonder de lippen te bewegen: *Ons woord staat geschreven, maar is nog niet gehoord*; zonder het uitvoeren van de Akkoorden van San Andrés leven oorlogstrommels vreemd genoeg in harmonie met vredesvlaggen, zonder met elkaar in tegenspraak te zijn of elkaar uit te sluiten. Zijn manier van spreken strookt niet met die van de traditionele guerrillastrijder. *Het Zapatisme is er niet, het bestaat niet. Het dient slechts zoals bruggen dienen, om van de ene kant naar de andere te komen. Daarom is het Zapatisme geschikt voor iedereen, voor ieder die van de ene kant naar de andere wil oversteken.*

Ook ik wil graag oversteken, mijn dilemma is dat ik niet weet waarnaartoe.

Geen enkele gedachte die langer dan een ogenblik duurt houd ik vast, alleen dat wat kort en dichtbij is…

De belangrijkste reden voor Paulina om ten strijde te trekken was de dood van haar grootvader. In het oerwoud heerst een verschrikkelijke ziekte met een ingewikkelde naam: *leishmaniosis,* die in rijke landen voorkomt bij honden. De vrouwen noemen het 'een soort lepra', een mug die in de huid kruipt en die dan vernietigt. In veel landen, zoals in Frankrijk, kun je het medicijn ertegen in de apotheek krijgen, maar hier wordt het niet verkocht. Haar grootvader, ernstig ziek, kon het noch in Tila, noch in Sabanillas krijgen en eindigde zijn leven op een verschrikkelijke manier. Paulina had genoeg van zoveel ellende en zwoer dat het haar mensen nooit meer zou overkomen, sterven aan een niet-dodelijke ziekte door gebrek aan medicijnen. Mij bracht de dood nergens. Mijn lege kerstkribbe.

Ik kom weer terug bij don Quichot, toen Sancho tegen hem zei: De gezondheid van één enkele dolende ridder is dus meer waard dan alle betoveringen en gedaanteverwisselingen bij elkaar.

Met angstige spanning klamp ik mij vast aan kleine, hoopvolle gedachten en laat die niet los, met mijn nagels, met mijn tanden klamp ik mij eraan vast... dat de deur opengaat... dat ze de band van mijn ogen afhalen... dat ze me een deken geven... dat ze de portie eten verdubbelen... kleine, precieze hersenspinsels, totdat ik ineens begrijp: de allergrootste hoopvolle gedachte is: totale vrijheid...

Hier ben ik, gevangen, doodsbang, overal pijn... zo kwam op een dag ook die andere zware beproeving... in het ziekenhuis in Washington dacht ik dat na dat alles het leven mij niet meer op de proef zou kunnen stellen, immers, waarmee zou het dat kunnen doen als het op zoveel gebieden al had gewonnen... want de winnaar, dat was het leven en niet ik; stervende kwam ik daarvandaan, stervende, dood in zoveel betekenissen...

Ik kom weer even terug in mijn hoekje met hersenspinsels...

... zo nu en dan word ik bezocht door de winden van het zuiden, van dat zuiden dat van mij is, ver weg, treurig, een eiland... wie nooit een olm in bloei heeft gezien weet niet wat geboorte is... wie geen karmijnrode kers in het begin van de zomer heeft gegeten of een abrikoos in het seizoen, weet niet wat fantasie is... hoewel ik vaak denk dat mijn gedachten worden bepaald door Chileense rationaliteit, bespeur ik daartussendoor soms enkele subjectieve opwellingen waar ik achter sta. (Waarom ben je zo bang voor het conflict? vroeg Luciano me eens. Omdat ik Chileense ben; ik neem het collectieve kwaad van mijn land op mij, antwoordde ik hem...) Kortgeleden, toen in het huis van Luciano de dag aanbrak, herinnerde ik mij de benaming *outsider* als een van de wezenlijke kenmerken van mijn leven in Washington... toch, niet lang daarna, keert zich die hoedanigheid van vreemdelinge, van buitenlandse die er niet bij hoort, van iemand die eeuwig van elders komt, tegen mij en stelt mij vragen... als ik uiteindelijk moet erkennen – hoewel om andere redenen – dat ook ik lid ben van het leger van slachtoffers, voel ik de neiging om de wachtkamer als verblijfplaats te kiezen... en terwijl ik koppig blijf zitten in het stukje dichte nevel waarin ik nu verkeer, kenmerk van verliezen van onschatbare waarde, zweer ik mijzelf toch dat ik mijzelf ten slotte als slachtoffer zal aanvaarden...

2

Laten we eerlijk zijn: een cel is de beste plaats om herinneringen op te halen, hoorde ik mijn moeder langgeleden zeggen. En wat ik deze uren heb gedaan is precieze herinneringen uit mijn achtertuin opgraven om vervolgens niet goed te weten wat ik ermee aan moet. Zo is het wel genoeg, Camila, zou Dolores tegen me zeggen, vind je ook niet dat het zo wel genoeg is?

Ik zal een buitengewone inspanning verrichten, ik zal in mijzelf de angst overwinnen, ik zal het gezicht van Luciano tegenover mij zetten, ik zal mij een voor een de woorden herinneren die hij tegen mij zei, zijn gelaatstrekken zullen die bij mij terugbrengen en ze zullen in mij de ruimte innemen die de angst mij nu afneemt, zo zal ik mij handhaven in het hier en nu. Luciano, vertel mij nog eens dat lange verhaal, weet je wat ik zal doen om geconcentreerd te blijven? Ik zal een bepaalde positie verzinnen, ik zal op de grond met mijn rug tegen de muur gaan zitten, rechtop, heel erg rechtop, en de koude muur zal mijn slaperigheid verdrijven en dan ga ik met mijn knieën uit elkaar en mijn voeten bij elkaar zitten, alsof ik aan het mediteren ben, en zo moeilijk als die houding is, zo groot zal mijn wil zijn om naar je te luisteren.

Geen enkele dochter mag de dood van haar moeder wensen, om die reden vluchtte Reina Barcelona van Montevideo naar Chili toen ze zeventien was. Achter haar oudste broer aan, zo zei ze tegen zichzelf, om de authentieke processen van de ommekeer van het land in een democratie op de voet te volgen, maar in werkelijkheid

ontvluchtte ze haar moeder die langzamerhand, tussen heldere opwellingen van geloof en uitgesproken wellust door, haar verstand
verloor. Zoals in *La Regenta*, veranderde God haar in een obsessie,
een manie. In haar godsdienstwaan werd de vorm voor haar alles –
in plaats van een echte gelovige te zijn werd ze een huichelachtige,
vrome vrouw – en daarvan week ze alleen maar af als ze achter de
bewijzen van Reina's maagdelijkheid wilde komen. Verder had ze
voor haar dochter geen enkele belangstelling, het was alsof alleen
mannen haar konden amuseren. Haar houding tegenover Reina
hield het midden tussen negeren en slecht behandelen.

Reina had nooit, zelfs nog geen paar uur, het rechtmatige gevoel
gehad dat elk kind kent, om geliefd te zijn, om er te mogen zijn. Als
reactie daarop wierp ze zich op het gehate geloof en cultiveerde het.
Maar tweeslachtigheid is de essentie van het leven zelf – afgezien
van een paar zeer zeldzame uitzonderingen wordt het karakter van
de mensen nooit gekenmerkt door het totaal goede of totaal slechte
– en door die fase ging dat kleine, gewonde meisje. Zoals bij de
Maya-vrouwen was het hart van Reina gekwetst.

In haar jeugd bestond er voor haar één belangrijk persoon: een
verre, invalide tante in een rolstoel. Wanneer Reina haar zag, kon ze,
ten prooi aan een vreemde fixatie, haar ogen niet van die stoel afhouden. Het was haar stille wens om die tante te *zijn*, die tragedie op zich
te nemen als was het een gruwelijk, fascinerend, bijna morbide privilege, en dan op die manier enorm de aandacht te trekken en overal
in ruime mate medelijden op te wekken: als invalide wás ze iemand.

Toen ze veertien was en ervan overtuigd was geraakt dat invalide
zijn te veel lijden met zich meebracht, wilde ze filmactrice worden.
Zij bezocht haar broer 's nachts, naakt, gehuld in tule – gescheurd
uit een paar afgedankte gordijnen – haar ogen zilverkleurig opge-
maakt, haar mond fataal granaatrood, haar haar met lange stokjes
opgestoken. Ze mat zich een extravagante houding aan die precies
bij haar paste. Net als de sterren van het witte doek, zei ze.

Soms betrapte haar moeder haar en die besloot dan ter plekke óf
om haar te slaan óf om haar met ijskoude blik aan te blijven staren.
Afhankelijk van de dag.

Maar meer dan eens was het Reina die haar moeder betrapte: in de zon, op het terras ontblootte zij haar bovenlijf en riep haar zoon. Streel me, gekkie, zei ze en hij ging kalm met zijn hand over die borsten tot de tepels ten slotte van graniet waren.

Zoals het ons allen gebeurt, werd Reina gevormd door wat ze te-kortkwam, iets wat tegelijkertijd onvoorspelbaar en vernietigend was, wat zowel briljant als destructief was, wapende haar geest. Iets in haar wat overwonnen was huilde.

Als met de jaren de schoonheid verdwijnt, zei haar moeder haar, is het enige deugdelijke wapen dat overblijft de ironie; wie zich er niet van weet te bedienen wordt pathetisch. Maar die ironie keerde zich zozeer tegen haar dat toen de dictatuur in Uruguay voorbij was en Reina haar land weer in kon, men haar moest opsluiten in een psychiatrische inrichting. In die familie die op sterven na dood was, besloot haar broer de stem van het verstand te laten horen, omdat er in elke familie iemand moet zijn die dat doet en hij nam het op zich te zorgen voor financiering, artsen en bezoeken, terwijl zijn zuster, ergens op het continent, haar fantasieën liet dwalen langs alle mogelijkheden om haar eigen moeder een cynische, na-tuurlijke dood te bezorgen. Het lijkt zo waar te zijn dat wij zijn wat zij ons leerden.

Toen ze haar moeder opsloten in de dubbel gesloten afdeling van het gekkenhuis, alsof gekte niet de eerste en enige barbaarse opslui-ting is, koos Reina er definitief voor om haar ziel in dienst te stellen van de barmhartigheid, om daarnaartoe te gaan waar monddood geslagen burgers haar nodig hadden. Daartoe koos ze een land uit waar, net als in Mexico, nog de stille spanning heerst tussen men-sen en goden: Guatemala.

Ach, Luciano, de zorgwekkende toestand van mijn lichaam maakt het mij onmogelijk mijn rug recht te houden, mijn schouders bui-gen zich ongewild voorover en je stem kan ik niet meer horen…

… opnieuw tegen de ijskoude muur aan…

… ik luister naar je… ga door met je verhaal…

Reina werd guerrillastrijder. Een vroegere vriend uit haar eerste jaren in Chili nam haar aan in een café in Pocitos. In Uruguay was de democratie al begonnen en de strijder die ze in zich had, voelde hoe haar bloed kookte en bereid was tot actie. Zo kon het gebeuren dat ze haar opleiding kreeg in het bergachtige gebied van Guatemala, onder de rauwe strijdkreten van regen en bliksem en dat ze ten slotte terechtkwam in een kampement in het oerwoud, in een allervijandigst klimaat, op een terrein dat altijd onder water stond en waar het heel heet was, te midden van een woeste, overdadige vegetatie. Dat, en het moeilijk toegankelijke, geaccidenteerde terrein gaf de guerrillastrijders het gevoel van rust, van beheersing van de situatie; in de strijd en bij de manoeuvres leverden hun karaktereigenschappen hun daar voordeel op, terwijl op het vlakke terrein het leger profiteerde van zijn grote voordelen: numerieke overmacht, betere bewapening en snelle mobilisatie.

Toen zij naar het strijdtoneel vertrok, zorgde Reina ervoor dat, zoals dat heet onder samenzweerders, haar dekmantel, wat er van haar te zien en te lezen was, goed was geregeld. Ze liet haar broer en vrienden weten dat ze met een beurs naar Parijs ging en daarvandaan stuurde de organisatie haar de brieven na, zodat zij ze kon beantwoorden, en dan stuurde ze ze terug naar Frankrijk, waardoor ze zo een levensechte façade kon ophouden. Ze kwam bij de Organización del Pueblo en Armas, die bekender is onder de afkorting ORPA*, een van de vier gewapende formaties die later de vrede zouden ondertekenen.

Hier werd, voor er een jaar was verstreken, niemand echt guerrillastrijder en in feite had je tien jaar nodig voordat je commandant kon worden, een vrij lange opleiding, zelfs aan de Sorbonne duurde de studie niet zo lang. En voor de goede zaak moest Reina de verplichte proeven in het kader van de aanpassing aan het leven van de guerrillastrijder nederig en stoïcijns doorstaan: ze moest meedoen aan de beveiliging (wachtposten, ondersteunende taken), hout-

---

* ORPA – organisatie van het volk onder de wapenen

hakken, water halen, eten klaarmaken voor de hele groep, overdag en 's nachts, groepen begeleiden over lange afstanden, en ten slotte de belangrijkste proef: vechten. Toen leerde ze dat de moed en het vermogen om de vijand tegemoet te treden niet scholen in het ontkennen van de angst maar in het weten te beheersen ervan. Zonder de voorafgaande trainingen zou de meerderheid van de strijders, van origine boer en Maya, haar niet hebben geaccepteerd en de vele opmerkingen die getuigden van *omgekeerd racisme* zouden haar het leven ondraaglijk hebben gemaakt. Ze werd ingedeeld bij een belangrijke eenheid en slaagde erin de rang van kapitein te bereiken. Ze vocht bij de infanterie en overleefde bombardementen en artilleriegevechten. Haar speciale functie, die alleen werd toegekend aan iemand met een zekere intelligentie, was die van radiocommunicatiespecialist, waarvoor ze een cursus had gevolgd in Mexico. Als telegrafiste hadden ze haar getraind om codes van het leger te ontcijferen, waardoor zij eerder dan haar eigen baas wist wat er ging gebeuren en zij was het die hem op de hoogte bracht wanneer ze ontdekt waren en vertelde wat hun te wachten stond op een bepaalde plek, waardoor het succes van veel acties van haar afhing.

In de zomer sliep Reina in haar hangmat zonder iets over zich heen (een slaapzak zou te zwaar geweest zijn om mee te dragen). Maar in de winter moest ze haar tent wel gebruiken. Wat ze nodig had hing af van de seizoenen in Guatemala, van mei tot oktober winter en regen, van november tot april zomer en droogte. Haar rugzak was haar huis, daarin zat haar hele leven, alsof ze een vervangend huis in dertig pond gewicht op haar schouders kon stoppen. Het belangrijkste was de militaire uitrusting: het geweer en de munitie. In een nylon reiszak zaten de tent (*champa*), de hangmat, de deken (*chamarra*), het jack (*chumpa*), ook een tandenborstel met tandpasta, een stuk zeep, shampoo, een naai-etuitje, Niveacrème, waardoor ze eraan werd herinnerd dat de ijdelheden van het leven nog steeds bestonden, en een of twee stuks schone kleren (een overhemd en een broek, allebei olijfgroen). Ze moest rubberlaarzen dragen, want schoenen gingen niet lang mee. Ze voedde zich voornamelijk met rijst, bonen, suiker, maïs en pasta, ook met Incaparina (een multivitaminendrank ter vervanging van vlees, gemaakt van maïsmeel, katoenzaad en soja).

Zo nu en dan wisten ze vlees op de kop te tikken, hetzij gekocht, hetzij opgeëist. Reina raakte verzot op blikjes tonijn of sardines en heel in het bijzonder op mayonaise, waar ze met lepels tegelijk van smulde. Als zoetigheid at ze alleen chocola. Van de eindejaarsfeesten herinnert zij zich het eten van druiven en appels en het is haar bijgebleven dat sommige *compas** deze vruchten nooit hadden gegeten.

In die dagen trakteerden ze zichzelf ook op rum, bier en de clandestiene likeur *la cusha*, een product van gegiste maïs.

Ontspan je een beetje, lieve Luciano, mijn hele lichaam doet pijn, ik houd de houding die ik je heb beloofd niet langer vol... als ik mij uitstrek op de vloer dan verlies ik mijn concentratie... of misschien sukkel ik dan in slaap... door de honger krijg ik maagkrampen... maar ik wil jouw woorden niet loslaten... ach, Luciano, wat doe je? kom terug...!

Zij had daar liefdes, waarom niet! Ze slaagde erin in dat ongewone leven een zekere intimiteit te handhaven, paren namen gewoonlijk een aparte positie in (de plek die ze uitkozen om zich te installeren, hun nomadenhuizen, werden 'posición' genoemd). Het was een leven dat meer dan echtelijk was omdat ze alles deelden, ze brachten de hele dag samen door en bovendien werd de een altijd in gezelschap van de ander op acties uitgestuurd. Het machismo bleef toch behoorlijk onaangetast: tijdens het gevecht werden vrouwen gehoorzaamd, maar als de rust was weergekeerd kwam de elementaire rolverdeling, zoals die in de stad gebruikelijk was, weer terug. In het kampement was het de vrouw die naar de rivier ging om de was te doen en die kookte voor haar man, maar als er gevochten werd

---

* compa(ñero)s – kameraden

dan streden ze als gelijken, en vielen de vrouwen op door hun serene, dappere optreden, wat de nieuwe guerrillastrijder verbaasde en te denken gaf. Als je namelijk zo'n hoog niveau van vastberadenheid hebt bereikt, wordt de beslissing tot het einde toe met enorme vasthoudendheid doorgevoerd. Ze begreep toen dat machismo niet synoniem is aan dapperheid en moed, ze zag mannen beven in de strijd terwijl de vrouw onverstoorbaar doorging.

Op het hoogtepunt van de Guatemalteekse guerrillastrijd was één op de vijf een vrouw en tegen het eind van de jaren tachtig en aan het begin van de jaren negentig vormden zij ongeveer twintig procent van de strijders. De Maya-vrouw, wier leven altijd al extreem hard was, verdroeg deze situatie beter dan de Ladina-vrouw. Deze beleefde een enorme tegenstelling tussen haar verlangen een bijdrage te leveren aan de strijd en haar zwakke fysieke conditie. Als ze vroeg om overplaatsing naar beneden liep ze daarbij het risico te worden gevangengenomen en afgevoerd naar de steden, en dat alles omdat ze niet *boven* wilde blijven. Zij probeerde de situaties uit het leven van de guerrillastrijder theoretisch te benaderen, zonder de vereiste praktische objectiviteit, en daarmee verdoezelde zij de problemen die ontstonden door gecompliceerde relaties tussen de mensen onderling, gezagsconflicten en fysieke zwakheden. Soms waren de hygiënische omstandigheden heel moeilijk voor haar, ze probeerden elke dag een bad te nemen in wat de natuur hun te bieden had, een rivier, een stroompje, en als die ver weg waren deden ze het met een plastic watertank. Reina baadde zich naakt, maar de Maya-vrouwen, die conservatiever en preutser waren, hadden niet die stadse vlotheid en deden het gekleed in beha en onderbroek.

De liefde werd aan het front beleefd zoals overal. Met een kameraad beleefde Reina een hartstocht die zo heftig was dat, toen ze er genoeg van had en met een andere begon, de man, buiten zichzelf, uit woede en wrok, een granaat afschoot naar de plek waar het nieuwe stel sliep. De granaat ontplofte, er waren gewonden en het veroorzaakte een verschrikkelijk schandaal dat ter ore kwam van de commandant en dat niemand van de aanwezigen zou vergeten.

Reina was door de gebeurtenis erg geschrokken en moest het idee herzien dat in een guerrillastrijder de kracht van de hartstocht het nooit zou kunnen winnen van zijn militaire kracht.

Dit is een daad van wilskracht, Luciano… help mij… beweeg je gezicht niet, alleen als ik mijn aandacht daarop richt, lukt het mij naar je te luisteren… het ging bijna fout, niet… blijf stilzitten tegenover mij, want ik bezwijk bijna onder de last…

Niemand verplichtte haar om in de guerrillastrijd een relatie te hebben. Als er maar een greintje onenigheid was en de vrouw het niet wilde, dan veranderde de man van *posición* of hij werd naar een andere patrouille gestuurd. De wet van de guerrillastrijders was heel strikt op het gebied van misbruik en verkrachting: niet iedereen had een partner aan zijn zijde en soms ging er lange tijd zonder seksuele activiteit voorbij, en daarom werden ze gewaarschuwd dat op een dergelijk delict de doodstraf stond. In de paar gevallen dat Reina getuige was van verkrachting zag ze de commandant onmiddellijk tussenbeide komen en de zaak oplossen. De onderdelen op de bevoorradingslijst waar de meeste belangstelling voor was, waren condooms, de pil en de prikpil. Als een vrouwelijke strijder zwanger werd, kwam ze voor de beslissing te staan om zich te laten aborteren of om naar een veilig huis te gaan in de stad, te bevallen en om mee te doen aan taken als het verzorgen van de gewonden, wapens gereedmaken of geweren invetten. Deze werkzaamheden verrichtten ze terwijl ze op hun baby pasten. Enkele vrouwen lieten hun kind achter bij een familie van de organisatie en kwamen na een paar jaar terug, andere gingen op in het leven in de stad.

Na een bepaald gevecht waarin Reina te maken kreeg met bijzonder moeilijke omstandigheden, kwam ze terug in het kampement en schreeuwde: Ik kan niet meer! Ik had nooit van huis weg moeten gaan! Ze vroeg overplaatsing naar het dal aan. Uitgeput, en in haar hart gewond, verliet ze de bergen. Ze was niet in staat geweest deel te nemen aan de guerrillastrijd, maar dat was niet waar het om ging. Wat moeilijk was om onder ogen te zien en later om te aanvaarden, was het element van ontmenselijking binnen haar eigen ideologie. Moet links zover gaan om het kapitalisme te overwinnen? vroeg ze zich af. De ontgoocheling maakte haar somber. Ze wilde niet in Guatemala blijven en ook niet deelnemen aan het werk in de stad. Ze ging naar Mexico. Ze kreeg het gevoel dat een stad als San Cristóbal en een gevecht als dat van de Zapatista's een nieuw geluid zou voortbrengen dat bij haar zou passen en dat van haar zou zijn.

De guerrilla in Guatemala had banden met de Zapatista's aan de grens, er waren geen verdragen gesloten op hoog niveau maar in de praktijk kwamen er Mexicaanse jongeren bij hen trainen en leven in hun kampementen. Dat waren haar eerste contacten. Toen ze besloot zich aan te sluiten bij de EZLN, als zijnde haar moreel referentiepunt, was ze al ver gevorderd op haar weg. En deze keer gaf haar verstand haar in dat ze in de stad moest blijven, wat er in haar eigen taal op neerkwam dat ze een menselijker horizon moest zoeken.

Nu kun je wel gaan, Luciano, dit was het verhaal dat ik in mijn hoofd weer de revue moest laten passeren... nu ben ik vrij om uitgeput terug te vallen op de vloertegels... alsof iets gevleugelds en gezegends over mij was gekomen, constateer ik dat ik zelfs in de ellende van mijn cel ruimte heb voor medelijden... ik werd geboren met een onschendbaarheid die Reina niet had... alsof zich heimelijk in de placenta van Dolores een beschermend laagje had gevormd: het kostte mij geen moeite om vrouw te zijn, Reina wel... voor het eerst denk ik aan Reina als aan iemand bij wie de opties zijn voortgekomen uit gebrek, en die met ideologieën haar ontreddering wist te verbergen...

3

Weer hoor ik door de deur heen voetstappen. Mijn uur is gekomen, nu zullen het verhoor en het martelen beginnen. Ik tril, ik ben zo bang! Er komt iemand die een zwaar lichaam heeft, dat vertellen zijn voetstappen.

'Kom, kutwijf, sta op.'

Hij is het, de beul die ik al ken.

Ik heb al geleerd geen vragen te stellen, mijn borstkas en mijn kaak hebben het mij geleerd.

Hij duwt mij krachtig de kamer uit. Meer dan ikzelf is het mijn arme gevangen arm die hem volgt, wie weet langs welke wegen. Ik hoor geen enkel geluid, niets kan mij op het spoor brengen van de plek waar ik ben. Na een tijdje zegt hij dat ik op mijn stappen moet letten, dat er een trapje en een deur komen. Ik ga erdoorheen en ineens voel ik hoe de lucht verandert, het is duidelijk dat wij het huis uit zijn. Ik ervaar het ademen als een zegen. Het is dezelfde zuivere lucht die mij nieuwe kracht gaf toen ik stilhield op de overloop van de trap voordat ik de derde verdieping bereikte waar mijn kamer was in Casa Vieja. Vaak dacht ik dat het een soort lucht was waarin je je niet kon vergissen. Ik twijfel er niet aan, ik ben in San Cristóbal of vlak daarbij.

Plotseling dringt het tot mij door dat de man niet praat, en me zelfs niet beledigt. Iets is er in hem veranderd, hij loopt in stilte, lusteloos, mij met zich meezeulend als een zware last. Met kleine duwtjes dwingt hij mij in de auto te stappen. Ik hoor niets, waar is de baas? Brengen ze me naar zijn hoofdkwartier, naar zijn huis, waarnaartoe? Ik begin weer te trillen, met mijn handen houd ik mijn benen vast om te proberen ze enigszins onder controle te krijgen. Uit de ruimte om mij heen maak ik op dat ik alleen op de achterbank zit, en uit de stilte dat er maar één man op de voorbank zit. Door de angst kan ik niet meer denken. Seconden gaan voorbij, minuten, de auto rijdt door zonder te stoppen, het lijkt of er geen rode lichten zijn onderweg, noch veel verkeer, misschien rijden we de stad binnen. Als ik gelijk heb en het is nacht, dan zijn wij misschien wel aangekomen in San Cristóbal, hoe vaak heb ik niet met aandacht gekeken hoe de stad er 's nachts, verlaten, uitzag. Ik hoor enkele verre geluiden, maar die zijn minimaal, ik kan ze niet plaatsen.

Plotseling komt de auto hevig remmend tot stilstand.

'We zijn er, hoerendochter. Uitstappen!'

Wat hij zegt schijnt los te staan van wat wij emotie zouden noemen.

In mijn hopeloze situatie van blinde tast ik, voel ik, zoek ik het portier, ik wil alléén uitstappen zodat hij mij niet opnieuw kan gaan duwen. Het lukt me. Met mijn voet voel ik een stoeprand. Mijn benen houden mij nauwelijks. Ik hoor hoe de achterdeur van de auto wordt dichtgedaan en de nabijheid van de man kan ik bijna ruiken. De auto vertrekt niet onmiddellijk, hij kijkt, denk ik, op een vreemde manier naar me, wat mij koude rillingen bezorgt. En uit het niets, zonder dat ik erop bedacht ben geeft hij mij een klap midden in mijn gezicht. Ik verlies het wankele evenwicht dat ik nog had en val op de grond. Wanhopig, met mijn mond op het koude cement, betast ik mijn gezicht, mijn gezicht dat wel een masker lijkt, mijn gebaren zijn als bevroren, ik ben niet meer in staat iets te zeggen. En dan gebeurt er iets onverwachts: ik hoor een droog, kort geluid, ik hoor weer het geluid van het portier van de auto en meteen daarop dat van de motor. Begint mijn waarnemingsvermogen het te begeven, hoor ik alleen nog maar wat ik heel graag wil horen en niet de brute werkelijkheid? Toch, de auto is gestart, daar kan ik zeker van zijn, ik hoorde hoe de motor begon te draaien en hoe de auto vervolgens vertrok. Zonder mij.

Om op het plaveisel van een stad die onbewoond lijkt te worden achtergelaten zonder iets te kunnen zien, is verschrikkelijk, is heel treurig. Ik concentreer me tot het uiterste zonder dat ik ook maar enig medelijden met mijzelf voel. Ik schreeuw. Als hij nog steeds naast mij staat, als een ander de auto heeft gestart en hij bij mij is gebleven, zal hij mij ongetwijfeld slaan. De schreeuw van een gevangene midden op straat is, gezien vanuit het standpunt van gevangenbewaarders, onvergeeflijk. Ook al is dat zo, ik neem het risico en schreeuw opnieuw. Niemand antwoordt, niemand valt mij aan, niemand gaat mij te lijf. Ik blijf op de grond liggen, ik zou nog niet anders kunnen. De pijn is hardnekkig, ik moet eerst krachten verzamelen om te kunnen opstaan. Ik begrijp nog niet goed wat er gebeurt. Maar hoe lang dit gemartel ook mag duren, ik heb één zekerheid: vaak ben ik goedgelovig en argeloos geweest. En dat deel van mijzelf sterft nu af, en dan zal het gestorven zijn tussen de vier beklemmende muren van een stinkend kamertje of op het plaveisel van een verlaten stoeprand op een onbekende plek in het zuidoosten van Mexico.

II

Zwarte duif

La révolution ne doit s'arrêter qu'à
la perfection du bonheur.

Saint-Just

Santiago de Chile, maart 2000

Treurig als een requiem verliet ik op een heldere ochtend San Cristóbal; toen ik voor het laatst naar de stad keek zag ik haar wit liggen soezen in de vallei, alsof de heuvels haar wiegden, alsof een zegening van licht zich over haar uitstrekte. Zo liet ik het achter mij, dat land van metaforen en symbolen, van tekorten, onbegrip en apathie, en ook het land van heroïek. Ook al verandert mijn bloed erdoor in ijs, toch wil ik hier vertellen wat er is gebeurd. Ik weet niet goed hoe ik die werkelijkheid in harmonie moet brengen en haar moet ordenen opdat zij mij weer geloofwaardig, zinvol en dichtbij zal toeschijnen, maar ik zal het proberen.

Iemand moest wel medelijden krijgen toen hij in het donker op de stoep van een stille straat in een buitenwijk van de stad een vrouw zag liggen met open mond; het had een dronken vrouw kunnen zijn of een ontrouwe vrouw die afgestraft was, maar door de band voor mijn ogen – ik had nog steeds niet geprobeerd hem eraf te trekken, na de laatste klap had ik geen kracht meer – ondernam de man die mij vond actie. Ik heb geen precieze herinnering aan die ogenblikken, ik herinner mij alleen dat toen ik weer kon zien, het eerste wat ik eerst heel vaag, toen heel precies, ja zelfs glanzend zag, was: de maan, stralend en fris als een halve watermeloen. Door haar wist ik dat ik leefde. Later ging er een telefoontje naar Luciano, dat niet werd beantwoord. Desondanks moet ik hebben gevraagd of zij mij naar zijn huis wilden brengen, zeker is dat ik liever op de stoep voor zijn huis op hem wilde wachten dan dat ik in deze toestand enig ander levend wezen onder ogen zou komen. Want hoewel ik aan Jean Jacques dacht, had ik toch niet de moed om naar hem toe te gaan.

In die omstandigheden leerde ik ten slotte Jim kennen, de Noord-Amerikaan die in het huis van Luciano woonde. Hij opende de deur en ik denk dat hij, met zijn goede manieren en zijn slechte Spaans, wel even met mijn weldoener zal hebben gesproken en hem hebben bedankt voor wat hij had gedaan. Pas nadat ik een heerlijk glas sinaasappelsap, zoet als karamel zoals alle Mexicaanse sappen, had gedronken, begon ik weer op te knappen en kon ik weer wat zien; vanaf dat ogenblik kan ik mij weer iets herinneren, niet van daarvoor. En het eerste wat ik deed was naar de badkamer gaan, waar ik mij een eeuwigheid opsloot terwijl Jim de dokter belde, die algauw langskwam om mij te onderzoeken. (Ik vraag mij nu af hoe ik er moet hebben uitgezien dat hij met zoveel spoed is opgetrommeld.) Hij moet mijn toestand niet erg ernstig hebben gevonden, want hij schreef mij alleen kalmerende middelen voor en nog wat eenvoudige middeltjes voor mijn bloeduitstortingen. Ondertussen bleef Jim proberen Luciano telefonisch te bereiken.

Toen deze thuiskwam liet de indruk die hij van mij kreeg veel te wensen over: een vrouw in zijn bed, bevend, niet in staat op te houden met beven, waarbij de paarse, violette en rode plekken op haar huid een herinnering waren van elke opgelopen klap, die zich vastklampte aan haar kussen en wanhopig probeerde haar evenwicht te hervinden, als iemand met de ziekte van Parkinson in het laatste stadium. Ik bespeurde zijn grote gestalte in de deuropening, verslagen, van streek, kapot, zoals ik hem nog nooit had gezien, ernstig, onbeweeglijk. Een heel schuchtere gedachte voelde ik in mij opkomen, alleen maar de schaduw van een gedachte, maar die mij ertoe bracht om mij ondanks de vele pijnlijke plekken in zijn bed te nestelen. Luciano opende zijn armen en sloeg ze toen stevig om mij heen, alsof dat het laatste was wat hij in zijn leven mocht doen. Hij klemde mij tot bloedens toe vast. Toen ik daar veilig in zijn armen lag liet ik het verdriet in mij opkomen, wild schokkend huilde ik heftig om dagen, maanden, jarenlang ingehouden verdriet, ik huilde alsof de tranen nooit zouden ophouden. Hij liet mij uithuilen. Met een hand streelde hij mijn hoofd terwijl hij mij met zijn andere tegen zich aandrukte. Geen van beiden spraken wij. Nog nooit was zijn lichaam zo breed geweest. Pas later, veel later, toen ik verborgen lag in die warme duisternis, kwamen zijn woorden mijn schuilhok doorboren en gaven zo mijn intuïtieve angst gelijk: *Reina is dood.*

Hij herhaalde het voor mij.

Reina is dood.

¿Y me invitó a morir esa mirada?
Quizás morimos sólo porque nadie
quiere morirse con nosotros, nadie
quiere mirarnos a los ojos. *

Deze regels van een gedicht van Octavio Paz herhaalde ik vele malen in stilte. Toen bedacht ik dat het in gevangenschap onmogelijk was de realiteit in je op te nemen. Toen zij mij vrijlieten wilde ik dat mijn ogen mij een verhaal vertelden dat ik zou kunnen geloven. Niets was minder waar. Nog nooit was mijn troosteloosheid zo immens geweest. De lucht kleurde bloedrood en de wolken bedekten zich een voor een met een laagje slechtheid. Ik raakte op drift met een gat in mijn ziel, ik kon het niet geloven, ik was geheel van streek en spande mij tot het uiterste in om mijzelf ervan te overtuigen dat zij nooit meer een broodkruimeltje naar de roodborstjes zou gooien.

Hoewel de politie verklaarde, zoals wij al wel veronderstelden, dat het een ongeluk was, waren de protesten op gang gekomen, zoals haar vrienden dat al hadden uitgedacht voor haar dood; heel spoedig verhieven ze toen hun stem, en die overschreed de grenzen van stad en land. Om die reden lieten zij mij gaan. Paradoxaal genoeg redde de dood van Reina mij.

Ik zat erop te wachten haar te horen lachen of welwillend te zien toekijken, om te zien hoe ze haar schouders flauwtjes zou ophalen of tegen me zou uitvaren over iets, over wat dan ook, dat ze geweldig opblies. Maar ze liet mij achter met een nieuwe confrontatie met onze sterfelijkheid. *Y si las gracias no pudiese daros/ porque profundamente ya me hubiese dormido***.

---

* En die blik nodigde mij uit te sterven?
  Misschien sterven wij alléén, omdat niemand
  wil sterven waar wij bij zijn, niemand
  wil ons in de ogen zien.

** En als ik jullie niet kan bedanken, is dat omdat ik al in diepe slaap ben.

Ik wilde niet zien hoe in haar lichaam haar hartstocht was vastgevroren en ook niet, nog erger, hoe op haar gezicht de onverbiddelijke nederlaag was te lezen. Haar begrafenis zou op donderdag plaatsvinden, zeven dagen na de moordaanslag in de Francisco Leónstraat. Ik ben er niet bij geweest, diezelfde donderdag nam ik het vliegtuig naar de hoofdstad, wat bewijst dat op een cruciaal moment diepe meelevendheid kan worden opgevat als lafheid. Ik nam geen afscheid van Jean Jacques, noch van Ninoska, noch van Paulina, en ook niet van de andere vrienden van La Normandie: van niemand. Luciano bood aan met me mee te gaan, maar het leek mij ongepast hem te verhinderen de begrafenis van Reina bij te wonen, ik ben ervan overtuigd dat het enorm belangrijk is dat je je eigen doden begraaft, het is de enige manier waarop ze je inderdaad verlaten, een onherroepelijk afscheid. Ik droomde ervan dat ergens op de berg, klein en verborgen, een vlag halfstok zou wapperen. En dat een commandant ter nagedachtenis van haar een minuut stilte in acht zou nemen.

Zwarte duif, waar vlieg je nu naartoe?

Op het vliegveld van Mexico-stad veranderde ik de bestemming van mijn reis. Nu ik met enige afstand hierop terugkijk begrijp ik niet hoe ik hiertoe kon komen, waar ik de moed en de besluitvaardigheid vandaan haalde. Het vliegtuig van Lan Chile steeg 's nachts op, daarom installeerde ik mij als een invalide op een van de stoelen, niet in staat om te bewegen, bang dat iemand op mij af zou komen of tegen me zou praten. Ik belde Gustavo.

'Weet jij wat in de taal van de bokser een *fajador* is?' vroeg hij me.
'Nee...'

'Dat is een vuistvechter die de klappen van de rivaal doelbewust opvangt, bijna zonder erop te reageren. Ik ben een goede *fajador*, Camila, en dankzij deze deugd kan ik vertrouwen hebben in de eindoverwinning.'

Hij wist nog niets van mijn ontvoering, mijn vrienden in San Cristóbal waren van plan geweest hem op de hoogte te stellen en hem te vragen te komen als dat met Reina was afgelopen. (Terecht kwam mijn afwezigheid op de tweede plaats.) Ik vertelde het hem niet over de telefoon, ik gaf alleen aan dat ik een paar traumatische ervaringen had opgedaan en dat ik er behoefte aan had om de zaak van mij af te zetten, verder niet. Dat ik het er later met hem over zou hebben.

(Ik sta nog een ogenblik stil bij de vorige zin tussen haakjes en open nog een parenthese. Die twee dagen dat ik opgesloten zat – het waren er inderdaad twee, zoals ik later hoorde – in het kamertje zonder ramen, waarschijnlijk in een woonhuis op een onbekende plek, vermoedelijk in een van de buitenwijken van San Cristóbal, nemen in mijn geheugen dezelfde ruimte in als het hele jaar dat ik heb doorgebracht op mijn bed. Toch hield door mijn ontvoering geen enkel leven op of werd erdoor verstoord. Als ik al de gedachte koesterde dat het dagelijkse leven van de anderen zou zijn veranderd door de verstoring van het mijne, dan vergiste ik mij. Ik weet heel goed dat, hoewel er meer dan genoeg redenen zijn om dit volledig te rechtvaardigen, in mijn narcistische fantasieën mijn tragedie, door het effect ervan op de anderen, groter zou worden. Toen ik klein was droomde ik al over mijn dood, alleen al om het genoegen dat het mij zou verschaffen om getuige te zijn van mijn eigen begrafenis; als toeschouwer kon ik eindelijk zien hoe groot de betrokkenheid was in het hart van hen die achterbleven, kon ik zien wie er waren, hoe hun reacties waren en hoeveel tranen zij vergoten. Het kwam nooit in mij op dat mijn virtuele begrafenis ongemerkt voorbij zou kunnen gaan omdat er op dat ogenblik iets verschrikkelijks gebeurde, bijvoorbeeld dat op het moment dat mijn lijkkist de begraafplaats op kwam, er werd meegedeeld dat er een kernoorlog uitbrak en dat ze mij daar lieten staan om zelf een goed heenkomen te zoeken.)

Toen ik van San Cristóbal naar Mexico-stad vloog, ver weg van elke mogelijke agressor, bespeurde ik in mijzelf, niet zonder verrassing, heimwee naar mijn land, naar dat teleurgestelde, veeleisende, woedende, volhardende, achtervolgende en angstige land, dat verdriet en vreugde heeft gekend, mijn land. Per slot van rekening was het mijn land, ik heb het niet uitgekozen, ik heb geen ander. Zoals

Vargas Llosa zich in *Gesprek in de kathedraal* afvroeg wanneer precies Peru naar de bliksem was gegaan, vroeg ik mij af op welk ogenblik wij Chilenen onze ziel hadden verloren. Er zit iets wellustigs in heimwee. Ik dacht aan Pinochet, aan zijn ogen als twee bolletjes gestoken uit het ijs van de lagunen van Patagonië, blauw en ijzig als een duizend jaar oude gletsjer. En als ik aan hem dacht dan was het vanwege de afschuwelijke zekerheid dat, terwijl hij zich meester maakte van de macht in het land, wij, die hevig verlangden naar democratie, beter waren. Ook al is dit zo, toch ging mijn verlangen uit naar deze plek op de wereld, naar de *onvoorstelbare gebeurtenissen* die plaatsvonden in de landen van dit continent. Een van de dingen die ik in mijn korte gevangenschap heb geleerd was hoe je dat wat daarvoor vanzelfsprekend, voor de hand liggend en gegeven leek, moet waarderen en koesteren. Ik heb begrepen dat als je je vrijheid bent kwijtgeraakt, dat je die pas weer terugkrijgt als je terugkeert naar de plek waar je werd geboren.

In het Sanskriet betekent het woord 'weduwe' leegte. Een weduwe van Chili, dat ben ik.

Ik bedacht ook, terwijl ik Mexico door de lucht doorkruiste, dat het blanco jaar dat ik in Washington D.C. heb beleefd niet vergeefs was. Overleven hangt af van je vermogen rouw te verwerken. Als die rouw niet wordt afgesloten komen alle hellepijnen je verleiden, vermomd op duizend manieren, sommige angstaanjagend, andere zelfs vriendelijk, maar toch verwoesten ze je leven. Als het je echter lukt, kun je leven met het verdriet tot het einde van je dagen. Het verdriet maakt je niet in de war, het vertroebelt je gezond verstand niet, noch verliest je geest zijn evenwicht; het verdriet drukt je terneer, maakt je somber, en hoewel het alles bij elkaar genomen gigantisch is, is dat toch alles, is het alleen maar dat. Strikt genomen zijn er zoveel dingen die ik op deze hoogte zou moeten begrijpen, maar ten slotte begrijp ik dat het maar één ding is.

Als ik een Maya-indiaanse was, zou ik dit lange, omslachtige verhaal hebben verteld met één enkel doel: vertellen wat er in mijn hart is. Daaraan wil ik mij houden.

Dolores ontving mij, eens temeer was ze de vijgenboom uit het hindoegeloof, de moederboom, de boom van alle bomen, een huis. (Camila, zou ten slotte de zin van het leven niet zijn *het te leven*? Ik geloof niet erg in filosofische antwoorden: het zit allemaal in het *totale* leven, het *goede* leven.) Het buitengewone van haar is dat ondanks de opeenstapeling van alle verdriet, de dood haar weer angst aanjaagt, haar door elkaar schudt, alsof hij nooit had toegestaan dat zij eraan gewend raakte, alsof het menselijk leven echt iets waard was.

Gustavo. Wat zou ik graag willen dat je vandaag keek naar het huis van mijn jeugd, naar de tafel in de eetkamer, naar de stad Santiago, naar je vrouw die diep en langzaam ademhaalt alleen al omdat zij daar loopt. Nu ik door Dolores kan worden opgevangen ben ik niet bang dat zij mijn droefheid doorgrondt. Ik weet dat jij mij in zo'n situatie in je armen zou nemen en terwijl je mijn hoofd tegen je aan zou drukken, zou je met een zekere trots en een geamuseerde glimlach uitroepen: Maar Camila, wat krijgen we nu! Waar is je verlangen gebleven om jezelf eruit te redden?

Wat moeders en dochters betreft, toen ik hoorde dat Reina zou worden begraven in San Cristóbal de las Casas, heb ik mij erover verbaasd. Toch, als het haar keuze was om tijdens haar reis door het leven alleen de horizontale lijn te trekken en nooit de verticale, die naar boven toe haar voorouders en naar beneden toe haar nakomelingen zou omvatten, valt het te begrijpen dat haar wortels lagen in haar eigen eenzame rugzak. Zou die uitsluitend horizontale lijn haar eenzaamheid hebben gebracht? Symptomatisch is dat een dergelijke steriliteit zich niet tegen Reina keerde als een gebrek aan gevoel (of toch, misschien?).

Dolores hielp mij om stap voor stap door *het grote gebouw van de herinnering* te gaan en overtuigde mij ervan dat er geen verdriet is dat niet met de tijd kleiner wordt, net zoals wanneer je als volwassene, na jaren, de huizen van je jeugd terugziet en je vindt dat ze kleiner zijn geworden. Als uiteindelijk slachtoffer zijn inhoudt dat je een utopie of een leven dat net is begonnen moet loslaten, of dat nu komt door het falende hart van een kind of door het vallen van alle muren, dan doet dat er niet toe. In beide gevallen ben je slachtoffer.

Zoals verslaafden die een ontwenningskuur doen, zo moest ik gedurende dat jaar dat uiteindelijk eindigde in San Cristóbal, niet denken aan *de volgende dag*. Overleven was de opdracht en het begrip *morgen* moest met wortel en tak worden uitgeroeid, het overleven van één enkele dag moest worden gezien als een heuse triomf. Vanaf mijn bed verklaarde ik dat ik een kaal stuk grond was: er kon zowel nog van alles op gebeuren als nooit meer iets. Toen Gustavo mij op een dag vroeg of ik niet eens iets moest gaan doen voor anderen, liet mijn antwoord niet op zich wachten: ik haat de anderen! En zo was het, en misschien is het nog steeds zo. Maar wat het beeld betreft dat ik van mijzelf moet meedragen; San Cristóbal voorkwam dat ik veranderde in een circusdier dat alleen maar kan dansen als het alle passen in het rond danst en een mooie, maar vervloekte cirkel om zichzelf heen trekt. Daarom was het van cruciaal belang om uit Washington weg te gaan, ik zou eindeloos hebben kunnen doorgaan met mijn vegetatieve toestand als ik niet van buitenaf tot iets anders was gedwongen. En daarom bedank ik Peter Graham (en Gustavo?). Welnu, als iemand mij zou vragen of ik de dood van mijn zoon heb verwerkt, dan zou ik antwoorden: dat is iets wat je niet verwerkt. Dat zal ik op mijn tocht door het leven altijd met mij meedragen.

Misschien is dit woord wat ik zei van belang: mijn tocht. Het is een woord dat beweging veronderstelt.

En wat die beweging betreft, er komt steeds één bepaalde gedachte in me op, bescheiden, stilzwijgend, maar die mij niet loslaat: ben ik inderdaad zo buitengewoon teer dat ik deze hoge mate van verschrikking nodig had om te kunnen reageren, om weer te kunnen voelen dat ik leefde? Ik denk eraan wat voor alternatief er dan overblijft voor gewone vrouwen die in een vergelijkbare situatie onvermijdelijk dóór moeten, voort moeten. Tot een paar maanden geleden was ik een van hen, normaal tot op het walgelijke af, rechtlijnig, uit het raam kijkend of de wolken mij niet een door hen gevonden oplossing kwamen aandragen. Het is niet waarschijnlijk dat mijn metgezellinnen in verdriet en hartstocht te maken krijgen met zulke extreme ervaringen als ik heb gehad in het zuidoosten van Mexico. Maar dan, hoe ontkomen zíj aan een witte kamer, aan de lakens in een sneeuwwit, eeuwig bed?

De wereld is slecht, dat staat wel vast, dat is een feit waar we niet omheen kunnen, zei Luciano op een dag tegen me, en daarom moeten wij de zaak klein aanpakken, wij moeten kleine, maar continue lichtjes zoeken om dat te vergeten.

En inderdaad, wat er gebeurde in San Cristóbal de las Casas was dat het struikgewas dat mij omgaf en belemmerde werd weggeslagen, en dat daarmee alles wat slecht was met de grond gelijk werd gemaakt. De lichtjes werden enorme, flonkerende lichten, maar toen die werden gedoofd bleef mij geen andere keuze over dan ze weer tot leven te brengen. Maar die vrouwen, mijn metgezellinnen, als geen enkel krachtig vuur hen overvalt, waartoe kunnen zij hun toevlucht nemen?

Ondanks de zomer in Santiago, die zo zoet is wanneer zij zich terugtrekt en mijn moeder die mij zo warm en beschermend had ontvangen, is het zeker dat niets ideaal is geworden. Nu en dan komt de onrust weer in mij op en doet mij regelrecht tegen een muur opbotsen, als was ik een vreemdelinge, een vreemde voor mijzelf. Dan weer is mijn nostalgie – ook al is ze verborgen – ontroostbaar. In dit zuiden baden mijn ogen zich elke dag in de schoonheid van die verre stad San Cristóbal de las Casas, en ze roepen de heldere, schitterende lucht op die afsteekt tegen de ivoren horizon. Nu deze stad er niet meer is, heb ik het gevoel dat ik er iets op moet verzinnen. Zoals ik indertijd had beloofd liet ik de houtgravure van de Lacandoonse schilder inlijsten in een smalle, lichtgeverfde houten lijst en zette hem in mijn kinderkamer op het gladde oppervlak van de commode. Ik hing hem niet aan de muur, omdat de handeling van het slaan van een spijker in de muur mij zou hebben gedwongen om de betekenis ervan onder ogen te zien, een spijker in de muur is altijd een daad van hoop uitgevoerd op een bepaalde, aanwijsbare plek, een daad van blijvende hoop. Ik kijk elke dag naar mijn doodshoofden, ik ken al alle passen van die dans, de bedreiging van de dood die er feestelijk kan uitzien. Mooie dingen verliezen hun waarde door imitaties; doordat ze zich overal verspreiden brengen ze schade toe aan het origineel.

Luciano. Gisteren schreef ik hem, ik stelde hem voor de Mexicaanse zee te verwisselen voor de Chileense, het blijft ten slotte dezelfde oceaan, de Stille Oceaan, hoewel de onze veel kouder is. Alles bij elkaar genomen is het een openstaande rekening. Ik herinner mij zijn zachtaardigheid, die niet week was maar licht, zoals zachtaardigheid altijd zou moeten zijn. Die laatste nacht, toen de straatmuzikanten zwegen, bedreven wij weer de liefde, maar deze keer was het anders: wij klampten ons aan elkaar vast in een poging om te overleven, als twee dieren in een simpel streven het leven vast te grijpen, het leven, vol wantrouwen en angst, dat leek weg te glippen langs alle kieren en gaten. Ook dat kan liefde zijn.

Reina. Ik heb nog steeds haar eenzame zilveren oorhanger, mijn enige materiële herinnering aan haar.

Reina. De nederlaag der nederlagen. (Wat zullen de trotse Azteken die nacht in de lagune hebben gehuild toen zij hun eigen hechte geschiedenis verwoest zagen door het onrechtvaardige voornemen van de stichters van het nieuwe rijk! De blanke, bebaarde man – de god – die dat wat eeuwenlang krachtig en bloedig was gesmeed, zou gaan vervangen door een nieuwe orde.)

Haar hulpeloze macht over de hulpelozen.

Naarmate de dagen verstrijken aan het einde van die zomer in Santiago, met haar avonden vol van die frisse, heerlijke bries, begin ik diep in mij de noodzaak te voelen het artikel te schrijven waarvoor ze mij in Washington de opdracht gaven. Het is niet zo dat ik mij ertoe gedwongen voel, Peter Graham weet al wat er is gebeurd en niets staat verder van hem af dan druk op mij uit te oefenen, en nog minder Gustavo, die zich geweldig heeft gehouden, een vriendelijke, solidaire makker, wat hij waarschijnlijk altijd al was, maar mijn ogen vol rouw konden dat niet zien. Nu begrijp ik dat ik hem eigenlijk nooit heb vergeven dat hij zich door de dood niet heeft laten kapotmaken.

(Toen ik klein was keek ik in deze zelfde eetkamer elke dag naar een oud schilderij aan de muur, dat *Het Laatste Avondmaal* voorstelde en dat op een indrukwekkende manier leek te heersen over elke gezinsmaaltijd. Dat er helemaal geen kleur meer op te zien was maakte mij bang, door de te donkere schaduwen kon je niet meer genieten van de vormen, die maakten ze kapot. Op een dag kwam ik eten en toen was het schilderij weg. Wachten jullie maar eens af, zei mijn vader, wachten jullie maar eens even, dan zul je eens wat zien. Een van zijn vrienden had aangeboden het te restaureren. Na een paar weken hing *Het Laatste Avondmaal* weer thuis, en tot onze verbazing was het een ander schilderij: bij het schoonmaken was er een prachtig kleurenpalet te voorschijn gekomen, dat er al eerder geweest moet zijn, op het origineel, voor het was ondergegaan in eindeloze alledaagsheid. Net zoals bij het oude schilderij van mijn vader heeft mijn herstel de herinnering aan Gustavo weer glans gegeven, en het verleden doen vergeten.)

De neiging om te willen vertellen is menselijk en ik mag wel zeggen dat het iets heel menselijks is. Luciano zei me eens dat er stammen bestaan waar verhalen vertellen wordt gezien als een vorm van genezen, als een mogelijke redding. Daarom twijfel ik niet aan mijn verlangen. Gisteren nog zou ik het hebben gevoeld als mijn verplichting om de rol van gedesillusioneerde vrouw te spelen, de rol die alleen vertelt hoe de objectieve werkelijkheid is. Vandaag keer ik mijn hele verhaal en sommige automatismen van mijn generatie de rug toe en neem ik de subjectiviteit ter hand als een gewonde duif. Als een zwarte duif.

Ik kijk mijn aantekeningen nog eens over, wat zijn het er veel!

Een ogenblik heb ik erover gedacht te schrijven over de koffieplant – het groene goud, noemden ze het – als een allegorie van de levensboom, de basis van het Mexicaanse handwerk. In het Café del Museo in de Adelina Floresstraat las ik getuigenissen van indianen die half slaaf waren en die werkten op koffieboerderijen in Soconusco en ik dacht die te kunnen gebruiken.

'Wij moesten net zo hard werken als de mannen, want het werk werd afgemeten per taak. Soms duurde het tot vier of vijf uur 's middags voor ik mijn zak vol had. Ik leed erg. Als mijn zoon huilde, dan had ik die zak die aan mij vastzat en tegelijkertijd gaf ik mijn kind de borst, eerst aan de ene en dan aan de andere kant. De mannen waren eerder klaar met hun taak, zij werden niet afgeleid door iets anders… als ik laat thuiskwam van het plukken moest ik nog eens eten koken en tortilla's maken… Ik voelde mij erg alleen op de boerderij. Ik schaamde mij ervoor de enige vrouw te zijn.'

'Er was een cel op elke boerderij, met voetangels, voetkettingen met een blok hout eraan voor het geval een gestrafte werkte in het dorp met zijn blok achter zich aanslepend of op zijn schouder als hij van de ene plek naar de andere ging; er was een klem voor de voeten en ook een voor de hals.'

Ik houd op met lezen. Nee. Op mijn computer toets ik *delete* in en ik wis het.

Ik denk dat de reden dat ik meer aandacht heb besteed aan de Ch'oles-indianen dan aan welke andere bevolkingsgroep ook, verband houdt met Paulina Cansino, een Ch'ol-indiaanse, reislustig en verhalenvertelster zoals alle indianen van haar ras.

'De wederkomst van de zoon van Ch'ujtiat: de mensen zijn tevreden. Het is een tijd van vrede; de aarde brengt goede oogsten voort, de maïs groeit goed en er zijn nogal wat mensen bij gekomen, er zijn nu veel mensen. Maar ze zijn maar korte tijd zo tevreden. De tijd van vrede duurde maar kort. Want opnieuw begonnen de Xibaj te vechten. De Xibaj brengen hun tijd alleen maar door met het achtervolgen van mensen, en ze op te eten. Ze eten er velen op. Daarom zijn de mensen bang: hoe moet dit aflopen, en wat te doen als er nieuwe rampen komen?'

Ik houd op met lezen. Ik toets *delete* in.

Van de bijeenkomst die ik in Washington in mijn huis had met de Mexicaanse deskundige Luis Vicente López heb ik een overvloed van aantekeningen overgehouden. Ofschoon ik mij veel van zijn woorden herinnerde terwijl ik naar het leven keek in San Cristóbal, dacht ik toch steeds dat ik wat hij had gezegd weer zou opzoeken wanneer ik zou beginnen te schrijven. Dat is wat ik vandaag doe.

'Ga toch naar de bergpaden,' zeggen ze tegen de indianen, maar niemand wil daar leven, ga toch weg van die boerderijen, net als het uitverkoren volk in Egypte, ga naar het oerwoud om vrij te kunnen zijn, ga naar het Beloofde Land. Die dwaas van een bisschop Ruiz wil de stad van God in het oerwoud maken, en daar is hij, hij voelt zich ontheemd, verraden en gekleineerd door Marcos. Allemaal zitten ze roerloos vast in Chiapas, niemand doet iets, allemaal zijn ze overgepolitiseerd, duizenden organisaties voor vier katten. Ze overleggen en overleggen, nemen over alles collectief beslissingen en uiteindelijk weet niemand meer goed wat hij wil, waarvoor hij vecht, waar hij naartoe gaat. Alleen Marcos loste zijn probleem goed op: de allerdwaaste droom van roem van een radicale student aan de open universiteit van de Mexicaanse hoofdstad. Het enige wat is toegenomen in Chiapas sinds het begin van de opstand zijn het aantal soldaten en de staatsbelastingen, ter verrijking van een politieke klasse die behoort tot de meest corrupte van de republiek, die van Chiapas.

Zou het een oplossing zijn de indianen te isoleren en af te snijden van elk contact met de buitenwereld? Een indianenrepubliek: eeuwig minderjarig, blind voor de werkelijke wereld. Waarom verdelen we onder de vrouwen in de bergen niet een paar goede *Nikes* zodat ze niet blootsvoets hoeven te lopen? En aspirine, is dat misschien niet universeel? Leve de moderne tijd die geconfronteerd wordt met arme stammen die nergens van weten.

Delete.

Ik doe de computer uit. Vastbesloten loop ik naar de slaapkamer van Dolores en vraag haar om potlood en papier om met de hand te gaan schrijven, net zoals toen ik gedichten en literatuur vertaalde die ik belangrijk vond. Ik vraag haar mijn poortwachter te zijn voor de buitenwereld, dat ze niet toestaat dat iemand mij onderbreekt en dat ze mij later een kop koffie brengt, net zoals toen ik studente was.

'Wat ga je schrijven?' vraagt Dolores nieuwsgierig.

'Een verhaal, een eenvoudig verhaal,' antwoord ik.

En ik heb niet gelogen. Nu weet ik eindelijk wat ik Peter Graham zal sturen voor zijn Noord-Amerikaanse tijdschrift. Ik installeer mij aan de tafel in de eetkamer van het huis van mijn moeder, de tafel uit mijn kinderjaren waaraan ik leerde schrijven, en begin.

'Er was eens een vrouw. Ze heette Reina Barcelona, en hoewel ze werd geboren in Uruguay, ging ze naar de bergen van Zuidoost-Mexico om haar strijd te strijden…'

Ik pak de bladzijde, lees de eerste zin en scheur hem door. Net zoals de Maya-vrouwen moet ik vertellen wat er in mijn hart is. Dus begin ik opnieuw.

'Er was eens een vrouw van wie het lichaam, toen zij sliep, de vorm aannam van een foetus en die haar verdriet inslikte. Haar naam was Reina Barcelona.'

Noot van de auteur

Sinds ik begon met het schrijven van deze roman hebben zich in Mexico en in de deelstaat Chiapas belangrijke veranderingen voorgedaan. Het is onwaarschijnlijk dat in het huidige politieke klimaat de gebeurtenissen die hier worden verteld, zich zouden hebben kunnen voordoen.

Om de sfeer van dit verhaal te kunnen vangen heb ik lange perioden in de stad San Cristóbal de las Casas doorgebracht: de getuigenissen van de hoofdpersonen over hun actuele leven hebben mij verrijkt. Ik meen dat het niet passend is om hun namen hier te vermelden, maar bij elk van hen sta ik in het krijt en ik zal hen altijd dankbaar zijn voor hun warme medewerking. Ook heeft het lezen van diverse teksten mij geholpen om meer te begrijpen van het leven in Zuidoost-Mexico, en wel speciaal: *Antigua palabra narrativa indígena ch'ol* van Jesús Morales Bermúdez, *Mujeres de Maíz* van Guiomar Rovira, *Samuel Ruiz, el caminante* van Carlos Fazio en *Desde las montañas del sureste mexicano* van Subcomandante Marcos *.

Mijn speciale dank gaat naar Luis Santa Cruz, naar Comandante Santiago van wie ik het nodige heb geleerd over de Guatemalteekse guerrillastrijd, en ook naar Carlos Elizondo, Héctor Aguilar Carmín en Marcia Scantleburry.

San Cristóbal de las Casas, september 2001

* oude verhaalwoorden van de Ch'ol-indiaan; Vrouwen van maïs; Samuel Ruiz, de man onderweg; Vanaf de bergen van het zuidoosten van Mexico